ORHAN PAMUK •

ORHAN PAMUK 7 Haziran 1952'de İstanbul'da doğdu. New York'ta geçirdiği üç yıl dışında hep İstanbul'da yaşadı. Liseyi Robert Koleji'nde bitirdi, İstanbul Teknik Üniversitesi'nde üç yıl mimarlık okudu, 1976'da İstanbul Üniversitesi Gazetecilik Enstitüsü'nü bitirdi. 1974'den başlayarak düzenli bir şekilde yazı yazmayı kendine iş edindi. İlk romanı *Cevdet Bey ve Oğulları* 1979'da Milliyet Yayınları Roman Yarışması'nı kazandı. 1982'de yayımlanan bu kitap 1983 Orhan Kemal Roman Ödülü'nü de aldı. Aynı yıl ilk baskısı çıkan *Sessiz Ev* ile 1984 Madaralı Roman Ödülü'nü ve bu kitabın Fransa'da çıkan çevirisiyle de 1991 Prix de la découverte européenne'i (Avrupa Keşif Ödülü) kazandı. 1985'de yayımlanan tarihî romanı *Beyaz Kale* Pamuk'un ününü yurt içinde ve yurt dışında genişletti. *New York Times* gazetesinin "Doğu'da bir yıldız yükseldi" sözleriyle karşıladığı bu kitap, belli başlı bütün Batı dillerine çevrildi. 1990'da yayımlanan *Kara Kitap* karmaşıklığı, zenginliği ve doluluğuyla çağdaş Türk edebiyatının üzerinde en fazla tartışılan ve en çok okunan romanlarından biri oldu. Ömer Kavur'un yönetmenliğini yaptığı *Gizli Yüz* filminin senaryosunu da Pamuk 1992 yılında kitaplaştırdı. Romanları onüç dile çevrilen Orhan Pamuk'un kitapları Brezilya'dan Avustralya'ya, Norveç'ten İtalya'ya pek çok ülkede yayımlanmaya devam ediyor.

İletişim Yayınları 304 • Çağdaş Türkçe Edebiyat 27
ISBN 975-470-445-7

1.-6. BASKI ©İletişim Yayıncılık A. Ş. Ekim 1994 (22.000)
7.-35. BASKI ©İletişim Yayıncılık A. Ş. Kasım 1994 (22.001-109.000)
36.-44. BASKI ©İletişim Yayıncılık A. Ş. Aralık 1994 (109.001-136.000)
45.-50. BASKI ©İletişim Yayıncılık A. Ş. Ocak 1995 (136.001-154.000)
51. BASKI ©İletişim Yayıncılık A. Ş. Şubat 1995 (154.001-157.000)

KAPAK Ümit Kıvanç - Ahmet Işıkçı
FOTOĞRAFLAR Ümit Kıvanç - Manuel Çıtak
DİZGİ ve UYGULAMA Hüsnü Abbas
KAPAK BASKISI Sena Matbaası
İÇ BASKI ve CİLT Mart Matbaacılık

İletişim Yayınları
Klodfarer Cad. İletişim Han No.7 Cağaloğlu 34400 İstanbul
Tel. 516 22 60-61-62 • Fax. 516 12 58

ORHAN PAMUK

Yeni Hayat

 iletişim

Şeküre'ye

Aynı masalları dinlemelerine rağmen,
ötekiler hiç böyle bir şey yaşamadılar.

NOVALIS

1

Bir gün bir kitap okudum ve bütün hayatım değişti. Daha ilk sayfalarındayken bile, kitabın gücünü öyle bir hissettim ki içimde, oturduğum masadan ve sandalyeden gövdemin kopup uzaklaştığını sandım. Ama gövdemin benden kopup uzaklaştığını sanmama rağmen, sanki bütün varlığım ve her şeyimle her zamankinden daha çok sandalyede ve masanın başındaydım ve kitap bütün etkisini yalnız ruhumda değil beni ben yapan her şeyde gösteriyordu. Öyle güçlü bir etkiydi ki bu, okuduğum kitabın sayfalarından yüzüme ışık fışkırıyor sandım: Aynı anda hem bütün aklımı körleştiren, hem de onu pırıl pırıl parlatan bir ışık. Bu ışıkla kendimi yeniden yapacağımı düşündüm, bu ışıkla yoldan çıkacağımı sezdim, bu ışıkta daha sonra tanıyacağım, yakınlaşacağım bir hayatın gölgelerini hissettim. Masada oturuyor, oturduğumu aklımın bir köşesiyle biliyor, sayfaları çeviriyor ve bütün hayatım değişirken ben yeni kelimeleri ve sayfaları okuyordum. Bir süre sonra, başıma gelecek şeylere karşı kendimi o kadar hazırlıksız ve çaresiz hissettim ki, kitaptan fışkıran güçten korunmak ister gibi bir an içgüdüyle yüzümü sayfalardan uzaklaştırdım.

7

Çevremdeki dünyanın da baştan aşağıya değiştiğini o zaman korkuyla farkettim ve şimdiye kadar hiç duymadığım bir yalnızlık duygusuna kapıldım. Sanki dilini, alışkanlıklarını, coğrafyasını bilmediğim bir ülkede yapayalnız kalmıştım.

Bu yalnızlık duygusunun verdiği çaresizlik bir anda beni kitaba daha sıkı sıkıya bağladı. İçine düştüğüm yeni ülkede yapmam gereken şeyleri, inanmak istediklerimi, görebileceklerimi, hayatımın alacağı yolu bana bu kitap gösterecekti. Sayfaları tek tek çevirirken kitabı şimdi bana vahşi ve yabancı bir ülkede yol gösterecek bir rehber gibi de okuyordum. Yardım et bana, demek geliyordu içimden, yardım et ki kazaya belaya uğramadan yeni hayatı bulayım. Bu hayatın da, ama, rehberinin kelimeleriyle yapıldığını biliyordum. Kelimeleri tek tek okurken, bir yandan yolumu bulmaya çalışıyor, bir yandan da yolumu büsbütün kaybettirecek hayal harikalarını hayretle tek tek ben kuruyordum.

Bütün bu süre boyunca kitap masamın üzerinde duruyor ve ışığını yüzüme saçarken, odamdaki öteki eşyalara benzer bildik tanıdık bir şey gibi gözüküyordu. Bunu, önümde açılan yeni bir hayatın, yeni bir dünyanın varlığını hayretle ve sevinçle karşılarken hissettim: Hayatımı böylesine değiştirecek olan kitap aslında sıradan bir eşya idi. Aklım pencerelerini kapılarını kelimelerin bana vaad ettiği yeni dünyanın harikalarına ve korkularına ağır ağır açarken, bir yandan da beni bu kitaba götüren rastlantıyı yeniden düşünüyordum, ama bu aklımın yüzeylerinde, derine gidemeyen bir hayaldi. Okudukça bu hayale dönmem bir çeşit korkudandı sanki: Kitabın bana açtığı yeni dünya o kadar yabancı, o kadar tuhaf ve şaşırtıcıydı ki, bu alemin içine bütünüyle gömülmemek için şimdiki zamanla ilgili bir şeyler hissetme telaşı duyuyordum. Başımı kitaptan kaldırıp odama, dolabıma, yatağıma bakarsam ve pencremden dışarıya bir göz atarsam, dünyayı bıraktığım gibi bulamayacağım korkusu içime yerleşiyordu çünkü.

Dakikalar ve sayfalar birbirini izledi, uzaktan trenler geçti, annemin evden çıkışını, çok sonra da eve dönüşünü duydum; şehrin her zamanki uğultusunu, kapının önünden geçen yoğurtçunun çıngırağını ve arabaların motorunu duydum ve tanıdığım bütün sesleri yabancı sesler gibi işittim. Dışarda bir ara yağmur bastırdı sandım, ama ip atlayan kızların sesenişleri geldi. Hava açarak aydınlanıyor sandım, ama pencerenin camında yağmur damlacıkları tıpırdadı. Ondan sonraki sayfayı okudum, öteki sayfayı, başka sayfaları okudum; öteki hayatın eşiğinden sızan ışığı gördüm; şimdiye kadar bilmediklerimi ve bildiklerimi gördüm; kendi hayatımı gördüm, kendi hayatımın alacağını sandığım yolu...

Yavaş yavaş sayfaları çevirdikçe, bundan önce varlığını hiç bilmediğim, hiç düşünmediğim, hiç sezemediğim bir dünya ruhuma sindi ve orada kaldı. Şimdiye kadar bildiğim, düşündüğüm pek çok şey, üzerinde durulmaya değmez ayrıntılara dönüştüler ve bilmediklerim gizlendikleri yerlerden çıkıp bana işaretler yolladılar. Kitabı okurken bunların ne olduğunu söyle deseler sanki söyleyemezdim, çünkü okudukça, geri dönüşü olmayan bir yolda ağır ağır yol aldığımı biliyor, arkamda bıraktığım bazı şeylere ilgi ve merakımın kapandığını hissediyor, ama önümde açılmakta olan yeni hayata karşı öylesine bir heyecan ve merak duyuyordum ki, varolan her şey bana ilgiye değer gibi geliyordu. Bu ilginin heyecanıyla sarsıldığım, bacaklarımı sallamaya başladığım zaman olup bitebileceklerin çokluğu, zenginliği, karmaşıklığı içimde bir çeşit dehşete dönüştü.

Bu dehşetle birlikte, kitaptan yüzüme fışkıran ışıkta köhnemiş odalar gördüm, çılgın otobüsler, yorgun insanlar, soluk harfler, kayıp kasabalar ve hayatlar, hayaletler gördüm. Bir yolculuk vardı, hep vardı, her şey bir yolculuktu. Bu yolculukta beni hep izleyen, en olmadık yerde karşıma çıkıverecekmiş gibi yapan, sonra kaybolan, kaybolduğu için de kendini aratan bir bakış gördüm; suçtan günahtan çoktan arınmış yumuşak bir bakış... Ben o bakış olabilmek isterdim. O bakışın gördüğü dünyada olmak isterdim. O kadar çok istedim ki bunları, o dünyada yaşadığıma inanasım geldi. Hayır, inanmaya bile gerek yoktu; orada yaşıyordum ben. Kitap da, tabiî, ben orada yaşadığıma göre, benden söz ediyor olmalıydı. Benim düşündüklerimi, benden önce biri düşünüp yazdığı için böyleydi bu.

Kelimelerle onların bana anlattıkları şeylerin birbirlerinden apayrı olması gerektiğini de işte böyle anladım. Çünkü, ta başından itibaren kitabın benim için yazıldığını sezmiştim. Okurken, her kelimenin, her sözün içime işleyişi zaten bu yüzdendi. Onlar olağanüstü sözler, ışıl ışıl parıldayan kelimeler oldukları için değil, hayır; kitabın benden sözettiği duygusuna kapıldığım için. Bu duyguya nasıl kapıldığımı da çıkaramadım. Çıkardım da unuttum belki; çünkü katiller, kazalar, ölümler ve kayıp işaretler arasında yolumu bulmaya çalışıyordum.

Böylece, okuya okuya benim bakışım kitabın sözlerine, kitabın sözleri de benim bakışıma dönüştü. Işıktan kamaşan gözlerim kitaptaki dünya ile dünyadaki kitabı birbirinden ayıramaz oldu. Sanki tek dünya, varolan her şey, olabilecek her renk ve eşya kitabın içinde ve kelimelerin arasındaydı da, ben okurken mümkün olabilecek her şeyi kendi aklımla, mutluluk ve hayretle gerçekleştiriyordum. Kitabın bana önce fısıldar gibi, sonra bir çeşit zonklamayla, sonra pervasız bir şiddetle gösterdiği şey, okudukça anlıyordum, orada, benim ruhumun derinliklerinde yıllardır yatıyormuş. Kitap suların dibinde asırlardır yatan kayıp bir hazineyi bulup ortaya çıkarıyor ve ben satırlar ve kelimeler arasında bulduklarıma, şimdi artık bu da benim, demek isti-yordum. Son sayfalarda bir yerde, bunu ben de düşünmüştüm de demek istedim. Daha sonra, kitabın anlattığı dünyaya bü-tünüyle girdiğimde, karanlıkla alacakaranlık arasından çıkan bir melek gibi ölümü gördüm. Kendi ölümümü...

Bir anda hayatımın hiç düşünemeyeceğim kadar zenginleştiğini anladım. O sırada tek korktuğum şey, dünyaya, eşyalara, odama, sokaklara bakıp orada kitabın anlattıklarını görememek değil, yalnızca kitaptan uzak kalmaktı. Kitabı iki elimin arasında tuttum ve çocukluğumda resimli romanları okuyup bitirdiğim zamanlar yaptığım gibi sayfaları arasından çıkan kâğıt ve mürekkep kokusunu kokladım. Aynı kokuyla kokuyordu.

Masadan kalktım, çocukluğumda yaptığım gibi pencereye yürüyüp, alnımı soğuk cama yaslayıp, dışarıya sokağa baktım. Kitabı beş saat önce, öğleden sonra masanın üzerine koyup ilk okumaya başladığım zaman karşı kaldırıma yanaşmış olan kamyon çekip gitmişti şimdi, ama boşalan araçtan aynalı dolaplar, ağır masalar, sehpalar, kutular, ayaklı lambalar indirilmiş, karşıdaki boş daireye yeni bir aile yerleşmişti. Çıplak ve güçlü bir ampulün ışığında orta yaşlı bir anne babayla, ben yaşlarda bir oğulla kızın açık bir televizyonun karşısında akşam yemeğini yiyişlerini, perdeler takılı olmadığı için görebiliyordum. Kızın saçları kumraldı, televizyon ekranı yeşil.

Bir süre bu yeni komşulara baktım; belki de yeni oldukları için onları seyretmekten hoşlanıyordum; bu da sanki beni bir şekilde koruyordu. Çevremdeki bildik tanıdık eski dünyanın tepeden aşağı değişmesiyle yüzyüze gelmek istemiyordum, ama ne sokakların eski sokaklar, ne odamın eski odam, ne de annemin, arkadaşlarımın aynı insanlar olduklarını anlıyordum artık. Bir çeşit düşmanlık, adını tam koyamadığım bir tehdit ve korkutucu bir şey olmalıydı hepsinde. Pencereden bir adım çekildim, ama masanın üzerinden beni çağıran kitaba da dönemedim. Hayatımı yolundan çıkaran şey orada, arkamda, masanın üzerinde beni bekliyordu. Ne kadar arkamı dönersem döneyim, her şeyin başlangıcı orada, kitabın satırları arasındaydı ve ben o yola çıkacaktım artık.

Bir an eski hayatımdan kopmuş olmak bana öylesine

korkunç gözükmüş olmalı ki, bir felaket sonucu hayatları dönüşü olmayacak bir şekilde değişen kişilerin yaptığı gibi, hayatımın eskiden olduğu gibi akmaya devam edeceğini, başıma gelen kazanın, felaketin ya da neyse o korkunç şey, onun olmadığını hayal ederek huzur bulmak istedim. Ama arkamda masada, hâlâ açık olarak duran kitabın varlığını öyle bir şekilde hissediyordum ki içimde, hayatımın eskisi gibi nasıl devam edebileceğini hayal bile edemedim.

Böylece, daha sonra annem beni çağırdığında akşam yemeğini yemek için odamdan çıktım ve yeni bir dünyaya alışmaya çalışan bir acemi gibi masaya oturup onunla konuşmaya çalıştım. Televizyon açıktı, tabaklarda kıymalı patates, zeytinyağlı pırasa, yeşil salata ve elmalar vardı. Annem karşıya yeni taşınan komşulardan söz etti, benim bütün öğleden sonra, aferin, oturup çalıştığımdan, çarşı pazardan, yağmurdan, televizyondaki haberden, haberi anlatan adamdan. Annemi seviyordum, güzel, nazik, yumuşak ve anlayışlı bir kadındı ve kitabi okuyup ondan ayrı bir dünyaya girdiğim için suçluluk duydum.

Kitap herkes için yazılmış olsaydı diye düşünüyordum, bir yandan, eskiden olduğu gibi hayat böylesine ağır ve pervasız sürüp gidemezdi. Öte yandan, kitabın yalnızca benim için yazılmış olduğu düşüncesi de, benim gibi mantıklı bir mühendislik öğrencisi için doğru olamazdı. O zaman, her şey eskisi gibi olmaya nasıl devam edebiliyordu? Kitabın yalnızca benim için hayal edilmiş bir sır olduğunu düşünmekten bile korktum. Daha sonra, annem bulaşıkları yıkarken ona yardım etmek, ona dokunmak, içimdeki dünyayı bu zamana taşımak istedim.

"Bırak, bırak ben yapıyorum canım," dedi.

Bir süre televizyona baktım. Oradaki dünyaya girebilirdim belki; belki de televizyonu bir tekmede patlatırdım. Ama seyrettiğim bizim evdeki, bizim televizyondu; bir çeşit tanrı, bir çeşit lâmba. Ceketimi, sokak ayakkabılarımı giydim.

"Çıkıyorum," dedim.

"Ne zaman döneceksin?" dedi annem, "Bekleyeyim mi seni?"

"Bekleme. Sonra televizyonun karşısında uyuya kalıyorsun."

"Odanın ışığını kapattın mı?"

Böylece, yabancı bir ülkenin tehlikeli sokaklarına çıkar gibi, yirmi iki yıldır yaşadığım kendi mahallemin, kendi çocukluğumun sokaklarına çıktım. Nemli Aralık soğuğunu hafif bir rüzgâr gibi yüzümde hissedince, belki de, eski dünyadan yenisine geçmiş olan birkaç şey de vardır, dedim kendime. Bunu benim hayatımı yapan sokaklarda, kaldırımlarda yürürken şimdi görecektim. Koşmak geliyordu içimden.

Karanlık kaldırımlardan, iri çöp tenekeleri, çamur gölleri arasından, duvar diplerinden hızlı hızlı yürüdüm ve attığım her adımla yeni bir dünyanın gerçekleşmekte olduğunu gördüm. Çocukluğumun çınar ve kavak ağaçları ilk bakışta aynı çınar ve kavak ağaçlarıydılar, ama onlara beni bağlayan anıların ve çağrışımların gücü kaybolup gitmişti. Yorgun ağaçlara, iki katlı tanıdık evlere, temelinden, kireç kuyusundan başlayarak ta çatısının kiremitlerine kadar nasıl yapıldığını çocukluğumda gördüğüm ve sonra içinde yeni arkadaşlarımla oyun oynadığım kirli apartmanlara hayatımın vazgeçilmez parçaları gibi değil de, ne zaman nasıl çekildiklerini unuttuğum fotoğraflara bakar gibi baktım: Gölgeleri, aydınlık pencereleri, bahçelerindeki ağaçları, ya da giriş kapılarındaki harfleri ve işaretleriyle onları tanıyarak, ama tanıdığım şeylerin gücünü içimde hiç mi hiç hissetmeden. Eski dünya, orada, karşımda, yanımda, sokakların içinde, tanıdık bakkal camekânları, Erenköy istasyon meydanındaki ışıkları hâlâ yanan çörek fırını, manavın meyve sandıkları, el arabaları, Hayat Pastanesi, köhne kamyonlar, muşambalar ve karanlık ve yorgun yüzler olarak çevremdeydi. Gecenin ışıklarında hafif hafif titreşen bütün bu gölgelere karşı yüreğimin bir yanı buz kesmişti. Orada bir suç saklar gibi kitabı taşıyordum. Beni ben yapan bütün bu tanıdık sokaklardan, ıslak ağaçların hüznünden, kaldırımlardaki su birikintilerinde asfaltta yansıyan neon harflerin ve manav ve kasapların lambalarından kaçmak istiyordum. Hafif bir rüzgâr esti, dallardan su damlacıkları döküldü, bir uğultu işittim ve kitabın bana verilmiş bir sır olduğuna hükmettim. Korkuya kapıldım, birileriyle konuşmak istedim.

Mahalle arkadaşlarımın bazılarının hâlâ toplanıp akşamları kâğıt oynadığı, televizyonda futbol maçlarını seyrettiği, birbirleriyle buluşmak için gelip takıldıkları istasyon meydanındaki Gençler Kahvesi'ne sokuldum. Arka masada, babasının ayakkabıcı dükkânında çalışan bir üniversiteli ile amatör kümede futbol oynayan başka bir mahalle arkadaşı televizyonun siyah beyaz ışıkları altında çene çalıyordu. Önlerinde okuna okuna sayfaları birbirinden ayrılmış gazeteler gördüm, iki çay bardağı, sigaralar ve bakkaldan alıp bir sandalyenin oturma yerine gizledikleri bir bira şişesi. Birileriyle, uzun uzun, belki de saatlerce konuşmak istiyordum, ama onlarla konuşamayacağımı hemen anladım. Bir an neredeyse gözlerimden yaşlar getirecek bir keder sarıyordu ki içimi, gururla silkindim: Ruhumu açacağım kişileri kitaptaki dünyada yaşayan gölgeler arasından seçecektim.

Böylece kendi geleceğime bütünüyle sahip olduğuma inanacağım geldi, ama biliyordum, şimdi kitaptı bana sahip olan. Kitap içime yalnızca bir sır ve günah gibi sinmekle kalmamış, beni bir rüyadaki gibi bir çeşit dilsizliğe sürüklemişti. Neredeydi konuşabileceğim bana benzer kişiler, yüreğime seslenen rüyayı bulabileceğim ülke neredeydi, kitabı okumuş öteki kişiler nerede?

Tren yolunu geçtim, ara sokaklara girdim, dökülüp asfalta yapışmış sarı yaprakları ezdim. Birden içimde derin bir iyimserlik yükseldi: Hep böyle yürürsem, hızla yürürsem, hiç durmazsam, yolculuklara çıkarsam, sanki kitaptaki dünyaya varacaktım. İçimde ışıltısını hissettiğim yeni hayat, uzakta bir yerde, belki erişilmez bir ülkedeydi, ama hareket ettikçe ona yaklaştığımı, en azından eski hayatımı arkada bırakabildiğimi seziyordum.

Kumsala vardığım zaman denizin simsiyah gözükmesine şaştım. Geceleri denizin bu kadar karanlık, katı ve acımasız olduğunu niye daha önce farketmemiştim? Sanki nesnelerin bir dili vardı da, kitabın beni içine çektiği geçici sessizlikte bu dili biraz olsun işitmeye başlamıştım. Hafif hafif çalkalanan denizin ağırlığını, tıpkı kitabı okurken karşılaşıverdiğim kendi geri dönüşsüz ölümüm gibi, bir an içimde hissettim, ama gerçek ölümün vermesi gereken "her şeyin sonu geldi" duygusu değil, hayata yeni başlayan birinin merakı, heyecanı kıpırdanıyordu içimde.

Kumsalda aşağı yukarı yürüdüm. Küçükken, burada, lodos fırtınalarından sonra mahalle arkadaşlarımla, denizin getirip yığdığı konserve kutuları, plastik toplar, şişeler, plaj terlikleri, mandallar, ampuller, plastik bebekler arasında bir şey arardık; bir hazinenin parçası sihirli bir eşya, ne olduğunu bilmediğimiz ışıltılı ve yepyeni bir nesne. Kitabın ışığıyla aydınlanmış bakışımın, eski dünyanın herhangi sıradan bir eşyasını bulup incelerse, o eşyayı küçüklüğümde aradığımız o sihirli şeye dönüştürebileceğini bir an hissettim. Ama aynı anda kitabın beni dünyada yapayalnız bıraktığı duygusu öylesine güçle içimi sardı ki, karanlık denizin birden yükselip beni içine çekip yutacağını sandım.

Telaşa kapıldım, hızlı hızlı yürüdüm, ama her adımımda yeni bir dünyanın gerçekleştiğini görmek için değil, bir an önce odamda kitabımla yalnız kalmak için. Koşar gibi yürürken kendimi şimdiden kitaptan fışkıran ışıktan yapılmış biri olarak görmeye başlamıştım bile. Bu da beni yatıştırıyordu.

Babamın, kendi yaşlarında kendi gibi Devlet Demiryolları'nda yıllarca çalışıp da müfettişliğe kadar yükselen iyi bir arkadaşı vardı, Demiryol dergisine demiryolculuk ateşi üzerine yazılar yazardı. Ayrıca, kendi yazıp resimlediği çocuk romanları Yenigün Çocuk Maceraları dizisinde yayımlanırdı. Demiryolcu Rıfkı Amca'nın bana hediye ettiği *Pertev ile Peter* ya da *Kamer Amerika'da* adlı kitapları okuduğum günlerde de koşa koşa eve dönüp bir kitaba gömülmek istediğim çok olmuştu, ama o çocuk kitaplarında hep bir son olurdu. Orada, üç harfle, tıpkı filmlerdeki gibi "son" diye yazardı ve o üç harfi okuduğum zaman içinde olmak istediğim ülkenin sınırlarını görmekle kalmaz, ayrıca o sihirli diyarın Demiryolcu Rıfkı Amca'nın uydurduğu bir yer olduğunu acıyla anlardım. Yeniden okumak için eve koşturduğum kitapta ise, her şeyin gerçek olduğunu biliyordum, kitabı bunun için içimde taşıyordum, bunun için de koşar adım yürüdüğüm ıslak sokaklar gerçek değillermiş de birilerinin beni cezalandırmak için verdiği sıkıcı bir ev ödevinin parçalarıymış gibi gözüküyordu bana. Çünkü kitap, bana öyle geliyordu ki, benim bu dünyada ne için varolduğumu anlatıyordu.

Demiryolunu geçmiştim, caminin yanından dolanıyordum ki, bir su birikintisine basmak üzere olduğumu görüp sıçradım, ayağım takıldı, tökezledim, düştüm ve boylu boyunca çamurlu asfalta uzandım.

Hemen kalkmış, yoluma devam edecektim ki,

"Aman düşecektin yavrum" dedi düşüp boylu boyunca uzandığımı gören sakallı bir ihtiyar. "Bir şeyin var mı?"

"Var," dedim. "Dün babam öldü. Bugün gömdük. Boktan herifin tekiydi, hep içerdi, annemi döverdi, bizi burada istemedi, ben yıllarca Viranbağ'da yaşadım."

Bu Viranbağ şehri de nereden gelmişti aklıma? İhtiyar da anlıyordu belki söylediklerimin hiçbirinin doğru olmadığını, ama birden kendimi zeki mi zeki hissettim. Atıverdiğim yalan yüzünden mi, kitap yüzünden mi, yoksa daha basiti, adamın alıklaşan suratı yüzünden mi, çıkartamadım da, şöyle dedim kendime: "Korkma, korkma git! O dünya, kitaptaki dünya, doğru dünya!" Ama korkuyordum da...

Niye?

Bir kitap okuyup hayatı kaymış benim gibilerin başlarına gelenleri işitmiştim de ondan. *Felsefenin Temel İlkeleri* diye bir kitap okuyup, bir gecede okuduğu her kelimeye hak verip, ertesi gün Devrimci Proleter Yeni Öncü'ye katılıp, üç gün sonra banka soygununda enselenip on yıl yatanların hikâyelerini duymuştum. Ya da *İslam ve Yeni Ahlak,* ya da *Batılılaşma İhaneti* gibi kitaplardan birini okuyup, bir gecede meyhaneden camiye geçip, buz gibi soğuk halıların üzerinde, gülsuyu kokuları içinde elli yıl sonra gelecek ölümü sabırla beklemeye başlayanları da biliyordum. Sonra *Aşkın Özgürlüğü* ya da *Kendimi Tanıdım* gibi kitaplara kapılanları da tanımıştım. Bunlar, daha çok burçlara inanabilecek tıynette insanlar arasından çıkardı, ama onlar da bütün içtenlikleriyle "Bir gecede bütün hayatımı değiştirdi bu kitap!" derlerdi.

Aslında, bu korkutucu manzaraların sefaleti de değildi aklımdaki: Yalnızlıktan korkuyordum. Benim gibi bir budalanın büyük bir ihtimalle yapacağı gibi, kitabı yanlış anlamış olmaktan, yüzeysel olmaktan, ya da olamamaktan, yani herkes gibi olamamaktan, aşktan boğulmaktan ve her şeyin sırrını bilip bu sırrı öğrenmeyi hiç mi hiç istemeyenlere bir ömür boyu anlatıp gülünç olmaktan, hapse girmekten, kafadan çatlak gözükmekten, en sonunda dünyanın benim sandığımdan da zalim olduğunu anlamaktan ve güzel kızlara kendimi sevdirememekten korkuyordum. Çünkü kitapta yazılanlar doğruysa, o sayfalarda okuduğum gibiyse hayat, öyle bir dünya mümkünse, niye hâlâ herkes camiye gidiyor, kahvede laklak edip pinekliyor ve her akşam bu saatte sıkıntıdan patlamamak için televizyonun başında oturuyordu, bu hiç anlaşılmıyordu.

Sokakta da, televizyon gibi bakılacak yarı ilginç bir şey olabilir, belki mesela bir araba hızlı geçebilir, ya da bir at kişner, ya da bir sarhoş bir nâra atabilir diye bu insanlar perdelerini de tam kapamazlar.

Yarı çekik perdeleri arasından içine uzun uzun baktığım bir ikinci kat dairesinin Demiryolcu Rıfkı Amcalar'ın evi olduğunu ne zaman farkettim, çıkartamıyorum. Farketmeden farketmiştim de, hayatımın bir kitapla baştan aşağı değiştiği günün akşamında ona içgüdüsel bir selam yolluyordum belki. Aklımda tuhaf bir istek vardı: Babamla ona en son gittiğim zamanlarda evin içinde gördüğüm eşyaları bir kere daha yakından görmek: Kafesteki kanaryaları, duvardaki barometreyi, özenle çerçevelettirilip asılmış şimendifer resimlerini, bir yarısına likör takımları, minyatür vagonlar, gümüş bir şekerlik, kontrolör zımbaları, demiryol hizmet madalyaları, diğer yarısına da kırk elli kitap yerleştirilmiş vitrinli büfeyi, üzerindeki hiç kullanılmayan semaveri, masanın üzerindeki oyun kâğıtlarını... Yarı açık perdeler arasından odadaki televizyonun ışığını görüyordum, ama kendisini değil.

Birden, nereden geldiğini bilemediğim bir kararlılıkla apartman bahçesini kaldırımdan ayıran duvara çıktım ve Demiryolcu Rıfkı Amca'nın dul karısı Ratibe Teyze'nin başını ve baktığı televizyonu gördüm. Kocasının boş koltuğuna kırk beş derece dönük oturmuş televizyonu seyrederken, tıpkı annemin yaptığı gibi, başını omuzlarının arasına çekmişti, ama annem gibi örgü öreceğine fosur fosur sigara içiyordu.

Demiryolcu Rıfkı Amca geçen yıl kalpten ölen babamdan bir yıl önce ölmüştü, ama doğal bir ölüm değildi onunkisi. Bir gece kahveye giderken üzerine ateş edilip öldürülmüş, katil yakalanamamış, bir kıskançlık lafı çıkmış, babam da hayatının son bir yılında o lafa hiç inanmamıştı. Çocukları yoktu.

Gece yarısı, annem uyuduktan çok sonra, masamda dimdik oturup kollarım, dirseklerim, ellerim arasında duran kitaba bakarken mahallenin ve şehrin sönen ışıklarını, boş ve ıslak sokakların hüznünü, son bir kere daha geçen bozacının seslenişini, vakitsiz öten bir-iki kargayı, en son banliyö treninden sonra geçmeye başlayan upuzun yük trenlerinin sabırlı tak-taklarını, gece yarıları bizim mahalleyi benim burası yapan her şeyi yavaş yavaş, heyecanla, coşkuyla, mutlulukla unuttum ve kitaptan fışkıran ışığa kendimi bütünüyle verdim. Böylece, hayatımı ve hayallerimi o güne kadar oluşturan öğle yemekleri, sinema kapıları, sınıf arkadaşları, günlük gazeteler, gazozlar, futbol maçları, dershane sıraları, vapurlar, güzel kızlar, mutluluk hayalleri, gelecekteki sevgilim, karım, iş masam, sabahlarım, kahvaltılarım, otobüs biletlerim, küçük sıkıntılarım, yetişmeyen statik ödevlerim, eski pantolonlarım, yüzüm, pijamalarım, gecelerim, otuzbir çektiğim dergiler, sigaralarım, hatta hemen arkamda en güvenli unutuş için beni bekleyen vefakâr yatağım aklımdan bütünüyle çıktı da, ben kendimi orada, o ışıktan ülkede gezinirken buldum.

2

Ertesi gün âşık oldum. Aşk, kitaptan yüzüme fışkıran ışık kadar sarsıcıydı ve hayatımın çoktan yoldan çıkmış olduğunu bana bütün ağırlığıyla kanıtladı.

Sabah uyanır uyanmaz, bir önceki gün başımdan geçenleri gözden geçirmiş ve önümde açılan yeni ülkenin bir anlık bir hayal değil, kendi gövdem, kollarım ve bacaklarım kadar gerçek bir şey olduğunu hemen anlamıştım. İçine düştüğüm bu yeni alemdeki dayanılmaz yalnızlık duygusundan kurtulabilmek için kendime benzeyen ötekileri bulmam gerekiyordu.

Gece kar yağmış, pencere önlerinde, kaldırımlarda, damlarda tutmuştu. Masanın üzerinde açık duran kitap, dışarıdan gelen beyaz ve ürpertici bir ışığın içinde olduğundan daha yalın ve masum gözüküyor, bu da onu korkutucu yapıyordu.

Ama gene de, her sabahki gibi annemle kahvaltı etmeyi, kızarmış ekmek kokusunu koklayıp *Milliyet* gazetesini karıştırmayı, Celal Salik'in yazısına bir göz atmayı başardım. Her şey alıştığım eski haliyle sürüyormuş gibi sofradaki peynirden yedim, çayımı içerken annemin iyimser yüzüne gülümsedim. Fincan, demlik, kaşık tıngırtıları, sokaktaki portakalcının kamyonu, sanki bana hayatın eskisi gibi akabileceğini duyurmak istiyordu, ama kanmadım. Dünyanın baştan aşağı değiştiğinden o kadar emindim ki, evden çıkarken babamın o ağır ve eski paltosunu giyiyor olmak bende bir eksiklik duygusu uyandırmadı.

İstasyona yürüdüm, trene bindim, trenden indim, vapura yetiştim, Karaköy'de iskeleye zıpladım, kollarla, dirseklerle dirsekleştim, merdivenlerden çıktım, otobüse atladım, Taksim'e vardım ve Taşkışla'ya yürürken kaldırımlarda çiçek satan Çingeneler'e bir an durup baktım. Hayatın eskisi gibi sürüp gidebileceğine inanabilir miydim, kitabı okumuş olduğumu unutabilir miydim? Bir an, bu o kadar korkunç gözüktü ki koşmak geldi içimden.

Mukavemet dersinde tahtaya çizilen şekilleri, yazılan rakkamları ve formülleri ciddiyetle defterime geçirdim. Tahtaya bir şey yazılmadığı zaman kollarımı kavuşturarak kel kafalı profesörün yumuşak sesini dinledim. Gerçekten dinliyor muydum, yoksa herkes gibi dinliyormuş gibi yaparak herhangi bir Teknik Üniversite İnşaat Fakültesi öğrencisini mi taklit ediyordum, çıkaramadım. Bir süre sonra o eski dünyanın, bildik dünyanın dayanılmayacak kadar umutsuz olduğunu hissedince, yüreğim hızlı hızlı atmaya başladı, damarlarımda ilaçlı bir kan geziniyormuş gibi başım döndü ve kitaptan yüzüme fışkıran ışığın gücünün ensemden bütün gövdeme ağır ağır yayılışını zevkle hissettim. Yeni bir dunya varolan her şeyi çoktan iptal edip şimdiki zamanı geçmiş zamana çevirmişti bile. Gördüğüm, dokunduğum her şey acınacak kadar eskiydi.

Kitabı mimarlıkta okuyan bir kızın elinde görmüştüm ilk. Alt kattaki kantinden bir şey satın alacaktı, çantasında cüzdanını arıyordu, ama öbür eli dolu olduğu için çantayı karıştıramıyordu. Elindeki şey kitaptı, elini boşaltmak için benim oturduğum masanın üzerine bir an bırakmak zorunda kalmıştı. Bir an, böylece, masama bırakılıveren kitaba bakmıştım. Bütün hayatımı değiştiren rastlantı bu kadardı işte. Sonra kız, kitabı kapıp çantasına atmıştı. Öğleden sonra eve dönüş yolundaki bir sokak sergisinde eski ciltler, risaleler, şiir ve fal kitapları, aşk ve politika romanları arasında aynı kitabı bir defa daha görünce satın almıştım.

Öğle zili çalar çalmaz sınıfın çoğu, yemekhane kuyruğuna yetişmek için merdivenlere koştu, ben sessizce sıramda oturdum. Koridorlarda gezindim, kantine indim, avlulardan geçtim, sütunlar arasından ilerledim, boş sınıflara girdim, pencerelerden karşı parktaki karlı ağaçlara baktım, helada su içtim. Bütün Taşkışla'da aşağı yukarı yürüdüm. Kız ortalıkta yoktu ama telaşlanmıyordum da.

Öğle yemeğinden sonra koridorlar daha da kalabalıklaştı. Mimarlık koridorlarında yürüdüm, atölyelere girdim, çizim masalarının üzerinde para maçı oynayanları seyrettim, bir köşeye oturup parça parça olmuş gazete sayfalarını toplayıp okudum. Gene koridorlarda yürüdüm, merdivenlerden indim, merdivenlerden çıktım, futbol, siyaset ve dün akşam televizyonda gördükleri hakkında çene çalanları dinledim. Çocuk sahibi olmaya karar veren bir film yıldızıyla dalga geçenlere katıldım, sigara ve çakmak isteyenlere uzattım, biri bir fıkra anlatıyordu, dinledim ve bütün bunları yaparken, arada bir, biri beni durdurup "filancayı gördün mü?" diye sorduğunda, iyi niyetle cevap verdim. Bazan takılacak bir-iki arkadaş, bakılacak bir pencere, ya da yürünecek bir hedef bulamadığımda, aklıma çok önemli bir şey gelmiş ve çok acelem varmış gibi bir yöne doğru kararlılıkla hızlı hızlı yürüyordum. Ama gittiğim yön belirsiz olduğu için kütüphane kapısının önüne geldiğimde, ya da merdivenlerin sahanlığına adım attığımda, ya da sigara isteyen birine rastladığımda yönümü değiştiriyor, kalabalığa karışıyor, bir sigara daha yakmak için bazan da duruyordum. Bir ara duvardaki bir ilan tahtasına yeni asılan bir duyuruya bakacaktım ki, birden yüreğim hızlı hızlı attı, aldı başını gitti, beni çaresiz bıraktı: Oradaydı işte, kitabı elinde gördüğüm kız, kalabalık içinde, benden uzaklaşıyor, nedense bir rüyadaki gibi ağır ağır yürüyerek beni çağırıyordu. Aklım başımdan gitti, ben ben değildim artık; bunu çok iyi biliyordum, kendimi bırakıp peşinden koştum.

Beyaz gibi soluk bir renkte, ama beyaz olmayan ve başka hiçbir renk de olmayan bir elbise vardı üzerinde. Merdivenlere varmadan ona yetiştim ve yüzüne bir an yakından bakınca kitaptan fışkıran ışık gibi güçlü, ama yumuşacık bir ışık vurdu yüzüme. Bu dünyadaydım ve yeni hayatın eşiğindeydim. Orada kirli merdivenlerin başındaydım ve kitaptaki hayatın içindeydim. Bu ışığa baktıkça yüreğimin beni hiç mi hiç dinlemeyeceğini anladım.

Ona kitabı okuduğumu söyledim. Kitabı onun elinde gördüğümü ve ondan sonra okuduğumu söyledim. Kitabı okumadan önce bir dünyam vardı, kitabı okuduktan sonra başka bir dünyam olmuştu. Şimdi konuşmalıydık, çünkü ben bu dünyada yapayalnız kalmıştım.

"Şimdi dersim var," dedi.

Yüreğim iki ölçü şaşırdı. Kız belki de anladı şaşırdığımı, çünkü bir an düşündü.

"Peki," dedi sonra kararlılıkla. "Boş bir sınıf bulup konuşalım."

İkinci katta boş bir sınıf bulduk. İçeri girerken bacaklarım titredi. Kitabın bana vaad ettiği dünyayı gördüğümü nasıl açabilecektim, çıkaramıyordum. Kitap benimle fısıldar gibi konuşmuş, açtığı dünyayı bir sır açar gibi vermişti. Kız, adının Canan olduğunu söyledi, ben de benimkini söyledim.

"Seni kitaba bağlayan şey nedir?" diye sordu.

Bir ilhamla, "kitabı senin okumuş olman," demek isterdim, melek. Bu melek de nereden çıktı, aklım karmakarışıktı; aklım hep karışır, ama sonra birisi yardım eder, belki de melek.

"Kitabı okuduktan sonra bütün hayatım değişti," dedim. "İçinde yaşadığım oda, ev, dünya benim odam, evim, dünyam olmaktan çıktı da yabancı bir dünyada yersiz yurtsuz hissettim kendimi. Kitabı ilk senin elinde gördüm, kitabı sen de okumuş olmalısın. Bana gittiğin ve geri döndüğün dünyayı anlat. Bana o dünyaya ayak basabilmek için yapmam gerekenleri söyle. Bana neden şimdi, hâlâ burada olduğumuzu açıkla. Bu dünya nasıl kendi evim gibi tanıdık olabilir, kendi evim nasıl bütün dünya gibi yabancı, anlat bana."

Bu havayla ve aynı veznin ölçüsüyle kimbilir daha da söyleyecektim belki, ama bir an sanki gözlerim kamaştı. Dışarıdan kış öğlesinin karlı ve kurşuni ışığı öylesine düzgün ve parlak geliyordu ki, tebeşir kokulu küçük sınıfın camları sanki buzdandı. Yüzüne baktım, yüzüne bakmaktan korkarak.

"Kitaptaki dünyaya girebilmek için ne yapardın?" diye sordu.

Yüzü soluktu, kaşları saçları kumral, bakışları yumuşak; bu dünyadansa eğer, daha çok bu dünyanın anılarından yapılmıştı; gelecektense eğer daha çok geleceğin korkusu ve kederini taşıyordu. Bakıyordum, baktığımı bilmeden. Sanki ona daha çok bakarsam gerçek oluvermekten korkar gibi.

"Kitaptaki dünyayı bulabilmek için her şeyi yapardım," dedim.

Belli belirsiz gülümseyerek bana tatlı tatlı baktı. Olağanüstü güzel bir kız, hoş bir kız size öyle baktığında nasıl biri olmalı? Nasıl tutmalı kibriti, sigarayı nasıl yakmalı, pencereden nasıl bakmalı, nasıl konuşmalı onunla, nasıl onun karşısında durabilmeli, nasıl soluk almalı? Bunları bu dersanelerde hiç mi hiç öğretmezler. Ve benim gibileri işte bu tür bir çaresizlikte, yüreklerinin atışlarını gizlemeye çalışarak kıvranırlar.

"Yapabileceğin her şey nedir?" diye sordu, bana.

"Her şey..." dedim ve sustum yüreğimin atışını dinleyerek.

Bilmem neden, uzun upuzun, hiç bitmeyecek kadar uzun yolculuklar belirdi aklımda, hiç durmadan yağan efsanevi yağmurlar, hepsi birbirine açılan kayıp sokaklar, kederli ağaçlar, çamurlu ırmaklar, bahçeler, ülkeler. Ona bir gün sarılabileceksem bu ülkelere gitmeliydim.

"Ölümü göze alır mıydın mesela?"

"Alırdım."

"Kitabı okuyanları öldürenler olduğunu bilsen bile mi?"

Gülümsemeye çalıştım, çünkü, içimdeki mühendis adayı, "bir kitap bu en sonunda!" diyordu, ama Canan gözlerini bütün dikkatiyle bana dikmişti. Bir dikkatsizlik yaparsam, yanlış bir şey söylersem kitaptaki dünyaya da, ona da hiç yaklaşamayacağımı telaşla düşündüm.

"Beni kimsenin öldüreceğini sanmıyorum ya," dedim kim olduğunu çıkaramadığım birini taklit ederek. "Öyle olsa bile ölümden de korkmazdım doğrusu."

Pencereden gelen tebeşir rengi ışığın içinde bal rengi gözleri bir an ışıldadı.

"Sence o dünya var mı, yoksa düşlenip bir kitaba yazılıvermiş bir hayal mi?"

"O dünya var!" dedim. "Sen de o kadar güzelsin ki oradan geliyorsun, biliyorum."

Bana doğru iki çabuk adım attı. Başımı iki tarafından tuttu, uzanıp beni dudaklarımdan öptü. Dili dudaklarımın üstünde bir an durdu. Kollarımla, hafif gövdesini yakalayana kadar geri çekildi.

"Sen çok cesursun," dedi.

Bir lavanta kokusu hissettim, kolonya kokusu. Ona doğru sarhoş gibi bir-iki adım attım. Kapının önünden bağırışarak iki öğrenci geçiyordu.

"Dur dinle şimdi beni, lütfen," dedi. "Bu söylediklerini Mehmet'e de söylemelisin. Kitabın anlattığı dünyaya gitti de geri dönüp geldi o. Oradan geliyor, biliyor, anlıyor musun?

Ama başkalarının da kitaba inanabileceğine, oraya gidilebileceğine inanmıyor. Korkunç şeyler yaşamış, inancını kaybetmiş. Ona anlatır mısın?"

"Mehmet kim?"

"On dakika sonra, ilk ders başlamadan 201'in kapısında ol," dedi ve birden kapıdan çıkıp kayboldu.

Oda bomboş kaldı, sanki ben de yoktum orada, kalakaldım. Kimse beni öpmemişti öyle, kimse öyle bakmamıştı bana. Şimdi de yapayalnız kalmıştım. Korkuyordum, onu bir daha göremeyeceğimi düşündüm, bir daha ayaklarım doğru dürüst bu dünyaya basamayacaktı. Arkasından koşmak istedim, ama yüreğim öyle hızlı atıyordu ki nefes alamamaktan korktum. Beyaz, bembeyaz bir ışık yalnız gözlerimi değil aklımı da körleştirmişti. Kitap yüzünden, diye düşündüm bir an ve kitabı ne kadar çok sevdiğimi, orada, o dünyada olabilmeyi ne kadar çok istediğimi öyle bir anladım ki, bir an sanki gözlerimden yaşlar boşanacak sandım. Kitap, o kitabın varlığı tutuyordu beni ayakta. O kız da, biliyordum, beni mutlaka bir kere daha kucaklayacaktı. Bütün dünyanın beni bırakıp, çekip gittiğini düşündüm.

Sesler geliyordu oradan, pencereden, dışarı baktım. Bir takım inşaat öğrencisi, bağırışarak aşağıdaki parkın kenarında kartopu oynuyordu. Baktım onlara, baktığımı görüp anlamadan. Artık hiç mi hiç çocuk değildim. Kayıp gitmiştim.

Hani hepimize olur, olmuştur, bir gün, sıradan bir gün, kafamızın içinde gazete haberleri, araba gürültüleri, kederli sözler, ceplerimizde kullanılmış sinema biletleri ve tütün döküntüleri bu dünyada en sıradan adımlarımızı attığımızı sandığımız bir an farkederiz ki, aslında çoktan başka bir yere gitmişizdir, aslında burada adımlarımızın bizi götürdüğü yerde hiç değilizdir. Çoktan kayıp gitmiştim, buzdan camların arkasında, soluk mu soluk bir rengin içinde eriyip gitmiştim.

O zaman ayak basılacak herhangi bir toprağa, herhangi bir dünyaya geri dönebilmek için bir kıza, o kıza sarılmak, onun sevgisini kazanmak gerekir. Hiç durmayan yüreğim hemen nasıl da öğrenmişti bu ukalalıkları! Âşık olmuştum, kendimi yüreğimin ölçüsüz ölçüsüne bırakacaktım, saatime baktım. Sekiz dakika vardı.

Yüksek tavanlı koridorlarda bir hayalet gibi yürüdüm, bir gövdem, bir hayatım, bir yüzüm, bir hikâyem olduğunu tuhaf bir şekilde hissederek. Kalabalıkta ona rastlayabilir miydim, rastlasam ne diyebilirdim, yüzüm nasıldı, hatırlayamıyordum. Merdivenlerin yanındaki helaya girdim, ağzımı musluğa dayayıp su içtim. Aynaya, az önce öpülen dudaklarıma baktım. Anne ben âşık oldum, anne ben kayıp gidiyorum, anne ben korkuyorum, ama onun için her şeyi de yapabilirim. Kim oluyor bu Mehmet, diye sorarım Canan'a, neden korkuyor, kitabı okuyanları öldürmek isteyenler kimler, ben hiçbir şeyden korkmam, kitabı anlamışsan, inanmışsan ona, benim gibi, korkmazsın evet.

Koridorlardaki kalabalıkla karşılaşınca birden gene kendimi, çok acele bir işim varmış gibi, hızlı hızlı yürürken buldum. İkinci kata çıktım, havuzlu iç avluya bakan, yüksek pencereler boyunca yürüdüm, yürüdüm kendimi arkada bırakarak, bıraktıkça Canan'ı düşünerek. Kendi dersim olan sınıfın önünden, arkadaşların arasından geçtim. O kadar hoş bir kız az önce beni öyle bir öptü ki, biliyor musunuz? Bacaklarım beni hızlı hızlı adımlarla geleceğime doğru götürüyorlardı. O gelecekte karanlık ormanlar, otel odaları, morlu mavili hayaller, hayat, huzur ve ölüm vardı.

Derse üç dakika kala iki yüz bir numaralı sınıfın önüne gelince daha Canan'ı görmeden Mehmet'in kim olduğunu anladım. Yüzü soluktu, benim gibi ince uzun, düşünceli, dalgın, yorgun. Daha önceden onu Canan'la birlikte gördüğümü hayal meyal hatırladım. Benden daha çok şey biliyor, diye düşündüm, benden daha çok yaşamış, benden bir-iki yaş büyük de.

O beni nasıl tanıdı bilmiyorum. Bir kenara, dolapların arasına yürüdük.

"Kitabı okumuşsun," dedi. "Ne buldun onda?"

"Yeni bir hayat."

"İnanıyor musun buna?"

"İnanıyorum."

Yüzünün teni öyle yorgun gözüküyordu ki, yaşadıklarından korktum.

"Bak, beni dinle," dedi. "Ben de inanmıştım. O dünyayı bulurum sanmıştım. Otobüslere bindim, otobüslerden indim, şehir şehir dolaştım, o ülkeyi, o insanları, o sokakları bulurum sandım. İnan bana, sonunda ölümden başka bir şey yok. İnsanları acımasızca öldürüyorlar. Şu an bile bizi izliyor olabilirler."

"Korkutma onu," dedi Canan.

Bir sessizlik oldu. Mehmet sanki beni yıllardır tanıyormuş gibi baktı bir an. Sonra onu hayal kırıklığına uğrattığımı düşündüm.

"Korkmuyorum," dedim Canan'a bakarak. "Sonuna kadar gidebilirim," diye·ekledim filmlerden çıkma kararlı adam havasıyla.

Canan'ın inanılmaz gövdesi iki adım ötemdeydi. Aramızda, ama ona daha yakın.

"Sonuna kadar gidilecek bir şey yok," dedi Mehmet. "Bir kitap. Biri oturmuş yazmış, bir hayal. Onu bir daha, bir daha okumaktan başka yapılacak bir şey yok."

"Bana söylediğini söyle ona," dedi bana Canan.

"O dünya var," dedim. Canan'ı güzel uzun kolundan tutup çekmek istedim, durakladım. "O dünyayı bulacağım."

"O dünya münya yok. Hepsi bir hikâye. İhtiyar bir budalanın çocuklara oynadığı cinsten bir oyun, diye düşün. Çocukları eğlendirdiği gibi, bir gün, yetişkinler için de bir kitap yazayım demiş ihtiyar. Anlamını kendi de biliyor mu şüpheli. Okursan eğlenirsin, inanırsan hayatın kayar."

"Orada bir dünya var," dedim filmlerdeki kararlı ve budala adamlar gibi. "Ve ben bir yolunu bulup oraya gideceğimi biliyorum."

"Güle güle o zaman.."

Döndü; ben sana demiştim, diyen bir bakışla Canan'a baktı, gidiyordu, durup sordu.

"Nasıl da bu kadar emin olabiliyorsun o hayattan?"

"Çünkü bana öyle geliyor ki kitap benim hikâyemi anlatıyor."

Dostça gülümsedi, dönüp gitti.

"Sen dur gitme," dedim Canan'a. "Sevgilin mi o?"

"Aslında seni sevdi," dedi. "Kendisi için değil, benim için, senin gibiler için korkuyor."

"Sevgilin mi o? Bana her şeyi anlatmadan gitme."

"Onun bana ihtiyacı var," dedi.

Bu lafı filmlerde o kadar çok işitmiştim ki, kendiliğinden ve inanarak karşılığını heyecanla verdim:

"Beni bırakırsan ölürüm."

Gülümsedi, kalabalıkla birlikte iki yüz bire girdi. Bir an arkalarından derse girmek geldi içimden. Sınıfın koridora bakan geniş pencerelerinden, hepsi aynı soluk yeşil ve boz renkli elbiseler ve blucinler içindeki öğrenciler arasında ikisinin bir sıra bulup oturduklarını gördüm. Hiç konuşmadan dersin başlamasını bekliyorlardı ki, Canan yumuşak bir el hareketiyle kumral saçlarını kulaklarının arkasında topladı ve kalbimin bir parçası daha eriyip gitti. Filmlerde aşk üzerine söylenenlerin tersine, kendimi sefil mi sefil hissederek bacaklarımın beni götürdüğü yere gittim.

Benim hakkımda ne düşünüyor, evlerinin duvarları ne renktir, babasıyla ne konuşur, banyoları ışıl ışıl mıdır, kardeşi var mıdır, kahvaltıda ne yer, onlar sevgili mi, o zaman beni niye öptü?

Beni öptüğü küçük sınıf boştu. İçeri girdim yenik bir ordu gibi, ama yeni bir savaşın hayalleriyle kararlı. Boş sınıfta yankılanan ayak seslerim, sigara paketini açan sefil ve suçlu ellerim, tebeşir kokusu, buzdan beyaz bir ışık. Alnımı cama dayadım. Sabah kendimi eşiğinde gördüğüm yeni hayat bu muydu? Kafamın içinde olup bitenlerden yorgundum, ama gene de aklımın bir köşesindeki mantıklı mühendis adayı bir hesap kitap da yapıyordu: Kendi dersime girecek halim yoktu, onların iki saat sonra çıkışını beklerdim. İki saat.

Alnım soğuk cama dayalıydı, ne kadar zaman sonraydı bilmiyorum, kendime acıyordum, kendime acımaktan hoşlanıyordum ve gözlerimde yaşlar birikecek sanıyordum ki hafif bir rüzgârın içinde kar atıştırmaya başladı. Aşağıda, Dolmabahçe'ye inen yamaçta, çınar ve kestane ağaçlarının arasında ne kadar da sakindi her şey! Ağaçlar, ağaç olduklarını bilmiyorlar, diye düşündüm. Karlı dallarının arasından kargalar kanatlanarak kalktılar. Baktım hayranlıkla.

Kar tanelerini seyrettim. Hafif hafif salınarak aşağı iniyorlar, derken bir noktada sanki kararsız kalıp benzerlerini izliyorlar, sonra kararsızlıklar içindeyken, belli belirsiz bir rüzgâr bastırarak onları alıp götürüyordu. Arada bir, bir kar tanesi boşlukta bir an salındıktan sonra, havada bir an kıpırtısız duruyor, birden bir şeyden vazgeçmiş, düşüncesini değiştirmiş gibi davranarak gerisin geri ağır ağır göğe doğru yükselmeye başlıyordu. Pek çok kar tanesinin aslında çamura, parka, asfalta ya da ağaçlara konmadan gerisin geriye gökyüzüne döndüklerini gördüm. Kim biliyordu, kim dikkat etmişti onlara?

Parkın bir uzantısı gibi duran ve iki yanından asfalt yolla kesilen üçgenin sivri köşesinin Kız Kulesi'ni işaret ettiğine kim dikkat etmişti? Kaldırım kenarındaki çam ağaçlarının doğudan gelen rüzgâr yüzünden yıllar boyunca kusursuz bir simetriyle eğilip minibüs duraklarının üstünde bir sekizgen oluşturduğunu kim görmüştü? Kim, kaldırımda elinde plastik pembesi torbayla bekleyen adamı görüp İstanbul'un yarısının sokaklarda ellerinde plastik torbalarla yürüdüğünü hatırlamıştı? Kim, şehrin kar ve külle kaplı ölü parklarındaki aç köpeklerin ve boş şişe toplayanların ayak izlerine bakıp senin işaretlerini düşünmüştü, melek, senin kim olduğunu hiç mi hiç bilemeyerek. İki gün önce, oradaki kaldırım sergisinden aldığım kitabın bana bir sır gibi açtığı yeni dünyaya böyle mi tanık olacaktım?

Kurşunileşen ışığın ve gittikçe artan karın içinde aynı kaldırımda önce gözlerim değil, telaşlı yüreğim fark etti Canan'ın gölgesini. Mor bir palto vardı üzerinde, demek ki yüreğim paltoyu ben bilmeden mimlemişti. Yanında Mehmet, kurşuni bir ceketle, kötü bir ruh gibi karda iz bırakmadan yürüyordu. Peşlerinden koşup yetişmek geldi içimden.

İki gün önce kitap sergisinin olduğu yerde durdular ve konuşmaya başladılar. Konuşmaktan öte, el kol hareketlerinden, Canan'ın kırılganlığından ve gerileyişinden anlaşılıyordu, tartışıyorlardı, tartışmaya çok alışkın sevgililer gibi.

Sonra gene yürümeye başladılar ve gene durdular. Çok uzaktaydım, ama bu sefer daha bir şiddetle tartıştıklarını duruşlarından, kaldırımdan gelip geçenlerin bakışlarından soğukkanlılıkla çıkartabiliyordum.

Bu da çok sürmedi. Canan geri döndü, gerisin geriye Taşkışla'ya, bana doğru yürürken Mehmet bir an onun arkasından bakıp Taksim'e doğru yoluna devam etti. Kalbim gene ölçüsünü şaşırdı.

Sarıyer minibüs durağının orada bekleyen pembe plastik torbalı adamın karşıdan karşıya geçmekte olduğunu o zaman gördüm. Mor paltolu güzel gölgenin adımlarının zerafetine odaklanmış gözlerim yolu geçen birine dikkat edecek gibi değildi ama, karşıdan karşıya koşarak geçen plastik torbalı adamın hareketlerinde bir müzik parçasındaki yanlış bir nota gibi dikkati çeken bir yan vardı. Kaldırıma iki adım kala, pembe torbadan, bir şey, bir silah çıkardı, Mehmet'e doğru tuttu. O da onu gördü.

Önce Mehmet'in sarsıldığını, vurulduğunu gördüm. Sonra silah sesini duydum. Arkasından ikinci atışı da duydum. Üçüncüyü de duyacağımı sanıyordum, Mehmet sendeleyip düştü. Adam plastik torbasını atıp parka doğru kaçmaya başladı.

Canan aynı mutsuz, zarif, küçük kuş adımlarıyla bana yaklaşıyordu. Silah seslerini duymamıştı. İçi karla örtülü portakallarla dolu bir kamyon gürültü ve neşeyle kavşağa girdi. Dünya sanki hareket etti.

Minibüs duraklarının orada bir telaş gördüm. Mehmet ayağa kalkıyordu. Uzakta, yamaçta plastik torbasız adam, parkın karı içinde, çocukları neşelendirmek isteyen bir soytarı gibi hoplaya zıplaya, aşağıya, İnönü Stadyumu'na doğru koşuyor, neşeli ve oyuncu iki köpek onu izliyordu..

Koşup, aşağı inip, Canan'ı yolda karşılayıp, haber vermeliydim, ama durdum Mehmet'in sallanışına, çevresine şaşkın bakışını seyrederek. Ne kadar? Bir süre, uzun bir süre, Canan, Taşkışla'nın köşesinden, benim görüş açımdan çıkıncaya kadar.

Koştum, merdivenlerden indim, sivil polislerin, öğrencilerin, kapıdaki hademelerin arasından geçtim. Ana kapıya vardığımda ortalıkta Canan yoktu, herhangi bir izi de. Yukarıya doğru, hızlı hızlı yürüdüm, Canan'ı göremedim. Daha sonra kavşağa vardığım zaman az önce seyrettiklerimle ilgili hiçbir şey de göremedim, hiç kimseye de rastlayamadım. Mehmet de yoktu ortalıkta, tabancalı adamın attığı plastik torba da.

Mehmet'in vurulup düştüğü yerde, kaldırımdaki kar eriye eriye çamurlaşmıştı. Başı takkeli iki yaşındaki bir çocukla şık ve güzel annesi geçiyorlardı oradan.

"Tavşan nereye kaçmışmış anne, tavşan nereye?" dedi çocuk.

Yolun öbür tarafına, Sarıyer minibüs duraklarına doğru telaşla koştum. Dünya gene karın sessizliğine ve ağaçların ilgisizliğine bürünmüştü. Minibüs duraklarında birbirine tıpatıp benzer iki şoförün ikisi de sorularıma şaştılar da şaştılar: Her şeyden habersizdiler. Onlara çay dağıtan haydut yüzlü kahveci de silah seslerini işitmemişti, üstelik onun hiçbir şeye şaşmaya niyeti de yoktu. Minibüs durağının eli düdüklü değnekçisi ise tetiği çeken suçlu benmişim gibi baktı bana. Tepemdeki çam ağacına kargalar üşüştü. Kalkmakta olan bir minibüsün içine son anda başımı soktum, telaşla sorularımı sordum, bir teyze dedi ki:

"Şuradan, demin bir kızla oğlan bir taksi durdurup bindiler."

Parmağı Taksim Meydanı'nı gösteriyordu. Yaptığım işin saçmalığını bile bile oraya doğru koştum. Meydanın kalabalığı içinde satıcılar, arabalar, dükkanlar arasında dünyada yapayalnız kaldığımı düşündüm. Beyoğlu'na girecektim ki aklıma geldi, Sıraselviler Caddesi'nden İlkyardım Hastanesi'ne doğru bir koşu indim, acil bir hasta gibi acil kapısından bir eter ve iyot kokusunun içine girdim.

Pantolonları yırtılmış, paçaları sıvanmış, kanlar içinde beyefendiler gördüm. Midesi yıkanmış, sedyeye uzatılmış, hava alsın diye karlar içindeki tavşan kulağı saksılarının arasına bırakılmış mor yüzlü hazımsızları ve zehirlenmişleri gördüm. Kan kaybından ölmemek için kolunu sıkı sıkıya bağladığı çamaşır ipinin ucu avucunun içinde kapı kapı nöbetçi doktoru arayan şişman ve kibar amcaya yol gösterdim. Birbirlerini aynı bıçakla bıçakladıktan, bıçağı evde unuttuktan sonra nöbetçi polisin karşısına oturup zabıt tutulurken unuttukları bıçak için özür dileyerek uslu uslu ifade veren eski dostları gördüm. Sıramı bekledim, polislerden önce hemşirelerden öğrendim, vurulmuş bir öğrenciyle kumral bir kız, hayır hiç ayak basmamışlardı bugün oraya.

Daha sonra Beyoğlu Belediye Hastanesi'ne de uğradım ve birbirlerini bıçaklayan aynı dostları, tentürdiyot içen aynı intiharcı kızları, kolunu makineye, parmağını iğneye kaptırmış aynı çırakları, otobüsle durak, vapurla iskele arasına sıkışmış aynı yolcuları gördüm sanki. Kayıtları dikkatle inceledim, şüphelerimden şüphelenen bir polise zapta geçmeyen bir ifade verdim ve üst kata, bir doğum kliniğine çıkan mutlu bir babanın hepimizin ellerine dolu dolu serptiği lavanta kolonyasını kokladıktan sonra ağlamaktan korktum.

Hava kararırken olay yerine geri döndüm. Minibüslerin arasından geçip küçük parka girdim. Kargalar önce öfkeyle kafamın üzerinde uçuştular, sonra dallara sinip dikize yattılar. Şehrin gürültüsünün ortasındaydım belki, ama bir köşeye çekilmiş, birini bıçaklayan bir katil gibi kulaklarımda bir sessizlik duyuyordum. Uzakta Canan'ın beni öptüğü sınıfın soluk sarı ışıkları yanıyordu; ders sürüyor olmalıydı orada. Sabah çaresizliğine şaştığım ağaçlar, hantal ve acımasız kabuk yığınlarına dönüşmüştüler. Ayakkabılarımın içine giren kara basa basa yürüdüm ve dört saat önce bu karın içinde mutlu bir soytarı gibi hoplaya zıplaya koşan eli plastik torbasız adamın izlerini buldum. İzlerin varlığından iyice emin olmak için aşağı yola kadar sürdüm onları, yoldan döndüm, tekrar yukarı yürürken plastik torbasız adamın ayak izleriyle benim ayak izlerimin çoktan birbirlerine karıştıklarını gördüm. Derken, çalılar arasından benim gibi suçlu, benim gibi tanık iki karanlık köpek çıkıp, korkuyla kaçtılar. Bir an durdum ve göğe baktım; köpekler kadar karaydı.

Evde annemle akşam yemeğini yerken birlikte televizyona baktık. Ekrandaki haberler, arada bir görünen insanlar, cinayet, kaza, yangın ve suikast haberleri bana dağlar arasından beliren küçük bir deniz parçasındaki fırtına dalgaları gibi uzak ve anlaşılmaz gözüktü. Gene de ama, uzaktaki o kurşuni denizin bir parçası olmak, "orada" bulunmak isteği içimde kıpırdanıp duruyordu. Anteni iyi ayarlanmamış siyah beyaz televizyonda hafif hafif dalgalanan görüntüler içinde vurulan bir öğrenciden söz eden biri çıkmadı.

Yemekten sonra odama kapandım. Kitap masamın üzerinde bıraktığım gibi, sayfaları açık öyle bir duruyordu ki korktum ondan. Kitabın çağrısında, ona dönmek, kendimi ona bütünüyle vermek için içimde yükselen istekte kaba bir kuvvet vardı. Kendimi tutamayacağımı düşünerek sokağa çıktım. Çamur ve karla kaplı sokaklardan denize kadar yürüdüm. Denizin karanlığı bana güç verdi.

Eve döner dönmez bu güçle masaya oturdum ve kutsal bir şeye gövdemi teslim eder gibi, kitaptan fışkıran ışığı yüzüme cesaretle tuttum. Işık önce kuvvetli değildi, ama kelimeleri okudukça, sayfaları çevirdikçe beni öylesine derinden sardı ki, bütün varlığımın eriyip gittiğini hissettim. Dayanılmaz bir yaşama ve koşma isteğiyle karnımda bir sabırsızlık ve heyecan ağrısı hissederek sabaha kadar okudum.

3

Ondan sonraki günleri Canan'ı aramakla geçirdim. Ertesi gün Taşkışla'da gözükmedi, ondan sonraki gün de, ondan sonraki gün de. Önceleri yokluğunu anlaşılır buluyordum, gelecek diye düşünüyordum, ama ayağımın altındaki eski dünya da yavaş yavaş çekiliyordu. Aramaktan, bakınmaktan, umutlanmaktan yorgundum; fena halde âşıktım ve üstelik, her akşam sabahlara kadar okuduğum kitabın etkisiyle kendimi yapayalnız hissediyordum. Bu dünyanın sıra sıra görüntüler, bir dizi yanlış yorumlanmış işaretler ve körükörüne benimsenmiş birtakım alışkanlıklardan oluştuğunu, asıl dünyanın ve hayatın bunların içinde ya da dışında, ama yakınlarda bir yerde olduğunu acıyla biliyordum. Canan'dan başka kimsenin bana yol göstermeyeceğini anlamıştım.

Siyasi cinayetlerin, sıradan sarhoşluk öldürmelerinin, kanlı kazaların, yangınların ayrıntılarıyla yazıldığı bütün gazeteleri, şehir eklerini, haftalık dergileri dikkatle okudum, ama bir ize rastlayamadım. Bütün gece kitabı okuduktan sonra, öğleye doğru Taşkışla'ya geliyor, ona rastlarım, belki şimdi gelmiştir diye koridorlarda yürüyor, arada bir kantine uğruyor, merdivenlerden iniyor, merdivenlerden çıkıyor, avluya durup bir bakıyor, kütüphaneyi arşınlıyor, sütunlar arasından geçiyor, beni öptüğü sınıfın kapısında duraklıyor, sabrım elveriyorsa bir derse girip biraz oyalanıyor ve aynı yürüyüşleri bir kere daha tekrarlamak üzere sınıftan çıkıyordum. Aramaktan, beklemekten, geceleri de kitabı yeniden okumaktan başka yapacak hiçbir şeyim yoktu.

Bir hafta sonra Canan'ın sınıf arkadaşları arasına girmeye çalıştım. Mehmet'in de, onun da çok fazla bir arkadaşı olmadığını tahmin ediyordum zaten. Mehmet'in, Taksim yakınlarındaki bir otelde hem katiplik, hem gece bekçiliği yaptığını, evinin orası olduğunu bilen bir-iki kişi vardı, ama bugünlerde Taşkışla'ya neden uğramadığı konusunda kimse bir şey söyleyemedi. Liseyi Canan'la birlikte okumuş, ama fazla arkadaş olamamış düşmanca bir kız, Nişantaşı'nda oturduğunu anlattı. Birlikte sabahlara kadar proje çizimlerini yetiştirmeye çalıştıklarını söyleyen bir başkası, babasının işyerinde çalışan yakışıklı ve kibar bir ağabeyi olduğunu söyledi; Canan'dan çok ağabey ile ilgilenmiş gibiydi. Adresi ondan değil, sınıf arkadaşlarıma yılbaşında tebrik kartı göndereceğimi söyleyip kayıt bürosundan aldım.

Geceleri kitabı okuyordum, sabaha kadar, gözlerimdeki ağrıdan, uykusuzluktan takatım kesilinceye kadar. Okumalarımın arasında bazan, kitaptan yüzüme vuran ışık öylesine güçlü, öylesine parlak gelirdi ki bana, değil bütün ruhumun masada oturan gövdemin de eriyip gittiğini, beni ben yapan her şeyin kitaptan fışkıran ışıkla birlikte yok olduğunu düşünürdüm. O zaman, beni de içine alarak büyüyen ışığın, önce yeraltındaki bir çatlaktan sızan bir ışık gibi, sonra gittikçe güçlenerek, yayılarak dünyayı sardığı, o dünyada benim de bir yerim olduğu canlanırdı gözlerimde: Bir an, cesur ve yeni insanları, ölümsüz ağaçları ve kayıp şehirlerini görür gibi olduğum bu ülkenin sokaklarında Canan'la karşılaştığımı, onun bana sarıldığını hayal ederdim.

Aralık sonuna doğru bir akşam, Canan'ın mahallesine, Nişantaşı'na gittim. Ana caddede, yılbaşı için aydınlatılmış vitrinler ve alışverişten dönen çocuklu şık kadınlar arasında kararsızlıkla uzun uzun yürüdüm, yeni açılmış sandviççilerin, gazete-dergicilerin, pastane ve elbisecilerin vitrinlerinin önünde oyalandım.

Dükkanlar kapanır, kalabalık sokaklar boşalırken bir arka sokaktaki apartmanın kapısını çaldım. Bir hizmetçi kapıyı açtı; Canan'ın sınıf arkadaşı olduğumu söyledim; içeri gitti; açık bir televizyondan siyasi bir nutkun sesi geliyordu; fısıltılar duydum. Elinde bembeyaz bir peçete, uzun boylu, beyaz gömlekli babası geldi, beni içeri buyur etti: Meraklı ve boyalı bir anne, yakışıklı ağabey ve dördüncü köşesi boş kalmış bir yemek masası. Televizyon haberleri veriyordu.

Canan'ın mimarlıktan sınıf arkadaşı olduğumu söyledim, okula gelmiyordu, bütün arkadaşlar merak etmiştik, telefon edenlerimiz doyurucu cevap alamamıştı ve ayrıca, onda benim bitirmek zorunda kaldığım ve geri istemek mecburiyetinde olduğum için de özür dilediğim bir statik ödevim vardı. Ölmüş babamın renksizleşmiş paltosu sol kolumun üzerindeyken, renksizleşmiş bir kuzu postuna bürünmüş hırçın bir kurt gibi gözüküyor olmalıydım.

"İyi bir çocuğa benziyorsun oğlum," diye başladı Canan'ın babası. Benimle açık konuşacağını söyledi. Sorularına da lütfen açık cevap vermemi istiyordu. Sol ya da sağ, dinci ya da sosyalist, herhangi bir siyasi görüşe yakınlık duyuyor muydum? Hayır! Üniversitedeki, ya da dışarıdaki siyasi örgütlerle bir ilişkim var mıydı? Hayır, böyle bir ilişkim de yoktu.

Bir sessizlik oldu. Annenin kaşları bir onay ve yakınlık duygusuyla kalktı. Babanın Canan'ınkiler gibi bal renkli gözleri televizyondaki serseri görüntüler üzerinde gezindi, bir an varolmayan uzak ülkelere gitti ve bir karar vermiş olarak bana döndü.

Canan evi terk etmiş, kaybolmuştu. Ama belki kaybolmak denemezdi buna. İki-üç günde bir, telefondaki uğultuya bakılırsa uzak bir şehirden arıyor, kendisini merak etmemelerini, iyi olduğunu söylüyor, babasının sorularına, ısrarlarına, annesinin yalvarmalarına aldırış etmeden ve daha fazla konuşmadan telefonu kapıyordu. Bu durumda kızlarının bir siyasi örgütün karanlık işleri için kullanıldığından kuşkulanmakta haklıydılar. Polise haber vermeyi düşünmüşlerdi, ama Canan'ın zekâsına her zaman güvendikleri, başına gelen beladan aklını başına toplayıp kendi kendine kurtulabileceğinden emin oldukları için bunu yapmamışlardı. Bakışları kılık kıyafetimden saçlarıma, bir koltuğun arkalığına bıraktığım baba yadigârından, ayakkabılarıma kadar her yerimi didik didik etmiş olan annenin ağlamaklı bir sesle dillendirdiği ricası ise, bu durumu aydınlatacak herhangi bir bilgim, sezgim varsa hemen söylememdi.

Şaşkın bir surat takındım, hiçbir fikrim, efendim, hiçbir tahminim olmadığını söyledim. Bir an hepimiz masadaki börek tabağına, havuç salatasına bakakaldık. İçeri bir gidip bir gelen yakışıklı ağabey, benim yarım kalmış ödevi bulamadığını özür dileyerek açıkladı. Odaya kendim bakarsam, belki bulabileceğimi ima ettim, ama kayıp kızlarının yatak odasını bana açmak yerine sofradaki boş yerini, pek de ısrar etmeden işaret etmekle yetindiler. Mağrur bir âşıktım ben, reddettim. Ama tam odadan çıkarken, piyanonun üzerinde çerçeveli bir resim görünce pişman oldum. Resimde, dokuz yaşındaki, saçları örgülü Canan, sanırım bir ilkokul piyesi için büründüğü, Batı'dan arak, küçük kanatlı sevimli melek kıyafeti ve hüzünlü çocuk bakışıyla annesinin ve babasının yanında belli belirsiz gülümsüyordu.

Dışarıda gece ne kadar da düşmanca ve soğuktu, karanlık

sokaklar, ne kadar da acımasız! Sürüler halinde geçen sokak köpeklerinin neden birbirlerine bu kadar sokulduklarını bir anda anladım. Televizyonun karşısında uyuyakalmış annemi şefkatle uyandırdım, soluk boynuna dokundum, kokusunu duydum, bana sarılsın istedim. Odama kapanınca asıl hayatımın pek yakında başlayacağını bir daha hissettim.

Kitabı okudum. Ona boyun eğerek, beni bu diyardan alıp götürmesini dileyerek kitabı saygıyla okudum. Önümde yeni ülkeler, yeni insanlar, yeni görüntüler belirdi. Alev renginde bulutlar gördüm, karanlık denizler, mor ağaçlar, kızıl dalgalar. Sonra, bazı bahar sabahları, yağmurun hemen arkasından güneş çıkınca kirli apartmanların, lanetli sokakların, ölü pencerelerin benim iyimser ve inançlı adımlarla yürüyüşüm üzerine, birden geriye geriye çekilip açılıvermesi gibi, aklımın gözündeki karışık hayaller ağır ağır açıldılar ve bembeyaz bir ışık içinde karşıma aşk çıktı. Kucağında, küçük bir çocuk vardı, piyanonun üzerindeki çerçevede resmini gördüğüm kızdı bu.

Kız bana gülümseyerek baktı, bir şey söyleyecekti belki, belki de söylemişti de işitememiştim onu. Bir an bir çaresizlik hissettim. İçimden bir ses benim bu güzel resmin hiçbir zaman parçası olamayacağımı söyledi, ona acıyla hak verdim. Aynı anda da bir pişmanlık sardı içimi. O sırada, o ikisinin, bir çeşit tuhaf bir yükselişle kaybolduklarını içim yanarak gördüm.

Bu hayaller bir an içimde öyle bir dehşet uyandırdı ki, tıpkı onu ilk okuduğum gün yaptığım gibi, sayfalardan fışkıran ışıktan korunmak ister gibi, yüzümü kitaptan korkuyla uzaklaştırdım. Odamın sessizliğini, masamın bana verdiği huzuru, ellerimin kollarımın sakin duruşunu, eşyalarım, sigara paketim, makasım, ders kitaplarım ve perdeler ve yatağım arasında kendi gövdemin burada, başka bir hayatın içinde kalakaldığını kederle gördüm.

Sıcaklığını hissettiğim, nabzının atışlarını duyduğum

gövdemin bu dünyadan uzaklaşmasını istiyordum, ama bir yandan da apartmanın iç seslerini, dışarıda, uzaklardaki bozacının seslenişini işitiyor, bu dünyada geceyarısı oturup bir kitap okumanın, bu anın içinde olmanın da katlanılabilir şeyler olduğunu seziyordum. Bir süre yalnızca bu sesleri - çok uzaklardaki arabaların kornalarını, köpeklerin havlayışlarını, belli belirsiz bir rüzgârı, sokaktan geçen iki kişinin konuşmalarını (artık yarın sabah, dedi biri) ve birden gecenin seslerine hakim olan o uzun yük trenlerinden birinin gürültüsünü dinledim. Çok sonra, bir an her şey mutlak bir sessizlik içinde eriyecekmiş gibi olunca birden gözümün önünde bir hayal belirdi ve kitabın ruhuma nasıl işlediğini anladım. Yüzümü kitaptan fışkıran ışığa doğru tutarken ruhum sanki açık bir defterin tertemiz sayfasıydı. Kitapta yazılanlar ruhuma bir bir böyle işliyor olmalıydı.

Oturduğum yerden uzanıp çekmecemden bir defter çıkardım. Kareli bir Harita ve Metod defteriydi bu, kitapla karşılaşmamdan birkaç hafta önce statik dersi için satın almış, ama kullanmamıştım. İlk sayfasını açtım, temiz ve beyaz sayfanın kokusunu içime çektim, tükenmez kalemimi alıp kitabın bana söylediklerini cümle cümle deftere yazmaya başladım. Kitabın söylediği bir cümleyi deftere yazdıktan sonra öteki cümleye geçiyor, o cümleyi de bir öncekinden sonra yazıyordum. Kitap bir paragraf başı yaptığında, ben de yeni bir paragrafa başladım ve bir süre sonra o paragrafın sözlerini olduğu gibi defterime yazmış olduğumu da gördüm. Böylece, bir paragrafı, ardından diğerini yazarak kitabın bana söylediği şeyleri yeniden yeniden canlandırdım. Bir süre sonra, başımı yazdığım sayfalardan kaldırdım ve bir kitaba, bir de deftere baktım. Deftere ben yazmıştım, ama yazdıklarım kitapta yazılanların aynısıydı. Öyle bir hoşuma gitti ki bu, her akşam sabaha kadar aynı işi yapmaya başladım.

Derslere hiç girmiyordum artık. Çoğu zaman nerede hangi

ders olduğuna hiç mi hiç aldırmadan koridorlarda kendi ruhundan kaçan biri gibi geziniyor, dur durak bilmeden bir kere daha kantine, sonra en üst kata, sonra kütüphaneye, sonra sınıflara, sonra gene kantine giriyor, bu yerlerde Canan'ın olmadığını her görüşümde karnıma giren derin bir ağrıyla acı çekiyordum.

Günler geçtikçe karnımdaki bu ağrıya alıştım, onunla yaşamayı, onu biraz olsun denetleyebilmeyi başardım. Hızlı hızlı yürümenin bir yararı vardı belki, sigara içmenin de, ama en önemlisi oyalanabilecek küçük şeyler bulabilmekti: Birisinin anlattığı bir hikâye, mor saplı yeni bir çizim kalemi, pencereden gördüğüm ağaçların kırılganlığı, sokakta karşıma çıkıveren herhangi bir yeni yüz, kısacık bir süre de olsa beni karnımdan bütün gövdeme yayılan o sabırsızlık ve yalnızlık acısının farkında olmaktan kurtarırdı. Canan'a rastlayabileceğim herhangi bir mekâna, söz gelimi kantine girdiğimde her yere sabırsızlıkla göz atarak mekânın sunduğu bütün olasılıkları bir anda tüketmez, blucinli sigaralı kızların çene çaldığı köşeye önce bir bakar, bunu yaparken de, az ötede, arkamda Canan'ın bir yerde oturduğunu hayal etmeye başlardım. Bu hayale kısa bir sürede öyle bir inanırdım ki, yok olmaması için arkama dönmez, kasanın önündeki kuyrukta dikilenler ile iki hafta önce Canan'ın kitabı benim önüme bırakıverdiği o masada oturanlar arasında uzun uzun göz gezdirir, böylece Canan'ın sımsıcak hayalinin hemen arkamda kıpırdandığı birkaç mutluluk saniyesi daha kazanmış olur, hayalime de daha bir kuvvetle inanırdım. Tatlı bir sıvı gibi damarlarıma ağır ağır yayılan bu hayal, başımı çevirip de orada Canan'ın, ya da onu işaret edebilecek herhangi bir şeyin olmadığını gördüğümde yerini bütün midemi dağlayan bir zehire bırakırdı.

Aşkın yararlı bir acı olduğunu çok işittim, çok okudum. Çoğu fal kitaplarında, gazetelerin "burcunuz" köşesinin hemen yanıbaşında, ya da "ev-aile-mutluluk" sayfalarında salata resimleri ve krem formülleri arasında yer alan bu palavrayla o günlerde çok sık karşılaşıyordum. Çünkü karnımdaki demir külçenin ağrısı yüzünden, duyduğum sefil yalnızlık ve kıskançlık beni insanlardan öylesine koparmış ve öylesine umutsuz kılmıştı ki, yalnız gazetelerin, dergilerin burçlar, yıldızlar köşesinden değil, başka bazı işaretlerden de körlemesine medet ummaya başlamıştım: Üst kata çıkan basamakların sayısı tek ise Canan üst kattadır... Kapıdan ilk bir kadın çıkarsa bugün Canan'ı göreceğim... Yediye sayıncaya kadar tren hareket ederse beni bulup konuşacak... Vapurdan ilk atlayan ben olursam bugün gelecek.

Vapurlardan ilk ben atladım. Kaldırım taşları arasındaki çizgilere hiç basmadım. Kahvede yerlere atılmış gazoz kapaklarının sayısının tek olduğunu doğru olarak saptadım. Paltosuyla aynı mor renkte bir kazak giyen bir kaynakçı çırağıyla çay içtim. Rastladığım ilk beş taksinin plakalarındaki harflerle adını yazabilecek kadar talihim oldu. Hiç nefes almadan Karaköy yeraltı geçidinin bir girişinden girip ötekinden çıkmayı başardım. Nişantaşı'na gidip evlerinin pencerelerine bakıp dokuz bine kadar hiç şaşırmadan saydım. Adının hem sevgili hem Allah anlamına geldiğini bilmeyenlerle dostluğu kestim. Adlarımızın kafiyeli olmasına bakıp hayalimde bastırdığım evlilik davetiyelerini Yeni Hayat karamelalarının kâğıdından çıkan türden şık bir maniyle süsledim. Bir hafta boyunca, gece saat tam üçte pencyeremden gözüken aydınlık pencerelerin sayılarını kendime tanıdığım yüzde beşlik yanılgı payını hiç geçmeden tahmin etmeyi başardım. Fuzuli'nin:

"Canan yok ise can gerekmez"

mısraını tersinden otuzdokuz kişiye söyledim. Evlerine tam yirmi sekiz değişik ses ve kimlikte telefon edip onu sordum ve duvar ilanlarında, afişlerde, yanıp sönen neon lambalarında, dönerci, piyangocu ve eczane vitrinlerinde görüp hayalimle oralardan söküp çıkardığım harflerle her gün otuzdokuz kere Canan demeden eve dönmedim, ama Canan gelmedi.

Bir geceyarısı bütün oyunlarımın sayısını ikiye katlamış, Canan'ı hiç olmazsa umutlarımda bir parça olsun bana yaklaştırabilecek sayısal ve rastlantısal savaşları sabırla kazanmış olarak eve dönerken, sokaktan kendi odamın yanık ışıklarını gördüm. Geç kaldığım için annem ya meraklanmıştı ya da odamda bir şey arıyordu, ama aklımda bambaşka bir görüntü belirdi.

Orada, aydınlık penceresini gördüğüm odamda, masamın başında kendimin oturmakta olduğunu hayal ettim. Bunu öyle bir istek ve güçle hayal ettim ki, perdelerin arasından belli belirsiz gözüken kirli beyaz duvar parçacığının önünde, portakal rengini hafifçe seçebildiğim lambanın hemen yanında kendi başımı bir an görebildiğimi sandım. Aynı anda, içimde bir elektriklenmeyle beliriveren özgürlük duygusu beni öylesine sarstı ki şaşırdım. Her şey bu kadar basitmiş, dedim kendime: Bir başkasının gözüyle baktığım odadaki adamın orada, o odada kalması gerekiyordu. Benim ise odadan, evden, eşyalarımdan, annemin kokusundan, yatağımdan ve yirmi iki yıllık geçmişimden kaçmam gerekiyordu. Yeni hayata o odadan çıkarak başlayacaktım, çünkü ne Canan ne de o ülke, o odadan sabah çıkıp, akşam geri dönülebilecek kadar yakın bir yerdeydi.

Odama girince başka birisinin eşyalarına bakar gibi yatağıma baktım, masamın köşesinde duran diğer kitaplara, Canan'ı gördüğümden beri otuzbir çekmediğim için karıştırmadığım çıplak kadınlı dergilere, sigaralarımı kurutmak için kaloriferin üzerine koyduğum kartona, bir tabak içinde duran bozuk paralarıma, anahtarlığıma, kapısı tam kapanmayan dolabıma, beni bu eski dünyaya bağlayan eşyalarıma baktım ve kaçıp gitmem gerektiğini anladım.

Daha sonra kitabı okurken ve yazarken okuyup yazdıklarımın dünyanın içindeki bir hareketi işaret ettiğini sezdim. Bir yerde değil, sanki her yerde olmalıydım. Odam bir yerdi, her yer değildi! "Sabah Taşkışla'ya neden gideyim ki," dedim kendi kendime. "Canan Taşkışla'ya gelmeyecek!" Canan'ın gelmeyeceği başka yerler de vardı, oralara da boşuboşuna gitmiştim, artık gitmeyecektim. Artık yazının beni götüreceği yerlere gidecektim. Canan da, yeni hayat da orada olmalıydı. Böylece kitabın bana anlattıklarını yazarken gideceğim yerlerin bilinci ağır ağır içime işledi ve yavaş yavaş başka bir insana dönüştüğümü mutlulukla hissettim. Çok sonra, aldığı yoldan memnun olan bir yolcu gibi doldurduğum sayfalara göz atarken dönüşmekte olduğum yeni insanın kim olduğunu apaçık gördüm.

Masada oturup kitabı cümle cümle defterine yazan ve yazdıkça aradığı hayata çıkan yolun yönünü sezen o kişi bendim. Bir kitap okuyup bütün hayatı değişen, âşık olan, yeni bir hayata doğru yol alacağını hisseden o kişi bendim. Yatmadan önce annesinin, kapısını tıklatıp, "sabahlara kadar yazıyorsun, bari sigara içme," dediği kişi bendim. Gecenin sesleri kesilince, mahallede yalnızca uzaktan uzağa havlayan köpek sürülerinin ulumalarının duyulduğu saatte masasından kalkıp haftalardır okuduğu kitaba, o kitabın ilhamıyla doldurduğu defterin sayfalarına son bir kere daha bakan bendim. Dolabının dibinden, çoraplarının altından birikmiş parasını alıp, odasının ışıklarını söndürmeden, annesinin odasının kapısında durup içeriden gelen soluma seslerini sevgiyle dinleyen bendim. Bendim, ey melek, gece yarısından çok sonra, kendi evinden bir başkasının evinden kaçan ürkek yabancı gibi süzülüp karanlık sokaklara karışan. Bendim kaldırımdan kendi odasının aydınlık pencerelerine bir başkasının kırılgan ve tükenmiş hayatına gözyaşları ve yalnızlık duygusuyla bakar gibi bakan. Bendim sessizlikte kararlı adımlarımın yankılanışını dinleyerek yeni hayata coşkuyla koşan.

Mahallede bir tek Demiryolcu Rıfkı Amca'nın evinin ölü ışıkları yanıyordu. Bir anda bahçe duvarına çıktım ve yarı açık perdeler arasından solgun ışıkların altında sigara içerek oturan karısı Ratibe Teyze'yi gördüm. Rıfkı Amca'nın çocuk hikâyelerinden birinde de, Altın Ülke'nin peşine düşen cesur kahraman, benim yaptığım gibi, karanlık sokakların çağrısını, uzak ülkelerin gürültüsünü, hiç gözükmeyen ağaçların uğultusunu dinleyerek gözyaşlarıyla çocukluğunun kederli sokaklarında yürür. Üzerimde Devlet Demiryolları'ndan emekli rahmetli babamın paltosu gözyaşlarıyla yürüdüm karanlık gecenin kalbine.

Gece beni gizledi, gece beni sakladı, gece bana yol gösterdi. Şehrin ağır ağır titreyen iç organlarına, bir felçli gibi kaskatı kesilen betondan caddelerine, süt, et, konserve ve haydut kamyonlarının iniltisiyle sarsılan neondan bulvarlarına girdim. Açık ağızlarındaki pisliği, ışıkları yansıtan ıslak kaldırımlara boşaltan çöp tenekelerini kutsadım; kendi hallerinde hiç duramayan korkunç ağaçlara yol sordum; soluk dükkânlarda kasa başlarında hâlâ hesap yapan vatandaşlara göz kırptım; karakol kapılarında nöbet tutan polislerden sakındım; yeni hayatın ışıltısından habersiz sarhoşlara, evsizlere, dinsizlere ve yurtsuzlara kederle gülümsedim; yanıp sönen kırmızı ışıkların sessizliğinde bana uykusuz günahkârlar gibi usulca sokulan damalı taksilerin şoförleriyle kapkaranlık bakıştım; duvarlara asılı sabun reklamlarından bana gülümseyen güzel kadınlara inanmadım; sigara reklamlarındaki yakışıklı erkeklere, Atatürk heykellerine, sarhoşların ve uykusuzların kapıştığı yarının gazetelerine de inanmadım, sabahçı kahvelerinde çay içen milli piyangocuyla bana el edip "otur delikanlı" diye seslenen arkadaşına da. Çürüyen şehrin iç kokuları beni deniz ve köfte, kenef ve egzos dumanı, benzin ve kir kokan otobüs garajlarına götürdü.

Otobüs yazıhanelerinin üstünden bana yeni ülkeler, yeni

kalpler, yeni hayatlar vaad eden renk renk yüzlerce şehir ve kasaba adının pleksiglas harflerinden sarhoş olmamak için küçük bir lokantaya girdim. Geniş vitrinli bir buzdolabında, şehir adları ve otobüs şirketlerinin harfleri gibi sıra sıra dizili duran ve kimbilir kaç yüz kilometre uzakta, kimbilir hangi midelerde sindirilecek olan revani, muhallebi ve salatalara yan dönerek bir masaya oturdum ve unuttum neyi beklemeye başladığımı. Belki de, melek, senin beni hafifçe çekip, usulca yönlendirip, zarifçe uyarıp almanı. Ama lokantada uykulu uykulu tıkınan birkaç kayıp yolcuyla, kucağında bir çocukla bir anadan başka kimsecikler yoktu. Gözlerim yeni hayatımın izlerini ararken, "Lambayla oynamayın!" dedi bir duvar levhası. "Tuvalet ücretlidir" dedi bir başkası ve "Dışarıdan Alkollü İçki Getirilmez" dedi üçüncüsü daha sert ve kararlı harflerle. Aklımın pencerelerinin önünden karanlık kargaların kanat çırpıp geçişlerini görür gibi oldum; görür gibi oldum kendi ölümümün bu çıkış noktasından başlayacağını. O garaj lokantasının ağır ağır kendi içine kapanan kederini sana anlatabilmek isterdim, melek, ama öyle yorgundum ki, yüzyılların uykusuz ormanlar gibi uğuldayan iniltisini duyuyordum, her biri bir başka diyara kalkan cesur otobüslerin gür gür motorlarının içindeki çılgın ruhu seviyordum, uzaklarda bir yerde bir eşik noktasını arayan Canan'ın beni çağırdığını işitiyordum, ama sessizce: Teknik bir arızadan dolayı filmi sessiz izlemeye razı sessiz seyirci gibi, çünkü galiba başım masaya düşmüş biraz uyuklamışım.

Ne kadar, bilmiyorum. Uyandığımda aynı lokantada başka insanların karşısındaydım ve beni eşsiz anlara götürecek büyük yolculuğun çıkış noktasını, bu sefer meleğe anlatabileceğimi hissettim. Karşımda gürültüyle para ve bilet hesabı yapan üç genç vardı. Paltosunu ve plastik torbasını masanın üzerindeki çorba kâsesinin yanına koymuş yalnız mı yalnız bir ihtiyar, elindeki kaşıkla kendi kederli hayatını kokluyor, karıştırıyordu ve boş masaların uzandığı yarı karanlıkta, bir garson esneyerek gazete okuyordu. Hemen yanıbaşımda ise tavandan kirli zemin taşlarına kadar inen buğulu cam vardı; arkasında kara lacivert gece, gecenin içinde motorlarının gürültüsü beni o ülkeye çağıran otobüsler.

Birine biniverdim bir bilinmez saatte. Sabah değildi ama gide gide sabah oldu, güneş doğdu, gözlerim güneş ve uykuyla doldu. Uyuyakalmışım.

Otobüslere bindim, otobüslerden indim, garajlarda gezindim; otobüslere bindim, otobüslerde uyudum, günleri gecelere yetiştirdim; otobüslere bindim, kasabalarda indim, günler boyu karanlığın içine gittim ve dedim ki kendime, nasıl da kararlıymış bu genç yolcu kendisini o bilinmeyen ülkenin eşiğine götürecek yollarda sürüklenmeye.

4

Soğuk kış gecelerinin birinde, her gün bir-ikisine bindiğim otobüslerden birinin içinde, nereden geldiğimi bilmeden, nerede olduğumu bilmeden, nereye gittiğimi bilmeden, ne kadar hızla, fark etmeden gidiyordum, günlerdir gidiyordum, ey melek. İç ışıkları çoktan sönmüş, gürültücü ve yorgun otobüsün sağ arkalarında bir yerde, uykuyla uyanıklık arasında, uykudan çok rüyalara, rüyalardan çok dışarıdaki kapkaranlığın hayaletlerine yakındım. Göz kapaklarımın yarı aralığından, otobüsümüzün tek gözü şaşı uzak lambalarının aydınlattığı hiç bitmeyen bir bozkırdaki cılız bir ağacı, üzerine bir kolonya ilanı yazılmış bir kayayı, elektrik direklerini, tek tük geçen kamyonların tehditkâr lambalarını ve şoför yerinin üstündeki videoya bağlı televizyonun ekranında oynayan filmi görüyordum. Ekran, kız oyuncu konuşurken Canan'ın paltosu rengine bürünüp morlaşıyor, aceleci ve hızlı oğlan ona cevap yetiştirirken bir gün, bir tarihte içime işlemiş soluk bir maviye dönüşüyordu. Hep böyle olur ya, derken aynı mor ve aynı soluk mavi karede birleştiler ve ben seni düşünürken, ben seni hatırlarken, ama hayır, öpüşmediler.

İşte tam o anda, otobüs yolculuklarımın üçüncü haftasında, filmin tam orasında, şaşırtıcı derecede güçlü bir eksiklik, bir tedirginlik, bir bekleyiş duygusuna kapıldığımı hatırlıyorum. Elimde bir sigara vardı ve külünü, az sonra kapağını alnımın sert ve kararlı bir darbesiyle kapayacağım küllüğe sinirli sinirli silkiyordum. Hâlâ bir türlü öpüşemeyen âşıkların kararsızlığıyla içimde yükselen öfkeli sabırsızlık, daha kesin ve daha derin bir tedirginliğe dönüştü. Şimdi, şimdi o geliyor, o derin ve gerçek şey şimdi yaklaşıyor duygusu. Kralın başına taç konmadan önce sinemadakiler dahil seyreden herkesin hissettiği o sihirli sessizlik. O sessizlikte, taç başa değmeden önce kraliyet meydanını baştan aşağı geçen bir çift güvercinin kanat vuruşları duyulur. Ben yanımda uyuklayan ihtiyarın bir an inlediğini duydum, ona döndüm. Yüz kilometre ve birbirini kıskançlıkla taklit eden iki küçük sefil şehir önce, bana içindeki korkunç ağrıları anlattığı saçsız başı karanlık camın buzlu soğukluğuna yaslanmış, huzurla sallanıyordu. Sabah kasabaya vardığımızda gideceği hastanedeki doktor, beyin uru için ona başını soğuk cama dayamasını önermeli, dedim kendime, gözlerimi karanlık yola çevirirken bir an günlerdir hiç kapılmadığım bir telaşa kapıldım: Nedir, nedir şimdi bendeki bu derin ve karşı koyulmaz beklenti, her yerimi saran bu sabırsız istek neden şimdi?

Yırtıcı bir gürültüyle, iç organlarımı yerinden oynatan bir gücün kararlılığıyla sarsıldım. Yerimden fırladım, öndeki koltuğa vurdum, demir ve teneke ve alüminyum ve cam parçalarına çarptım, hırsla çarptım, çarpıldım, katlandım. Aynı anda yeniden ve bambaşka biri olarak geri düştüm ve otobüsteki aynı koltukta buldum kendimi.

Ama otobüs aynı otobüs değildi artık. Arkasındaki koltuklarla birlikte şoför mahallinin paramparça eriyip, yitip yok olup gittiğini dalgın dalgın oturmaya devam ettiğim yerden, mavi bir sisin içinden görebiliyordum.

Demek ki aradığım buymuş, buymuş istediğim. Yüreğimin

içinde nasıl da hissettim bulduğum şeyleri: Huzur, uyku, ölüm, zaman! Hem oradaydım, hem burada; hem huzurun içinde hem de kanlı bir savaşın, hem hortlaksı bir uykusuzluğun hem sonu olmayan uykunun, bitmeyecek gecenin ve hızla akan zamanın. Bu yüzden, hani filmlerde olur ya, yavaş çekimle kalktım koltuğumdan ve yavaş çekimle geçtim hemen de ölüler diyarına göçmüş genç muavinin eli şişeli cesedinin yanından. Otobüsün arka kapısından karanlık gecenin bahçesine çıktım.

Çorak ve sınırsız bahçenin bir ucu kırık camlarla kaplanmış asfalttı, görünmeyen öbür ucu geri dönüşü olmayan ülke. Haftalardır hayalimde cennet sıcaklığıyla kıpırdanan bu sessiz ülkenin orası olduğuna inanarak gecenin kadifemsi karanlığı içine korkusuzca ilerledim. Uykuda yürür gibi, ama uyanık; yürür gibi, ama ayaklarım sanki kıraç toprağa değmeden. Belki de ayaklarım olmadığı için, belki de artık hatırlayamadığım, yalnızca orada olduğum için. Yalnızca orada ve kendim; uyuşmuş gövdem ve bilincim: Kendimle, kendimle dopdoluyum.

Cennet karanlığın içinde bir yerde, bir kayanın kenarına oturdum, toprağa uzandım. Yukarıda tek tük yıldızlar, yanımda gerçek bir kaya parçası. Ona hasretle dokundum, gerçek dokunuşun inanılmaz tadını duyarak. Bir zamanlar bütün dokunuşların dokunuş, kokuların koku, seslerin ses olduğu gerçek bir dünya varmış. O zamanlar bu zamanlara şimdi bir görünüvermiş olabilir mi, yıldız? Ben görüyordum kendi hayatımı karanlıkta. Bir kitap okudum, seni buldum. Ölmek buysa, ben yeniden doğdum. Çünkü şimdi burada, bu dünyanın içinde anısız ve geçmişsiz yepyeni biriyim ben: Televizyondaki yeni dizilerin yeni ve güzel yıldızları gibi, yıllar sonra yıldızları ilk gören zindan kaçkınının çocuksu şaşkınlığı gibi. Eşini benzerini hiç mi hiç duymadığım bir sessizliğin çağrısını duyuyorum ve soruyorum: Neden otobüsler, geceler, şehirler? Neden bütün o yollar, köprüler, yüzler? Neden geceleri şahinler gibi bastıran yalnızlık, neden yüzeylere takılıp kalan kelimeler, neden o hiç dönüşü olmayan zaman? Toprağın çıtırtısını duyuyorum ve saatimin tıkırtısını. Çünkü zaman üç boyutlu bir sessizliktir diye yazmıştı kitap. Demek ki üç boyutu hiç mi hiç anlayamadan, hayatı, dünyayı ve kitabı kavrayamadan ve seni bir daha göremeden ben ölecekmişim diyordum ve böylece yeni, yepyeni yıldızlarla ilk defa konuşuyordum ki çocuksu bir çocuk gibi aklıma geldi! Daha ölmeyecek kadar çocuktum ben ve nesnelerin dokunuşunu, kokusunu ve ışığını yeniden keşfederek, alnımdan akan kanın sıcaklığını soğuk ellerimde mutlulukla hissettim. Mutlulukla bu dünyayı seyrettim, Canan, seni severek.

İleride, onu terk ettiğim yerde, talihsiz otobüsün olanca gücüyle çimento yüklü kamyona bindirdiği noktada yükselen bir çimento bulutu, ölülerin ve ölmekte olanların üzerinde mucize bir şemsiye gibi asılı kalmıştı. Otobüsten mavi ve inatçı bir ışık sızıyordu. Hayatta kalan ve az sonra kalmayacak olan talihsizler yeni bir gezegenin yüzeyine ayak basanların dikkatiyle arka kapıdan dışarı çıkıyorlardı. Anne anne, siz kaldınız ben çıktım, anne anne kan ceplerimi bozuk para gibi doldurdu. Onlarla konuşmak istedim; elinde plastik torba yerde sürünen şapkalı amcayla, pantolonunun yırtığına dikkatle eğilmiş titiz erle, Allah'la doğrudan konuşma fırsatı yakaladığı için kendini mutlu bir gevezeliğe kaptırmış nineyle... Yıldızları sayan zehir sigortacıya, ölü şoföre yalvaran annenin büyülenmiş kızına, tanışmadıkları halde elele tutuşup ilk görüşte âşık olanlar gibi hafif hafif sallanarak varoluş dansı eden bıyıklı erkeklere bu eşsiz ve kusursuz zamanın sırrını anlatmak istedim. Onlara, eşsiz an denen talih anının, ancak bizler gibi Tanrı'nın mutlu kullarına hayatta pek seyrek de olsa ihsan edildiğini söylemek, gözükürsen sen melek, hayatta bir kere, işte bu mucize çimento bulutunun şemsiyesi altındaki harika saatte gözükeceğini anlatmak ve şimdi neden bu kadar mutlu olduğumuzu sormak istedim. Birbirlerine pervasız âşıklar gibi bütün güçleriyle sarılıp hayatlarında ilk defa özgürce ağlayan siz ana-oğul, kanın rujdan daha kırmızı, ölümün hayattan daha şefkatli olduğunu keşfeden şeker kadın, babasının ölüsü başında dikilip elinde bebeği yıldızları seyreden talihli çocuk, bu doluluk, bu tamlık ve kusursuzluğu bize bağışlayan kim? Bir kelime, dedi içimdeki ses: Çıkış, çıkış... Ama ölmeyeceğimi çoktan anlamıştım. Az sonra ölecek bir teyze ise kandan kıpkızıl yüzüyle muavini sordu bana, bavullarını şimdi hemen almak, sabah şehirdeki trene yetişmek için. Kanlı tren bileti bende kaldı.

Yüzleri camlara yapışmış ön sıranın ölüleriyle gözgöze gelmeden arka kapıdan otobüse bindim. Bütün o otobüs yolculuklarımın korkunç motor gürültüsünü hatırladım, fark ettim. Bulduğum ölüm sessizliği değildi, çünkü anıları, istekleri ve hayaletleriyle boğuşarak konuşanlar vardı. Muavin hâlâ şişesini tutuyordu, gözü yaşlı sakin bir anne mışıl mışıl uyuyan çocuğunu: Çünkü dışarısı ayaz. Oturdum, çünkü bacaklarımdaki ağrıları fark etmiştim. Beyni ağrıyan koltuk komşum, ön sıralardaki aceleci kalabalıkla birlikte bu dünyadan göçüp gitmişti, ama hâlâ sabırla oturuyordu. Uyurken gözleri kapalı, ölüyken açık. Önden bir yerden, nereden çıktığını bilmediğim iki adam, kanlar içinde bir gövdeyi karga tulumba çıkarıp dışarıdaki soğuğa götürdüler ki üşüsün.

En sihirli rastlantıyı, en kusursuz talihi o zaman fark ettim: Şoför yerinin üzerindeki televizyon sapasağlamdı ve video âşıkları işte en sonunda birbirlerine sarılıyorlardı. Mendilimle alnımdaki, yüzümdeki, boynumdaki kanı sildim, demin alnımla kapadığım küllüğü şimdi açtım, mutlulukla bir sigara yaktım ve ekrandaki filmi seyrettim.

Öpüştüler, gene öpüştüler birbirlerinin dudaklarından ruj ve hayat içerek. Küçükken sinemalarda öpüşme sahnelerinde neden nefesimi tutardım? Neden bacaklarımı sallar ve öpüşenlere değil de, perdede onlardan hafifçe daha yukarıda bir yere bakardım. Ah öpüş! Ne güzel de hatırlamıştım buzdan camdan vuran beyaz ışığın içinde dudaklarıma değen şeyin tadını. Hayatta yalnızca bir kere. Gözyaşlarıyla tekrarladım Canan'ın adını.

Film biterken ve dışarısının soğuğu, soğumuş ölüleri de üşütürken, önce ışıklarını, sonra da mutlu manzara karşısında saygıyla duran kamyonu gördüm. Hâlâ anlayışsızca boş ekrana bakan koltuk komşumun ceket cebinde iri ve dolu bir cüzdanı varmış. Adı Mahmut, soyadı Mahler, kimliği, askerdeki oğlunun bana benzeyen resmiyle, horoz döğüşlerini anlatan çok eski bir gazete kesiği: Denizli Postası, 1966. Paralar bana daha kaç hafta yeter, evlilik cüzdanı da bende kalsın, teşekkür ederim.

Bizleri kasabaya götüren kamyonun kasasında sabırlı ölülerle birlikte biz ihtiyatlı diriler ayazdan korunmak için yere uzanıp yıldızları seyre daldık. Sakin olun, diyorlardı sanki yıldızlar bize, sanki biz sakin değilmişiz gibi, bakın biz nasıl da biliyoruz beklemesini. Uzanmakta olduğum yerde kamyonla birlikte titrerken ve bazı aceleci bulutlar ve bazı telaşlı ağaçlar kadife geceyle aramıza girerken bu hareketli, hafif karar ışıklı ve ölülerle sarmaş dolaş mutluluk cümbüşünün, şakacı ve neşeli olduğunu tahmin ettiğim benim sevgili meleğimin gökten bir görünü-vermesi, bana benim kalbimin ve hayatımın sırlarını açıvermesi için kusursuz ve sinemaskop bir sahne oluşturduğunu dü-şündüm, ama Rıfkı Amca'nın bir resimli romanında aşağı yukarı aynısına tanık olduğum sahne gerçekleşmedi. Böylece, dallar üzerimizden akarken ve karanlık elektrik direkleri bir bir kayarken kutup yıldızı, kutup ayısı ve π sayısı ile başbaşa kaldım. Sonra düşündüm de, hissettim de aslında kusursuz da değildi an, bir şey eksikti. Gövdemde yeni bir ruh, önümde yeni bir hayat, cebimde tomar tomar para ve gökte bu yeni yıldızlar varken, canım, ben arar bulurum onu.

Nedir hayatı eksik kılan şey?

Eksik bir bacak dedi, hastanede dizkapağıma dikiş atan yeşil gözlü hemşire. Direnmemeliymişim. Peki. Benimle evlenir misiniz? Bacakta, ayakta kırık çatlak yok. Peki, benimle sevişir misiniz? Alnıma da korkunç bir dikiş. Demek ki dedim, acıdan gözlerimden yaşlar akarken, eksik bir şey varmış, dikişçi hemşirenin sağ elindeki yüzükten anlamalıydım. Almanya'da bir bekleyeni vardır. Yeni biriydim, ama bütünüyle değil. Böylece hastaneyi ve uykulu hemşireyi terkettim.

Sabah ezanı okunurken Yeni Işık Oteli'ne gidip, gece bekçisinden en iyi odayı istedim. Odanın tozlu dolabında bulduğum eski bir *Hürriyet* gazetesine bakarak otuzbir çektim. Pazar ekinin renkli sayfasında, İstanbul Nişantaşı'ndan bir lokantanın sahibesi, Milano'dan getirttiği mobilyalarının hepsini, hadım edilmiş kedilerinin ikisini ve orta halli gövdesinin bir kısmını teşhir ediyordu. Uyudum.

Altmış saate yakın kaldığım ve Yeni Işık Oteli'nde otuz üç saat uyuduğum Şirinyer şehri, şirin şipşirin bir yerdi: 1. Berber. Tezgâhının üzerinde, sapı alüminyum kâğıttan OPA tıraş sabunu var. Soluk mentol kokusu bu şehirde kaldığım sürece yanaklarımda kaldı. 2. Gençerler Kıraathanesi. Ellerinde kâğıt hamurundan maça ve kupa papazları dalgın ihtiyarlar meydandaki Atatürk heykeline, traktörlere, hafifçe topallayan bana ve sürekli açık televizyondaki kadınlara, futbolculara, cinayetlere, sabunlara ve öpüşenlere bakarlar. 3. Marlboro. Yazan dükkanda sigaradan başka, eski karate ve yarı porno filmlerin kasetleri, Milli Piyango ve Spor Toto, kiralık aşk ve cinayet romanları, fare zehiri ve duvarda Canan'ımı hatırlatan bir güzelin gülümsediği bir takvim var. 4. Lokanta. Fasulye, köfte, iyi. 5. Postane. Telefon ettim. Anneler anlamaz, ağlar. 6. Şirinyer Kıraathanesi. İki gün boyunca yanımda taşıdığım *Hürriyet* gazetesindeki bizim o mutlu trafik kazasının ezberlediğim kısa haberini -on iki ölü!- bir kere daha burada, masada zevkle okurken otuz yaşlarında, hayır otuzbeş, hayır kırk yaşlarında kiralık katille sivil polis arası görünümlü bir adam arkamdan gölge gibi yaklaştı, cebinden çıkardığı saatinin markasını bana okudu -Zenith- ve dedi ki:

"Divane gazellerinde neden ölüm için değil de
aşk için bahanedir bade?
Kazanın şarabıyla mest olmuşsunuz diyor gazete?"

Cevabımı beklemeden arkasında kesif bir OPA kokusu bırakarak kahveden çıktı.

Her şirin şehrin şen bir delisi vardır, diye düşünmüştüm, her biri en sonunda otobüs garajlarında sabırsızlıkla biten gezintilerim sırasında. Şarap ve şiir seven dostumuz şirin şehrin her iki meyhanesinde de yoktu ve altmış saat sonra ben sözü edilen mest edici susuzluğu, seni aşkla düşünür gibi Canan, derinden duymaya başlamıştım. Uykusuz şoförler, yorgun otobüsler, tıraşsız muavinler, alın götürün beni istediğim o bilinmeyenler ülkesine! Alnım kanlar içinde kendimden geçip bir başkası olabileyim ölümün eşiğinde. Böylece, gövdemde iki dikiş, cebimde dopdolu bir şehit cüzdanı, bir akşam vakti eski bir Magirus'un arka koltuğunda terk ettim Şirinyer şehrini.

Gece! Uzun, upuzun rüzgârlı gece. Penceremin karanlık aynasından köyler geçti, daha karanlık ağıllar, ölümsüz ağaçlar, kederli benzinciler, boş lokantalar, sessiz dağlar, telaşlı tavşanlar. Bazan, pırıl pırıl bir gecede uzaktaki titrek bir ışığa uzun uzun bakar, ışığın aydınlattığını hayal ettiğim bir hayatı dakika dakika düşler, Canan'la kendime o mutlu hayatta bir yer bulur ve otobüs titrek ışıktan uzaklaşmaya başladığı zaman, tir tir titreyen koltuğumda değil, o çatının altında olmak isterdim. Bazan benzincilerde, mola yerlerinde, araçların birbirlerini saygıyla beklediği kavşaklarda, dar köprülerde gözlerim yanımızdan ağır ağır geçen otobüsün yolcularına takılır, aralarında Canan'ı gördüğümü hayal eder ve hayalime inançla bağlanarak o otobüse nasıl yetişip, nasıl araca binip Canan'ı kucaklayacağımı kurardım. Bazan da, öyle yorgun ve umutsuz hissederdim ki kendimi, öfkeli otobüsümüz bir geceyarısı tenha bir kasabanın dar sokaklarında dönerken yarı açık perdelerin aralığından gördüğüm masada oturup sigara içen adam olmak isterdim. Ama bilirdim asıl başka bir yerde, başka bir zamanda, orada olmak istediğimi.

Orada, kazanın canhıraş patlamasından sonra ölenler ve ölüler arasında, ruhun gövdeden ayrılmakla ayrılmamak arasında kararsız kaldığı mutlu hafiflik anında... Yedi kat göğe çıkıp gezintiye hazırlanmadan önce, kan gölleri ve cam kırıklarıyla başlayan ve dönüşü olmayan ülkenin eşiğinden karanlık manzaraya gözlerimi alıştırmaya çalışırken zevkle düşüneceğim: Acaba içeri girsem mi, girmesem mi? Geri dönsem mi, gitsem mi? Nasıldır acaba öteki ülkenin sabahları? Nasıldır acaba yolculuğu büsbütün bırakıp dipsiz gecenin karanlığında kaybolmak? Kendimden çıkıp bir başkası olacağım ve belki de Canan ile kucaklaşacağım o eşsiz zamanın hüküm sürdüğü ülkeyi düşününce ürperir, dikişli alnımda, bacaklarımda bundan sonraki beklenmedik mutluluğun sabırsızlığını hissederdim.

Ey gece otobüslerine binenler, mutsuz kardeşler, biliyorum sizlerin de aynı yerçekimsizlik zamanını aradığınızı. Ne orada, ne burada, ama iki dünyanın arasındaki huzurlu bahçede başkası olup gezinmek. Meşin ceketli futbol meraklısının sabahki maçı değil, kanlar içinde bir kızıl kahramana dönüşeceği kaza saatini beklediğini biliyorum. Plastik torbasından ikide bir bir şeyler çıkarıp tıkınan asabi teyzenin kızkardeşine ve yeğenlerine değil, öteki dünyanın eşiğine ulaşmak için can attığını biliyorum. Açık gözü yolda, kapalı gözü rüyalarda gezen kadastrocunun vilayet binalarını değil bütün vilayetlerin arkada kalacağı o kesişme noktasını hesapladığını ve en ön sırada uyuyan soluk yüzlü liseli aşığın sevgilisini değil, ön camı tutku ve hırsla öpeceği şiddetli buluşmayı düşlediğini biliyorum. Bu heyecanla zaten hepimiz, şoför sıkıca bir fren yaptığında, otobüsümüz rüzgârla şöyle bir savrulduğunda hemen gözlerimizi açıp yolun karanlığına bakıp o sihirli saatin gelip gelmediğini çıkarmaya çalışıyoruz. Hayır, gene gelmemiş!

Seksen dokuz gecemi otobüs koltuklarında geçirdim ve bu mutlu saatin çalışını ruhumda duyamadım. Bir keresinde sıkı bir frenden sonra tavuk yüklü bir kamyona geçirdik, ama değil uykulu yolcuların tek bir şaşkın tavuğun bile burnu kanamadı. Bir başka gece, otobüsümüz buzdan asfaltın üzerinden uçuruma doğru tatlı tatlı kayarken bir an buzlu pencereden Tanrı'yla gözgöze gelmenin ışıltısını hissettim, varoluşun, aşkın, hayatın ve zamanın tek ortak sırrını tutkuyla keşfetmek üzereydim ki şakacı otobüs boşluğun karanlığında asılı kaldı.

Talih diye okumuştum bir yerde, kör değil cahildir. Talih diye düşündüm, istatistik ve olasılığı bilmeyenlerin tesellisidir. Arka kapıdan yeryüzüne indim, arka kapıdan hayata döndüm, arka kapıdan garajlara geçtim, garajların kıpır kıpır hayatına: Çekirdekçiler, kasetçiler, tombalacılar, eli bavullu amcalar, plastik torbalı teyzeler, merhaba. İşi talihe bırakmamak için en çürük otobüsleri aradım, en kıvrımlı dağ yollarını seçtim, şoför kahvelerinde en uykulu sürücüleri buldum. Hızırdan Hızlı, Uçan Varan, Hakiki Varan, Ekspres Varan... Muavinler ellerime şişeler dolusu kolonya döktüler, ama hiçbirinin lavantasında yollarda aradığım yüzün kokusunu bulamadım. Gümüş taklidi tepsilerle muavinler çocukluk bisküvilerini ikram ettiler, ama annemin çaylarını hatırlamadım. Kakaosuz Türk çikolatasını yedim, ama çocukluğumdaki gibi bacaklarıma kramp girmedi. Bazan da çeşit çeşit şekerlerden, karamelalardan sepetler getirdiler, ama Rıfkı amcamın sevdiği Yeni Hayat markasına Zambo, Mabel ve Golden'ler arasında hiç rastlayamadım. Uyurken kilometreleri sayardım, uyanıkken rüyalar görürdüm. Koltuğuma büzüldüm, küçüldüm, küçüle küçüle buruş buruş oldum, bacaklarımı sıkıştırdım, koltuk komşumla rüyamda seviştim. Uyanınca saçsız başını omuzumda, çaresiz elini kucağımda buldum.

Çünkü her gece yeni bir mutsuzun önce ihtiyatlı koltuk komşusu olurdum, sonra sohbet arkadaşı, sabaha doğru ise sarmaş dolaş utanmasız sırdaşı. Sigara? Yolculuk nereye? İşiniz ne? Bir otobüste şehir şehir gezen genç bir sigortacıydım, buz gibi soğuk bir başkasında amcamın rüyalarıma giren kızıyla evlenmek üzereydim. Bir keresinde UFO gözleyenler gibi, bir melek beklediğimi anlattım bir dedeye, bir başka seferinde ustamla bozuk saatlerinizi tamir ederim, dedim. Benimki Movado, dedi takma dişli amca, hiç şaşmaz. Şaşmaz saátin sahibi ağzı açık uyurken kesin aletin tıkırtısını duyduğumu sandım. Nedir zaman? Bir kaza! Nedir hayat? Bir zaman! Nedir kaza? Bir hayat, yeni bir hayat! Böylece neden daha önce kimsenin yürütmediğine şaştığım bu basit mantığa boyun eğerek garajlara değil, doğrudan kazalara gitmeye karar verdim, ey melek!

Ucu dışarı sarkan inşaat demirleriyle yüklü kamyona arkadan pervasızca, kalleşçe saldıran bir otobüsün ön koltuklarında acımasızca zıpkınlanan yolcuları gördüm. Tekir kediyi ezmeyeyim derken hantal otobüsünü uçuruma süren şoförün sıkıştığı için çıkarılamayan cesedini gördüm. Paramparça olmuş kafalar gördüm, yırtılmış gövdeler, kopuk eller, direksiyonunu iç organlarının arasına şefkatle almış şoförler, dağılmış lahana gibi beyin parçaları, kanlı ve küpeli kulaklar, kırık ve sağlam gözlükler, aynalar, gazete üzerine özenle yayılmış renkli bağırsaklar, taraklar, ezilmiş meyvalar, bozuk paralar, dökülmüş dişler, biberonlar, ayakkabılar, hepsi o ana istekle adanmış canlar ve nesneler.

Konya'da trafik polislerinden aldığım bir bilgi üzerine soğuk bir bahar gecesi, Tuz Gölü yakınlarında bir yerde, çölün ıssızlığında kafa kafaya tokuşan iki otobüse yetiştim. Mutlu ve hararetli buluşma anının gürültüyle patlaması üzerinden yarım saat geçmişti, ama hayatı yaşanılır ve anlamlı kılan o sihir havadaydı daha. Polis ve jandarma araçları arasından, ters dönmüş otobüslerden birinin kara tekerleklerine bakarken yeni hayatın ve ölümün hoş kokusunu aldım. Bacaklarım titredi, alnımdaki dikiş izleri sızladı, bir randevuya yetişir gibi şaşkınlar arasından yarı karanlığın sisi içerisine doğru kararlı kararlı ilerledim.

Kapı kulpu iyice yükselmiş otobüsün içine çıktım, amuda kalkmış koltuklar arasından, yerçekimine karşı koyamayıp tavana dökülen gözlüklere, camlara, zincirlere, meyvalara basa basa zevkle yürürken bir şey hatırladım sanki. Ben bir zamanlar başka biriydim, o başka biri de ben olmak isterdi. Ben bir zamanlar zamanın tatlı tatlı yoğunlaşıp sıkışacağı ve renklerin aklımın içinde şelaleler gibi akacağı bir hayatı düşlemiştim, düşlemiştim değil mi? Aklıma masamın üzerinde bıraktığım kitap geldi, ağzı açık ölülerin gökyüzünü seyretmesi gibi, kitabın da odamın tavanına bakakaldığını hayal ettim. Annemin kitabımı orada, benim yarıda kalmış eski hayatımın nesneleri arasında, masamın üzerinde tuttuğunu düşledim. Anne bak, ben kırık camlar ve kan damlacıkları ve ölenler arasında başka bir hayatın görüleceği eşiği arıyorum, diyecektim ki, bir cüzdan gördüm. Bir ceset, ölmeden önce yukarıdaki koltuğuna ve kırık pencereye doğru tırmanmış, ama pencerenin denge noktasında, arka cebindeki cüzdanı bu taraftakilere sunarak kalmıştı.

Cüzdanı aldım, cebime koydum, ama bu değildi, az önce hatırlayıp da hatırlamamış gibi yaptığım. Şimdi baktığım yerden hafifçe kıpırdanan küçük ve şirin perdecikler ve paramparça pencereler arasında gördüğüm öteki otobüstü aklımdaki. Marlboro kırmızısı ve ölüm mavisi, VARAN VARAN.

Pencerenin birinin iyice tuzla buz olmuş camından atladım, jandarmaların ve hâlâ götürülmemiş cesetlerin arasından kanlı cam kırıklarının üzerine basarak koştum. O otobüstü, yanılmamıştım, öteki otobüs, altı hafta önce bir oyuncak şehirden karanlık bir kasabaya beni salimen bırakan VARAN VARAN'dı. Parçalanmış kapısından bu eski dostun içine girip beni altı hafta önce taşıyan koltuğa oturdum ve bu dünyaya iyimserlikle güvenen sabırlı bir yolcu gibi beklemeye başladım. Ne bekliyordum? Belki bir rüzgâr, belki bir zaman, belki bir yolcu. Yarı karanlık aralanıyordu, koltuklarda benim gibi ölü ya da diri bir iki can daha olduğunu hissettim; kâbuslarındaki güzellerle ve cennet düşlerindeki ölümle hırıltıyla tartışıyor olmalıydılar, bilinmeyen bir ruhla konuşur gibi seslendiklerini işittim. Sonra daha derin bir şey hissetti benim dikkatli ruhum: Radyosu dışında her şeyi eriyip gitmiş şoför mahalline baktım ve işittim ki haykırışlar, hırıltılar, dışardaki ağlayışlar ve iç çekmelerle tatlı ve nefis rüzgâr içinde bir müzik çalıyordu.

Bir an bir sessizlik oldu, ışığın arttığını gördüm. Bir toz bulutu içinde mutlu hayaletler gördüm, ölenler ve ölüler: Gidebildiğin kadar gittin yolcu, ama düşündüm ki, daha da gidebilirsin, çünkü tam o anın eşiğinde misin, yoksa vardığın kapının arkasında bir bahçe, sonra başka bir kapı ve daha arkada ölümle hayatın, anlamla hareketin, zamanla rastlantının, ışık ile mutluluğun birbirine karıştığı bir başka gizli bahçe daha mı var bilemiyor, bir beklentinin içinde tatlı tatlı salınıyorsun. Birden daha derinden, bütün gövdemi gene o sabırsız istek sardı, hem burada, hem orada olmak isteği. Birkaç kelime duyar gibi oldum, üşüdüm ve o zaman kapıdan sen girdin güzelim, Canan'ım, üzerinde seni Taşkışla'nın koridorunda gördüğümde giydiğin o beyaz elbise ve yüzün kanlar içinde. Bana ağır ağır yaklaştın.

Sormadım sana, "Burada ne işin var?" diye. Ve sen de Canan sormadın bana, "Senin ne işin var?" diye, çünkü ikimiz de biliyorduk.

Elinden tutup seni yanımdaki koltuğa oturttum, 38 numaraya ve Şirinşehir'den aldığım damalı mendille alnındaki, yüzündeki kanları şefkatle sildim. Sonra güzelim elini tuttum ve uzun bir süre sessizce öyle oturduk. Hava aydınlanıyordu, cankurtaranlar gelmişti ve ölü şoförün radyosunda, hani derler ya, bizim şarkımız çalıyordu.

5

Sosyal Sigortalar Hastanesi'nde Canan'ın alnına dört dikiş atıldıktan ve şehrin alçak duvarları, karanlık binaları, ağaçsız sokakları boyunca yürürken ayaklarımızın mekanik hareketlerle bir inip bir kalkışını hissettikten sonra Mevlana'nın ölü şehrini ilk otobüsle terk ettik. Ondan sonraki ilk üç şehri hatırlıyorum: Baca borularının şehri, mercimek çorbası sevilen şehir ve yavanlıklar şehri. Sonra, otobüslerde uyur, otobüslerde kalkar, şehirden şehire savrulurken bir çeşit hayal meyal oldu her şey. Sıvası dökülmüş duvarlar gördüm, ihtiyarlığın eşiğine gelmiş şarkıcıların gençlik afişlerini, bahar sellerinin sürüklediği bir köprüyü ve başparmağım büyüklüğünde Kuran-ı Kerim'ler satan Afgan göçmenlerini gördüm. Canan'ın kumral saçları omuzlarıma dökülürken başka şeyler de görmüş olmalıyım: Garaj kalabalıkları, mor dağlar, pleksiglas panolar, kasaba çıkışlarında bizi kovalayan mutlu ve neşeli köpekler, otobüsün bir kapısından girip öteki kapısından çıkan umutsuz satıcılar. Küçük mola yerlerinde, "araştırmalarım" dediği şey için yeni bir ipucu bulmaktan umudu kesmişse Canan, dizlerimizin üzerindeki sofraları bu satıcılardan aldığı lop yumurtalar, poğaçalar, soyulmuş hıyarlar ve hayatımda ilk defa gördüğüm tuhaf taşra gazozlarının şişeleriyle kurardı. Sonra sabah olurdu, sonra gece olurdu, sonra bulutlu bir sabah, sonra otobüs vites değiştirir, en karanlık karadan daha karanlık bir gece bastırır ve yüzüne şoför yerinin üstündeki videodan plastik portakallar ve ucuz dudak boyaları renklerinde turuncumsu ve kızıl ışıklar vururken Canan bana anlatırdı.

Canan ile Mehmet'in "ilişkisi" –bu kelimeyi kullanmıştı ilk– birbuçuk yıl önce başlamıştı. Daha önce Taşkışla'daki mimarlık ve mühendislik öğrencilerinin kalabalığı içersinde onu görmüş olduğunu hayal meyal hatırlıyordu belki, ama Almanya'dan gelen bir akrabalarını görmek için gittiği Taksim yakınlarındaki bir otelin resepsiyonunda görünce ona asıl dikkat etmişti. Bir geceyarısı otelin lobisine annesi ve babasıyla girmek zorunda kalmış, bankonun arkasındaki uzun boylu, solgun yüzlü, narin gövdeli adam aklında yer etmişti. "Belki de onu daha önceden nerede gördüğümü bir türlü çıkaramadığım için" diye sımsıcak gülümsedi bana Canan, ama bunun böyle olmadığını ben anlıyordum.

Sonbaharda dersler başlar başlamaz onu Taşkışla koridorlarında yeniden görmüş ve kısa bir sürede birbirlerine "aşık" olmuşlardı. Birlikte uzun uzun İstanbul sokaklarında yürürler, sinemalara giderler, öğrenci kantinlerinde, kahvelerde otururlarmış. "Başlarda çok fazla bir şey konuşmazdık," dedi Canan o ciddi açıklamalarından birini yaparken kullandığı sesle. Mehmet utangaç biri olduğu, ya da konuşmaktan hoşlanmadığı için değilmiş bu. Çünkü onu daha çok tanıdıkça, onunla hayatı daha çok paylaştıkça, aslında ne kadar girgin, kararlı, konuşkan, hatta saldırgan olabildiğini de görmüş. "Hüzün yüzünden susardı," dedi bir gece, bana değil, televizyon ekranındaki bir araba kovalamaca sahnesine bakarken. "Keder yüzünden," diye ekledi sonra, hatta belli belirsiz bir gülümsemeyle. Ekranda koşturup duran, köprülerden nehirlere uçan, birbirlerinin üzerinden aşan polis arabaları şimdi bir yumak halinde çarpışıp iç içe geçmişlerdi.

Bu hüznü, bu kederi çözmek, onun arkasındaki hayata girmek, Mehmet'i açmak için Canan çok uğraşmış ve yavaş yavaş bunda başarılı da olmuş. Önce başka bir hayattan söz ediyormuş Mehmet, bir zamanlar başka birisi olduğundan, taşrada bir yerdeki bir konaktan. Daha sonra cesaretlendikçe, bütün o hayatı geride bıraktığını, yeni bir hayata başlamak istediğini, geçmişinin hiçbir önemi olmadığını da söylemiş. Bir zamanlar başka bir insanmış, daha sonra istekle, daha başka biri olmuş. Canan o yeni kişiyi tanıdığına göre, o yeni kişiyle yolculuk edip geçmişi kurcalamamalıymış. Çünkü gidip geldiği, görüp karşılaştığı dehşet aslında eski hayatının içinde değil, bir zamanlar istekle peşinden gittiği yeni hayatın içindeymiş. "Bu hayatla," demişti bir keresinde Canan bana, döküntü bir kasabanın çarşısındaki fareli bakkaldan, eski saatçilerden ve Spor Toto bayiinin tozlu raflarından bulup çıkardığı on yıllık bir Vatan konservesi, saat dişlileri ve çocuk dergileri karanlık bir garajdaki masamızın üzerinde dururken ve biz hangi otobüse bineceğimizi dostça hatta neşeyle tartışırken. "Bu hayatla Mehmet kitapta karşılaşmış."

Parçalanmış otobüs içinde karşılaşmamızdan tam ondokuz gün sonra böylece ilk defa kitaptan söz ettik. Canan bana Mehmet'e kitaptan söz ettirebilmenin, geçmişinde bıraktığı hayattan, hüznünün nedenlerinden söz ettirebilmek kadar güç olduğunu anlattı. İstanbul'un sokaklarında kederle yürürlerken, bir Boğaz kahvesinde çay içerlerken, birlikte ders çalışırlarken bazan ısrarla ondan bu kitabı, o sihirli şeyi istediği olurmuş, ama Mehmet sert bir şekilde geri çevirirmiş onu. Orada, o kitabın aydınlattığı ülkenin alacakaranlığında ölüm, aşk ve dehşet, beli tabancalı, yüzü donuk ve kalbi kırık umutsuz adamlar kılığında hortlaklar gibi çaresizce geziniyormuş ve Canan gibi bir kızın o kırık kalpler, kayıplar ve katiller ülkesini düşlemesi bile doğru değilmiş.

Ama Canan ısrarlarıyla, bunun kendisini çok üzdüğünü, ondan uzaklaştırdığını hissettirerek Mehmet'i biraz olsun kandırmayı başarmış. "Belki de benim kitabı okumamı ve kendisini onun sihrinden ve zehirinden kurtarmamı istiyordu o sıralar," dedi Canan. "Çünkü beni sevdiğine inanıyordum artık." "Belki de," diye daha sonra eklemişti otobüsümüz bir demiryolu kavşağında bir türlü gelmeyen bir treni sabırla beklerken, "aklının bir köşesinde kıpırdanan o hayata birlikte gidebileceğimizi farkında olmadan hâlâ düşlüyordu." Gece-yarılarından çok sonra bizim mahalleden çığlıklarla geçen karanlık yük trenlerinin lokomotifleri gibi homurtulu bir trenin buğday, makine ve kırık cam yüklü vagonları, başka bir diyardan gelen suçlu ve uysal hayaletler gibi birer birer otobüs penceremizin önünden geçtiler.

Kitabın üzerimizdeki etkisi hakkında Canan'la pek az konuştuk. Bu etki öylesine güçlü, tartışılmaz ve sağlam bir şeydi ki, ondan söz etmek kitabın kendisinin yanında bir çeşit boş gevezeliğe, lüzumsuz lakırdıya dönüşecekti: Kitap, ikimizin de hayatında, o otobüs yolculuklarımız sırasında, güneş ya da su gibi gerekliliği ve zorunluluğu tartışılmaz temel bir şeydi ve orada aramızdaydı. Onun yüzümüze vuran ışığından yola çıkmıştık ve o yolda sezgilerimizle ilerlemeye çalışıyor, nereye gittiğimizi de tamı tamına anlamak istemiyorduk.

Gene de ama, hangi otobüse binmemiz gerektiği konusunda bazan uzun uzun tartışırdık. Bir keresinde, kasabaya göre fazlaca geniş tutulmuş hangar misali bir bekleme salonunda hoparlörden fışkıran madeni ses, Canan'da derin bir dilek, orada, kalkış saati bildirilen otobüsün varacağı yerde olma isteği uyandırdı ve biz, karşı koymama rağmen bu isteğe uyduk. Bir başka seferinde, gözü yaşlı annesi, sigaralı babası ve elinde küçük plastik bavuluyla birlikte otobüslere doğru yürüyen bir delikanlının peşinden, sırf boyu posu ve hafifçe kambur duruşu Mehmet'inkine benziyor diye, tek rakibinin Türk Hava

Yolları olduğu içinde yazan bir otobüse bindik ve üç kasaba ve iki kirli ırmak sonra delikanlımızın yarı yolda inip dikenli teller ve nöbetçi kuleleri ile çevrili ve duvarları NE MUTLU TÜRKÜM diye bağıran bir kışlaya yollandığını gördük. Canan çuha yeşiliyle, kiremit kırmızısı renklerini sevdi diye ya da üzerindeki YILDIRIM SÜRAT ifadesindeki R harflerinin kuyrukları süratten incelip yıldırım gibi titreye titreye bak nasıl da uzamış diye, bozkırın taa böğrüne giden çeşit çeşit otobüslere bindik. Vardığımız tozlu kasabalarda, uykulu çarşılarda, kirli garajlarda Canan'ın yaptığı araştırmalar hiçbir sonuç vermeyince ben neden, nereye, ne için gittiğimizi sorar, otobüs şehitlerinin ceplerinden aşırdığım cüzdanlardaki paraların azalmakta olduğunu hatırlatır ve araştırmalarımızın mantıksız mantığını anlamaya çalışıyormuş gibi yapardım.

Taşkışla'daki sınıfın penceresinden Mehmet'in vuruluşunu seyrettiğimi söylemem Canan'ı hiç şaşırtmamıştı. Ona göre hayat sezgiden yoksun bazı aptalların "rastlantı" dedikleri birtakım belirgin ve hatta niyet edilmiş buluşmalarla doluydu. Mehmet'in vurulmasından çok sonra Canan karşı kaldırımdaki bir köftecinin kıpırdanışından bir olağanüstülük olduğunu sezmiş, silah seslerini işitmiş olduğunu hatırlamış ve olup biteni sezerek yaralı Mehmet'in yanına koşmuştu. Başkalarına kalsa Mehmet'in vurulduğu yerde hemen bir taksi bulup Kasımpaşa Deniz Hastanesi'ne gitmeleri de bir rastlantı sayılmalıydı, oysa şoför kısa bir süre önce orada askerliğini yapmıştı. Omuzundaki yarası ağır olmadığı için Mehmet üç-dört gün içinde taburcu edilecekmiş. Ama ikinci günün sabahı Canan hastaneye vardığında onun kaçıp gittiğini görmüş, yok olduğunu anlamış.

"Otele gittim, bir gün Taşkışla'ya şöyle bir uğradım, sevdiği kahveleri gezdim ve evde bir süre boşuboşuna olduğunu bile bile telefonunu bekledim," dedi beni hayran bırakan bir soğukkanlılık ve açıklıkla. "Ama çoktan oraya, o ülkeye, kitaba geri döndüğünü anlamıştım."

O ülkeye yaptığı yolculukta ben onun "yol arkadaşıydım". O ülkeyi yeniden keşfetmeye giderken birbirimize "destek" olacaktık. O yeni hayatı ararken iki kişinin daha "yaratıcı" olacağını düşünmek yanlış değildi. Biz canyoldaşı yol arkadaşlarıydık; biz birbirimize koşulsuz destektik; biz gözlükle ateş yakan Mari ile Ali gibi yaratıcıydık ve biz haftalar boyu gece otobüslerinde gövdelerimizi birbirine yaslayarak, yanyana oturduk.

Bazı geceler, otobüsümüzün videosundaki ikinci film de silah seslerinin, kapanan kapıların ve patlayan helikopterlerin şen şakrak gürültüsüyle bittikten ve biz ölüm soluyan yorgun ve hırpani yolcular rüyalar alemine doğru tekerleklerle birlikte teker meker sallanarak huzursuz bir yolculuğa çıktıktan çok sonra, önce bir çukur, derken bir fren beni uykumdan uyandırır ve ben yanımda, pencere kenarında mışıl mışıl uyumakta olan Canan'a uzun uzun bakardım: Başı küçük pencere perdelerini düre düre yaptığı yastığa yaslanmış, kumral saçları bu yastıkta tatlı bir top yapıp omuzlarına dökülmüş olurdu. Güzelim uzun kolları bazan birbirine paralel iki kırılgan dal gibi benim sabırsız dizlerime doğru uzanır, bazan da biri, perdeden yastığa destek bir ikinci yastık olan elini dengeler, öbürü de denge yapan kolun dirseğini zarifçe dibinden tutardı. Yüzüne baktığımda çoğunlukla kaşlarını çattıran bir acı görürdüm orada, bazan kumral kaşları çatıla çatıla alnına beni meraklandıran soru işaretleri yollardı. Sonra soluk yanaklarının teninde bir ışık görürdüm ve çene kemiğiyle upuzun boynunun birleştiği harika ülkede ve bir de sonra başı öne doğru eğilmişse enseye dökülen saçlarının altındaki erişilmez tende güllerin açtığını, güneşin battığını ve neşeli ve oyuncu sincapların bu dokunulmaz kadife cennete beni çağıran taklalar attıklarını düşlerdim. Geniş mi geniş, solgun mu solgun dudaklarında ve bu dudakları sinirle dişlediği için bazan üzerlerinde beliren narin zarda ve birazcık olsun uykusunda gülümseyebilmişse eğer, bütün yüzünde o altından ülkeyi görürdüm ve derdim ki kendime: Hiçbir derste öğrenmedim, hiçbir kitapta okumadım, hiçbir filmde görmedim; ah ne kadar da güzelmiş âşıkın maşukun uyuyuşunu doya doya seyretmesi, ey melek.

Melekten de söz ettik, bize onun bir çeşit oturaklı ve ağır üvey ağabeyi gibi gözüken ölümden de: Ama Canan'ın salaş bakkallardan, köşedeki nalburdan, uykulu tuhafiyeciden pazarlıkla satın alıp, biraz sevip okşayıp, sonra garaj kahvelerinde otobüs koltuklarında bırakıp unuttuğu kırık dökük eşyalar gibi zayıf ve kırılgan sözlerle yapıyorduk bu işi: Ölüm her yerdeydi, en çok o yerde. O yer çünkü her yere yayılmıştı. Biz orasını bulmak, Mehmet'le karşılaşmak için ipuçları topluyorduk, sonra onları iz bırakır gibi bırakıyorduk. Bunları kitaptan öğrenmiştik. Tıpkı, eşsiz kaza anları, öte dünyanın gözükeceği eşikler, sinema kapıları, Yeni Hayat marka karamelalar, Mehmet'i ve belki de bizi öldürebilecek katiller, kapılarında adımlarımın yavaşladığı oteller, uzun sessizlikler, geceler ve soluk lokanta ışıkları gibi. Şöyle demem gerekir: Bütün bunlardan sonra otobüslere binerdik, bütün bunlardan sonra yollara düşerdik ve bazan daha karanlık bile çökmeden, yani muavinler biletleri toplar, yolcular birbirleriyle tanışır ve çocuklarla meraklılar dümdüz asfalta, ya da toz topraklı dağ yoluna videoyu seyreder gibi bakarken, birden, gözlerinde bir ışık parlar ve Canan anlatırdı.

"Küçükken gece yarıları," demişti bir keresinde, "evde herkes uyurken yatağımdan kalkar, perdeyi aralar, sokağa bakardım. Sokakta bir adam yürüyor olurdu, bir sarhoş, bir kambur, bir şişman, bir bekçi. Hep erkek olurdu onlar... Korkardım, yatağımı severdim, ama orada dışarda olmak isterdim."

"Öteki erkekleri, ağbimin arkadaşlarını, yazlıkta saklambaç oynarken tanıdım. Ya da ortaokulda sınıfta, sıranın gözünden çıkardıkları bir şeye bakarlarken. Ya da daha küçükken, oyunun tam ortasında, birdenbire çişleri geldiğinde bacaklarını sallarlarken."

"Dokuz yaşındaydım, deniz kenarında düştüm, dizim kanadı, annem çığlıklar attı. Otelin doktoru amcaya gittik. Ne tatlı kızsın sen, dedi amca bana, ne şeker kız, yarama oksijenli su döktü, ne akıllı kız. Saçlarıma bakarken amcanın beni beğendiğini anladım. Bana dünyanın bir başka yerinden bakabilen büyülü gözleri vardı. Göz kapakları hafifçe düşüktü, uykulu gibi belki, ama her şeyi ve beni bütünüyle gören biri gibi de..."

"Meleğin gözleri her yerdedir, her şeydedir, her zaman oradadır... Gene de ama, biz zavallılar bu gözlerin eksikliğini çekeriz. Unuttuğumuz için mi, irademiz gevşediği için mi, hayatı sevemediğimiz için mi? Yol aldıkça, şehirden şehire gittikçe, bir gün, bir gece bir otobüsün penceresinden, melekle gözgöze geleceğimi bilirim. Onları görebilmek için bakmasını bilmek lazım. Bu otobüsler insanı istediği yere en sonunda götürür. Otobüslere inanıyorum. Meleğe de bazan, hayır her zaman inanıyorum, evet her zaman, hayır bazan."

"Aradığım meleği kitapta okudum. Bir başkasının düşüncesi gibiydi orada, sanki bir çeşit misafir, ama onu benimsedim. Onu gördüğüm zaman hayatın bütün sırrının bana bir an gözüküvereceğini biliyorum. Otobüslerde, kaza yerlerinde onun varlığını hissettim. Her şey Mehmet'in söylediği gibi, bir bir çıkıyor. Mehmet nereye giderse çevresinde de ölüm ışıldıyor. Biliyor musun, belki de içinde kitabı taşıdığı için. Ama ne kitaptan ne yeni hayattan haberdar insanların da kaza yerlerinde, otobüslerde, o melekten söz ettiklerini işittim. Onun izindeyim. Onun bıraktığı işaretleri topluyorum."

"Mehmet yağmurlu bir gece, kendisini öldürmek isteyenlerin harekete geçtiklerini bana söylemişti. Her yerde olabilirler, şu anda bizi dinliyor bile olabilirler. Yanlış anlama, ama sen de onlardan biri olabilirsin. İnsan düşündüğünün, yaptığını sandığının tam tersini yapar çoğu zaman. O ülkeye giderken kendine dönersin, kitabı okuyorum sanırken yeniden yazarsın, yardım ediyorum derken yaralarsın... İnsanların çoğu aslında ne yeni bir hayat isterler, ne de yeni bir dünya. Bu yüzden kitabın yazarını öldürdüler."

Kitabın yazarından, ya da "yazar" dediği o ihtiyardan da Canan işte böyle, bana yeterince açık olmayan bir dille ve sözlerin kendisi yüzünden değil, onları söyleyişinin esrarlı havası yüzünden beni heyecanlandıran bir üslupla söz etmişti. Yenice bir otobüsün ön koltuklarının birinde gözleri asfaltta parıldayan beyaz yol şeritlerine dikiliydi ve mor gecenin içinde öteki otobüslerin, kamyonların, arabaların ışıkları nedense hiç belirmiyordu.

"Mehmet ile ihtiyar yazarın görüşmelerinde birbirlerinin gözlerinden her şeyi anladıklarını biliyorum. Mehmet onu aramış, araştırmış. Karşılaştıklarında çok fazla konuşmamışlar, susmuşlar, biraz tartışmışlar, susmuşlar. İhtiyar kitabı gençliğinde yazmış ya da onu yazdığı yıllara gençlik diyormuş. Kitap gençliğimde kaldı, demiş kederle. Sonra ihtiyarı yıldırmışlar ve kendi eliyle yazdığı, kendi ruhundan çıkardığı şeyi reddettirmişler ona. Bunda şaşılacak bir şey yok. En sonunda onu öldürmelerinde de... İhtiyar öldürüldükten sonra sıranın Mehmet'e gelmesinde de... Biz Mehmet'i katillerden önce bulacağız... Önemli olan şu: Kitabı okuyup ona inananlar var. Şehirlerde, garajlarda, dükkanlarda, sokaklarda yürürken onlara rastlıyorum, gözlerinden tanıyorum, biliyorum onları. Kitabı okuyup ona inananların yüzleri bir başkadır, gözlerindeki keder ve istek birbirine benzer, bunları sen de bir gün anlarsın; belki de anlamışsındır. Sırrını biliyorsan, ona doğru yol alıyorsan, hayat güzeldir."

Bütün bunları Canan bana anlatırken ücra bir konaklama tesisinin kasvetli ve sinekli bir lokantasındaysak eğer, geceyarısı uykulu bir çocuğun sunduğu bedava çayın yanında sigara içiyor ve plastik kokulu bir çilek hoşafını kaşıklıyor olurduk. Köhne bir otobüsün ön sıralarında sallanıyorsak eğer gürültünün içinde, benim gözlerim Canan'ın güzel ve geniş ağzında ve dudaklarında onun gözleri tek tük geçen kamyonların asimetrik lambalarında olurdu. Tıkış tıkış kalabalık garajların birinde ellerinde plastik torbaları, kartondan bavulları ve bohçalarıyla bekleşen kalabalık arasında oturuyorsak eğer, Canan anlattıklarının orta yerinde birden –hop– masadan kalkar ve beni buz gibi bir yalnızlığın ve kalabalığın içersinde bırakıp kaybolurdu.

Hiç geçmeyen dakikalar, saatler sonra bazan onu, otobüs beklediğimiz bir şehrin arka sokaklarındaki eskici dükkanlarının birinde bir kahve değirmenine, kırık bir ütüye, artık hiç üretilmeyen linyit sobalarından birine kuşkuyla bakarken bulurdum. Bazan elinde tuhaf bir taşra gazetesi, yüzünde esrarlı bir gülüşle geri döner ve bana, akşamları ahırlarına dönen hayvanlar kasabanın ana caddesinden geçmesin diye belediyenin aldığı önlemleri ve Aygaz bayiinin İstanbul'dan dükkanına getirdiği son yeniliklerin ilanını okurdu. Çoğu zaman kalabalığın içinde birileriyle senli benli ahbaplık ederken bulurdum onu: Başörtülü teyzelerle sohbete dalar, ördek gibi çirkin küçük bir kızı kucağına alıp uzun uzun öper, otobüsler ve garajlar konusundaki şaşırtıcı bilgisiyle OPA kokan kötü niyetli yabancılara yol gösterirdi. Ben yanına çekinerek ve soluk soluğa sokulduğumda, bütün bu yolculuklara sanki bu çeşitten dertlere derman olmak için çıkıyormuşuz gibi derdi ki: "Bu teyzeyi askerden dönen oğlu burada karşılayacakmış, ama Van otobüsünden tanıdık hiç kimse çıkmamış!" Başkaları için otobüs saatlerini sorar, biletleri değiştirirdik, ağlayan çocukları susturur, helaya gidenlerin bavullarına, çıkınlarına gözkulak olurduk. "Allah razı olsun!" demişti bir keresinde altın dişli bir tombul teyze. Bana dönüp kaşlarını kaldırmıştı. "Biliyorsun değil mi, karın maşallah pek güzel."

71

Geceyarıları, otobüsün iç ışıkları ve iç ışıklarından daha parlak video-televizyon ekranı söndüğünde ve en efkârlı, en uykusuz yolculardan tavana yükselen titrek sigara dumanlarının dışında otobüsteki bütün hareket durduğunda, hafif hafif sallanan koltuklarımızda gövdelerimiz ağır ağır birbirine karışırdı. Saçlarını yüzümde hissederdim, ince bilekli uzun ellerini dizlerimde, uyku kokan soluğunu ürperen ensemde. Tekerlekler dönerken ve dizel motoru aynı inlemeleri tekrarlarken, zaman, ağır, karanlık ve sıcak bir sıvı gibi aramıza yayılır ve uyuşan, tutulan, katılaşan bacaklarımız ve kemiklerimiz arasında bu yeni zamanın yeni duyarlılığı istekle kıpırdanırdı.

Bu zamanın içinde bazan kolum onun kolunun dokunuşundan alev alev yanarken, bazan başı omuzuma düşsün, hadi düşsün diye saatler boyu beklerken, bazan boynuma dokunan saçları orada kalsınlar diye koltuğumda kaskatı kasılıp kalırken nefes alış verişlerini dikkatle, saygıyla sayar, alnında beliren kederli kırışıklıkların anlamını kendime sorar ve birden benim bakışım altındaki solgun yüzü çiğ bir ışıkla aydınlanıverip Canan uyanınca, ilk şaşkınlıkta, nerede olduğunu anlamak için pencereden dışarı değil de, benim güven verici gözlerime bakıp gülümseyiverince nasıl da mutlu olurdum! Başı buz kesmiş cama yaslanıp üşütmesin diye geceler boyu bekledim, Erzincan'dan aldığım vişne rengi ceketimi çıkarıp üzerine örttüm ve dağlık yollarda şoförümüz yokuş aşağı coşarken, iki büklüm olan gövdesi savrulup bir yere vurmasın diye nöbet tuttum. Bazan da, bu nöbetlerimin ortasında, gözlerim boynunun teniyle, yumuşacık kulaklarının kıvrımları arasında bir yerde odaklaşmışken, motor gürültüleri, iç çekmeler ve ölüm istekleri arasında, çocukluğumun düşlerinde kalmış bir sandal gezintisi ya da bir kartopu savaşının anıları bir gün Canan'la yaşayacağımız mutlu evliliğin hayalleriyle içiçe geçer ve ben oralarda bir yerde kendimi kaybediverirdim. Saatler sonra pencereden vuran şakacı bir güneş ışığının kristal kadar soğuk ve geometrik uyarısıyla uyandığımda, önce başımı gömdüğüm lavanta kokulu sıcacık bahçenin onun boynu olduğunu kavrar, orada uykuyla uyanıklık arasında sabırla biraz daha kalır ve gözlerimi kırpıştırarak dışardaki güneşli sabaha, mor dağlara, yeni hayatın ilk izlerine bir selam çakarken Canan'ın gözlerinin benden ne kadar uzakta olduğunu kederle görürdüm.

"Aşk," diye söze başlardı Canan, benim içimde yana yana sıkışıp kalmış kelimeyi usta bir seslendirme sanatçısı gibi bir anda alevlendirerek. "İnsanı bir hedefe yöneltir, hayatın eşyaları içinden çekip çıkarır ve şimdi anlıyorum ki, en sonunda dünyanın sırrına doğru götürür. Şimdi oraya gidiyoruz."

"Mehmet'i ilk gördüğümde," derdi Canan, bir bekleme salonundaki masaların birine bırakılmış eski bir derginin kapağından kendisine bakan Clint Eastwood'u hiç görmeden, "bütün hayatımın değişeceğini hemen anladım. Onu görmeden önce bir hayatım vardı, onu tanıdıktan sonra başka bir hayatım oldu. Sanki, çevremdeki her şey, bütün eşyalar, yataklar, insanlar, lambalar, küllükler, sokaklar, bulutlar, bacalar bir anda renk ve biçim değiştirdiler de ben bu yepyeni dünyayı hayranlıkla tanımaya koyuldum. Kitabı okumak için aldığımda, artık hiçbir kitaba, hiçbir hikâyeye ihtiyacım yok, diye düşünüyordum. Önümde açılan yeni dünyayı iyice anlamak için yalnızca bakmalı, gözlerimle her şeyi tek tek görmeliydim. Ama kitabı okuduktan sonra görmem gereken şeylerin arkasını da bir anda gördüm. Gittiği ülkeden kederle geri dönen Mehmet'i uyandırdım, o hayata birlikte gidebileceğimize onu inandırdım. O günlerde dönüp dönüp birlikte kitabı yeniden okurduk. Bazan bir bölümüne haftalar verirdik, bazan da daha okur okumaz her şeyin çok yalın ve açık olduğunu görüverirdik. Sonra sinemalara giderdik, başka kitapları, gazeteleri okur, sokaklarda gezerdik. Aklımızda kitap varken, onu ezbere okurken, İstanbul sokakları bambaşka bir ışıkla ışıldar, bizim olurdu. Sokakta gördüğümüz eli bastonlu ihtiyarın, önce kahveye gidip vakit öldüreceğini, daha sonra, ilkokulun kapısından torununu alacağını bilirdik. Yolda gördüğümüz üç at arabasının üçüncüsünü çeken kısrağın, önden geçen ikisini çeken cılız atların anası olduğunu farkederdik. Mavi çoraplı adamların neden sıklaştığını, tren tarifelerinin tersinden okunduğunda ne anlama geldiğini ve belediye otobüsüne binen terli, şişman adamın elindeki bavulun, az önce soyduğu evden aldığı eşyalar ve iç çamaşırlarıyla dolu olduğunu hemen anlardık. Sonra, kitabı yeniden okumak için bir kahveye giderdik, ve durmadan, hiç durmadan saatlerce kitaptan söz ederdik. Aşktı bu ve bazan, hani bazı filmlerdeki gibi, uzaktaki dünyayı bu dünyaya taşımanın tek yolunun da aşk olduğunu düşünürdüm."

"Ama hiç bilmediğim şeyler vardı, hiç bilemeyeceğim şeyler vardı," demişti Canan yağmurlu bir gece, gözlerini ekrandaki öpüşme sahnesinden hiç ayırmadan ve birkaç kaygan kilometre ve üç ya da beş yorgun kamyon sonra, ekrandaki öpüşme sahnesinin yerini bizimkine benzeyen bir otobüsün bizimkine hiç benzemeyen şirin bir manzarada ilerleyişi aldığında eklemişti: "O hiç bilmediğimiz yere gidiyoruz, şimdi."

Üzerimizdeki elbiseler terden, tozdan ve kirden giyilmez olduğunda, ve tenimizin üzerine Haçlılardan bu yana, bu toprakları altüst etmiş bütün tarihin tortusu tabaka tabaka biriktiğinde, bir otobüsten inip bir diğerine binmeden önce Gelişigüzel şehrinin çarşısına gelişigüzel çıkardık. Canan, kendisini, iyi niyetli taşralı öğretmenlere benzeten uzun poplin etekliklerden alırdı, ben kendimi daha önceki soluk taklidime benzeten aynı gömleklerden... Daha sonra kaymakamlık, Atatürk heykeli, Arçelik bayii, eczane ve cami arasında başımızı kaldırmayı akıl edersek, Kuran kursuyla yaklaşmakta olan toplu sünnet töreninin bezden ilanları arasında gözüken kristal mavisi gökte bir jetin bıraktığı beyaz ve narin çizgiyi fark eder, ellerimizde kâğıttan paketler ve plastikten torbalar bir an durup göğe aşkla bakar, hemen arkasından soluk kravatlı soluk memura şehir hamamının yerini sorardık.

Hamam sabahları kadınlara açık olduğu için, sokaklarda önce ben oyalanır, kahvelerde pinekler, otellerin önünden geçerken Canan'a, hiç olmazsa bir günü, bir geceyi, tekerleklerin ve otobüs koltuklarının üstünde değil, ama herkes gibi yeryüzünde, mesela bir otelde geçirmemiz gerektiğini söylemeyi düşlerdim, bazı akşamları düşlediğimi söylerdim de, ama hava kararırken, Canan bana, ben hamamdayken yaptığı araştırmalarının sonuçlarını gösterirdi: Eski *Fotoroman* dergisi ciltleri, daha eski çocuk dergileri, bir zamanlar çiğnediğimi bile unuttuğum çiklet örnekleri ve anlamını çıkaramadığım bir saç tokası. "Otobüste anlatırım," derdi Canan yüzünde aynı video filmini bir kere daha seyrettiği zamanlar beliren o özel gülümseyişle.

Kasvetli otobüsümüzün televizyon ekranında, rengarenk bir video filminin değil de disiplinli ve uslu bir ablanın belirip kötü ölüm haberleri verdiği bir gece, "Mehmet'in öteki hayatına gidiyorum," demişti Canan. "Ama o öteki hayatında Mehmet değil bir başka biriydi o." Bir benzincinin önünden hızla geçerken soru soran kızıl neon ışıkları yüzüne vurdu.

"Öteki hayatında olduğu kişiden, kızkardeşlerinden, bir konaktan, dut ağacından ve bir de başka bir adı ve başka bir kişiliği olduğundan çok fazla söz etmedi Mehmet. Bir keresinde küçüklüğünde *Çocuk Haftası* dergilerini çok sevdiğini söylemişti. Sen hiç *Çocuk Haftası* okudun mu?" Uzun parmakları, küllükle bacaklarımız arasındaki boşlukta ve sararmış dergi ciltlerinin sayfaları arasında gezindi ve dergi sayfalarına değil dergi sayfalarına bakan bana bakarak dedi ki: "Herkesin buraya bir yere döneceğini söylerdi Mehmet. Onun için bu şeyleri topluyorum. Onun çocukluğunu yapan bu eşyaları... Kitapta bulduğumuz şeyler bunlar. Anlıyor musun?" Tamıtamına anlamazdım, bazan hiç anlamazdım, ama Canan benimle öyle bir konuşurdu ki anladığımı sanırdım. "Senin gibi," derdi Canan. "Mehmet de kitabı okur okumaz bütün hayatının değişeceğini anlamış ve anladığı şeyin de sonuna kadar gitmiş. Sonuna kadar... Tıp okuyormuş, bütün vaktini kitaba, kitaptaki hayata adamak için bırakmış. Yepyeni biri olabilmek için bütün geçmişini terk etmesi gerektiğini de anlamış. Babasıyla, ailesiyle ilişkisini böyle kesmiş... Ama onlardan kolay kurtulamamış. Bana asıl kurtuluşunun, yeni hayata doğru ilk çıkışının trafik kazasıyla gerçekleştiğini söylemişti... Doğru: Kazalar çıkıştır; çıkıştır kazalar... Melek o çıkış zamanındaki sihrin içinde görülür ve o zaman hayat dediğimiz kargaşanın asıl anlamı gözlerimizin önünde belirir. O zaman döneriz evimize..."

Bu tür sözleri işittikten sonra, terkettiğim annemi, odamı, eşyalarımı, yatağımı, evimi düşlerken yakalardım kendimi ve bu düşlediğim şeylerle yanımda yeni hayatı düşleyen Canan'ı yanyana getirebilmenin hayalini kurardım. Sinsi mi sinsi bir akılcılık ve ölçülü suçluluk duygusuyla.

6

Bindiğimiz otobüslerin hepsinde televizyon şoför mahallinin üstünde bir yerde dururdu ve bazı geceler hiç konuşmaz, yalnızca oraya bakardık. Kutular, dantelli örtüler, kadife perdeler, cilalı tahtalar, nazarlıklar, boncuklar, çıkartmalar ve süslerle modern bir mihraba çevrilmiş yükseltideki ekran, artık aylardır gazete okumadığımız için otobüs pencerelerinin gösterdiklerinin dışında dünyaya açılan tek pencereydi. Zıp zıp zıplayan çevik kahramanların bir anda yüzlerce çulsuzun yüzüne ayaklarıyla tokatlar attığı karate filmlerini ve onların hantal kahramanlara oynatılmış ağır çekim yerli taklitlerini seyrettik. Zeki, sevimli ve siyahi bir kahramanın beceriksiz zenginleri, polisleri, gangsterleri aldattığı Amerikan filmlerini, genç yakışıklıların uçaklara ve helikopterlere taklalar attırdığı pilot filmlerini ve hayaletlerin ve vampirlerin güzel genç kızların ödlerini koparttığı korku filmlerini gördük. İyi yürekli zenginlerin hanım hanımcık kızlarına bir türlü iyi ve samimi bir koca bulamadıkları milli filmlerin çoğunda, erkek kadın bütün kahramanlar hayatlarının bir döneminde şarkıcılık yapıyorlardı ve birbirlerini üstüste o kadar çok yanlış anlı-

77

yorlardı ki sonunda bunlar bir tür doğru anlamaya dönüşüyordu. Yerli filmlerde aynı yüzleri ve gövdeleri hep birörnek sabırlı postacı, acımasız tecavüzcü, iyi yürekli çirkin kızkardeş, gür sesli hakim, anlayışlı anaç teyze ve salak rollerinde görmeye o kadar alışmıştık ki, bir gün bir mola yerinde, duvarlarına cami, Atatürk, artist ve güreşçi resimleri asılmış SUBAŞI HATIRALAR RESTORAN'da, iyi yürekli kızkardeşle tecavüzcüyü uykulu gece yolcularıyla birlikte uslu uslu ezogelin çorbası içerken görünce aldatıldığımızı düşündük. Canan, gördüğümüz filmlerde, duvarlardaki ünlü oyunculardan hangilerini tecavüzcünün becerdiğini tek tek hatırlarken, rengarenk lokantanın müşterilerine dalgın dalgın baktığımı ve hepimizi, bilinmeyen bir geminin aydınlık ve soğuk salonunda çorba içe içe ölüme giden yolcular olarak düşlediğimi hatırlıyorum.

Ekranda sayısız kavga sahnesi gördük; kırılan camlar, bardaklar, kapılar gördük; uçakların arabaların bir an gözden kayboluşlarını ve sonra göğe yükselen alevleri gördük; alevlerin yuttuğu evleri, orduları, mutlu aileleri, kötü adamları, aşk mektuplarını, gökdelenleri, hazineleri seyrettik. Yaralardan, yüzlerden, kesik boyunlardan fışkıran kanları, bitip tükenmeyen kovalamaca sahnelerini, yüzlerce, binlerce arabanın sayısız filmde birbirlerini takip edişini, virajları hızla alışını ve sonra mutlulukla çarpışmalarını gördük. Birbirlerine hiç durmadan ateş eden erkek kadın, yerli yabancı, bıyıklı bıyıksız onbinlerce mutsuz gördük. Bir video filmi bitip bir ikincisi ekranda belirmeden önce, "Çocuğun bu kadar kolay aldanacağı aklıma gelmemişti," derdi Canan. İkinci filmden sonra ekranı kara lekeler sardığında "Gene de bir yere doğru gidiyorsan, hayat güzel," derdi Canan. Ya da "İnanmıyorum, kanmıyorum ama seviyorum," derdi Canan. Ya da uykuyla uyanıklık arasında, "Rüyamda mutlu evlileri göreceğim," derdi Canan yüzünde filmin mutluluğuyla.

Canan'la yolculuklarımızın üçüncü ayını bitirirken, bini aşkın öpüş sahnesi görmüş olmalıyız. Her öpüşte, otobüs hangi küçük kasabadan ücra şehre giderse gitsin, içinde yumurta sepetli yolcular, eli çantalı memurlar ya da kimler olursa olsun, koltuklarda bir sessizlik başlar, Canan'ın ellerini dizlerinin üzerinde ya da kucağında tutuşunu hisseder ve sonra ben, bir an, şiddetle karışık derin, sert ve anlamlı bir şey yapmak isterdim. Tam bilincinde olmadığım bu şeyi, ya da bir benzerini, yağmurlu bir yaz gecesi yaptım da.

Karanlık otobüsün yarısı doluydu; ortalarda bir yerdeydik ve ekranda bizden çok uzak, bize çok yabancı tropikal bir manzarada yağmur yağıyordu. Bir içgüdüyle pencereye, ve böylece Canan'a başımı yaklaştırdığımda dışarıda yağmurun başladığını gördüm. Aynı anda bana gülümseyen Canan'ımın dudaklarını, filmlerde gördüğüm gibi, televizyonda yapıldığı gibi, yapıldığını sandığım gibi öptüm, bütün gücümle öptüm, istekle ve hırsla öptüm, melek, çırpınıyordu, kanatarak öptüm.

"Hayır, hayır canım" dedi bana. "Ona çok benziyorsun, ama sen o değilsin. O başka bir yerde..."

Pembe neon ışıkları yüzüne en ücra, en sinekli ve en lanetli Türk Petrol'ün panosundan mı vurmuştu, ekrandaki öteki dünyanın inanılmaz şafağından mı? Kızın dudaklarından kan sızıyordu, diye yazar kitaplar böyle durumlarda ve gördüğümüz filmlerin kahramanları da böyle durumlarda masaları devirir, camları kırar ve arabalarını hızla duvara sürerlerdi. Ben, dudaklarımda öpüş tadı bekledim kahrolarak. Belki de aklıma gelen yaratıcı bir buluşun tesellisiyle: Ben yokum, dedim kendi kendime ve ben yoksam eğer ne farkeder! Ama otobüs yeni bir istekle sallanırken her zamankinden daha fazla varolduğumu hissettim: Bacaklarımın arasında büyüyen ağrı yüzünden: Gerilmek, patlamak ve gevşemek istiyorum. Sonra, daha daha derine gitmiş olmalı istek; bütün dünya olmalı, yeni bir dünya. Ne olacağını bilmeden, bekliyordum, gözlerim nemlenirken, terlerken bekliyordum, bekliyordum istekle ve neyi beklediğimi bilmeden ki her şey, ne ağır, ne yavaş mutlulukla patladı, eridi, yitip gitti.

Önce o muhteşem gürültüyü duyduk, sonra kaza ertesinin bir anlık huzurlu sessizliğini. Şoförle birlikte, bu sefer televizyonun da tuzla buz olduğunu gördüm. Haykırışlar ve çığlıklar başlayınca elinden tutup Canan'ı ustalıkla ve salimen yeryüzüne indirdim.

Şakır şakır yağmur altında, bizde de, bizim otobüste de fazla bir hasar olmadığını anladım hemen. İki ya da üç ölü ve bir şoför. Ama öbür otobüs, şehit şoförün böğründen girip ikiye katlayıp aşağıya, çamurlu tarlaya yuvarladığı HEMEN VARAN, ölüler ve ölmekte olanlarla kaynaşıyordu. Hayatın karanlık merkezine dikkat ve merakla iner gibi, yuvarlandığı yere, mısır tarlasına doğru indik ve büyülenerek otobüse yaklaştık.

Yanına vardığımızda patlamış pencerelerinin birinin içinden baştan aşağı kanlar içinde bir kız çıkmaya çabalıyordu. Aracın içine uzanmış elinde bir başkasının —eğilip baktık— gücü tükenmiş genç bir erkeğin elini tutuyordu. O eli hiç mi hiç bırakmadan, blucinli kız, bizim de yardımlarımızla araçtan dışarı çıktı. Tutmakta olduğu ele doğru eğildi sonra; onu çekerek sahibini dışarı çıkarmaya çalıştı. Ama görüyorduk, ters dönmüş otobüsteki genç, nikelajla kaplı çubukların, karton gibi katlanmış boyalı tenekelerin arasına sıkışmış kalmıştı. Bir süre sonra bizlere ve karanlık ve yağmurlu dünyaya tersinden bakarak öldü.

Uzun saçlı kızın yüzünden gözünden kanlı yağmur suları akıyordu. Biz yaşlarda olmalıydı. Yağmurda pembeleşen yüzünde ölümle yüzyüze gelmiş birinden çok, şaşkın bir çocuk ifadesi vardı. Küçük ıslak kız, senin için biz çok üzüldük. Bir an, bizim otobüsten gelen ışığın altında, koltuğunda oturan ölü erkeğe baktı ve dedi ki:

"Babam, babam şimdi çok kızacak."

Ölü erkeğin elini bıraktı, dönüp Canan'ın yüzünü ellerinin arasına aldı, yüzyıllardır tanıdığı günahsız bir kızkardeşi okşar gibi okşadı.

"Melek," dedi. "Sonunda buldum seni, sonunda, yağmur içinde onca yolculuktan sonra."

Kanlı güzel yüzü, Canan'a hayranlıkla, özlemle, mutlulukla bakıyordu.

"Beni hep izleyen, en olmadık yerde karşıma çıkıverecekmiş gibi yapan, sonra kaybolan, kaybolduğu için de kendini aratan bakış senin bakışındı," dedi kız. "Senin bakışınla karşılaşmak için yollara düştük, senin bu yumuşacık bakışınla gözgöze gelebilmek için otobüslerde geceledik, şehir şehir gezdik, kitabı bir daha, bir daha okuduk, melek, biliyorsun."

Canan, biraz şaşkın, biraz kararsız, ama yanlışlığın gizli geometrisinden memnun ve kederli, hafifçe gülümsedi.

"Gül bana," dedi ölmekte olan blucinli kız. -Onun öleceğini anlamıştım, melek- "Bana gül ki o dünyanın ışığını bir kere olsun görebileyim yüzünde. Bana karlı kış günlerinde, elimde çantam okuldan dönerken çörek almak için girdiğim fırının sıcaklığını hatırlat, bana sıcak yaz gününde iskeleden denize ne neşeyle atladığımı hatırlat; hatırlat bana, ilk öpüşü, ilk kucaklayışı, tek başıma taa tepesine çıktığım ceviz ağacını, kendimden öteye geçtiğim yaz akşamını, neşeyle sarhoş olduğum geceyi, yorganımın içini ve bana severek bakan güzel çocuğu hatırlat bana. Hepsi o ülkedeler, ben de gitmek istiyorum oraya, yardım et, yardım et ki, her soluk alışta biraz daha eksilişimi mutlulukla karşılayabileyim."

Canan ona tatlı tatlı gülümsedi.

"Siz melekler," dedi kız, mısır tarlasının içinden gelen ölüm ve hatırlayış çığlıkları arasında. "Ne kadar da korkunçsunuz! Ne kadar da acımasız, ama güzel! Bizler her kelimeyle, her eşya ile, her hatırlayış ile ağır ağır kuruyup, toz olup biterken sizler ve tükenmeyen ışığınızın değdiği her yer, nasıl da zaman dışı bir huzurun içinde kalabiliyor. Onun için, kitabı okuduk okuyalı, talihsiz sevgilimle ben, otobüs pencerelerinden, bakışlarınızı aradık. Senin bakışlarını melek, çünkü, kitabın vaad ettiği eşsiz an, şimdi görüyorum ki, buymuş. İki diyar arasında bir geçiş zamanı. Ne oradayken, ne de buradayken; ben şimdi, hem oradayken hem de buradayken anlıyorum çıkış denen şeyin ne olduğunu; huzurun, ölümün ve zamanın ne olduğunu, ne mutlu anlıyorum. Daha da gül bana melek."

Ondan sonra ne olduğunu sanki hatırlayamadım bir süre. Hani tatlı sarhoşluk anlarının sonunda, kafa iyice bulanır da, sabah olduğunda "İşte orada film koptu," denir ya; bunun gibi bir şey gelmişti başıma. Önce ses gitti, hatırlıyorum, kız ile Canan'ın birbirlerine nasıl bakıştıklarını görür gibi oluyordum. Sesin arkasından, görüntü de bir süre kaybolmuş olmalı ki, bir süre gördüklerim anılarım arasına hiç karışmadan, hiçbir kayıt aletine takılmadan buharlaşıp gitti.

Blucinli kızın sudan söz ettiği hayal meyal aklımdaydı da, mısır tarlasını nasıl aştık da bir ırmak kenarına geldik, orası da bir ırmak mıydı, çamurlu bir dere miydi, bu durgun suyun üzerine tıp tıp vuran yağmur damlalarını ve suda bıraktığı halkaları nereden gelen mavi ışığın içinde görebiliyordum, çıkartamıyordum.

Bir süre sonra blucinli kızın Canan'ın yüzünü gene ellerinin arasında tuttuğunu gördüm. Bir şeyler fısıldıyordu ona, ama işitmiyordum ya da bir rüyadaki gibi fısıldanan sözler bana erişmiyordu. Belli belirsiz bir suçluluk duygusuyla ikisini yalnız bırakmam gerektiğini düşündüm. Dere boyunca bir iki adım attım, ama ayaklarım balçıklaşmış bir çamura gömülüyordu. Sarsak adımlarımdan ürken bir dizi kurbağa her biri birer belirgin "cup" yaparak kendilerini suya attılar. Suyun üzerindeki buruşturulmuş bir sigara paketi ağır ağır yaklaştı. Bir Maltepe paketiydi, sağına soluna isabet eden yağmur damlacıkları yüzünden arada bir şöyle bir sallanıyor, sonra kendinden emin ve mağrur, belirsizlikler ülkesine doğru gösterişle ilerliyordu. Görüş açımın karanlığı içinde, kıpırtılarını gördüğümü sandığım Canan'la kızın gölgeleri ve bu sigara paketinden başka açık seçik hiçbir şey yoktu. Anne anne, onunla öpüştüm ve ölümü gördüm, demiştim ki kendi kendime, Canan'ın seslendiğini duydum.

"Yardım et," dedi bana. "Yüzünü yıkayayım ki babası kanları görmesin."

Arkasında durup kızı tuttum. Omuzları kırılgandı, koltukaltları sıcacık. Sigara paketinin yüzdüğü sudan avuç avuç alan Canan'ın kızın yüzünü yıkayışını, alnındaki yarayı şefkatle temizleyişini, hareketlerindeki anaç dikkati, zerafeti doya doya seyrettim; kızın kanının dinmeyeceğini anladım. Kız bize, küçükken ninesinin kendisini işte böyle yıkadığını söyledi. Bir zamanlar küçüktü, sudan korkardı, şimdi büyümüştü, suyu seviyordu ve ölüyordu.

"Ölmeden önce sizlere anlatacaklarım var," dedi. "Beni otobüse götürün."

İkiye katlanmış ve ters dönmüş otobüsün çevresinde hızlı ve yorucu bir bayram gecesinin sonunda görülebilecek kararsız bir kalabalık vardı şimdi. İki-üç kişi belirsiz bir amaçla ağır ağır kıpırdanıyordu, belki bir ceset taşıyorlardı, bir bavul taşır gibi. Bir kadın şemsiyesini açmış elinde plastik çanta sanki yeni bir otobüsü bekliyordu. Bizim katil otobüsün yolcularıyla mağdur otobüsün bazı yolcuları, parçalanmış otobüsün içinde bavullar, ölüler ve çocuklar arasında kalanları dışarıya, yağmurun içine çekmeye çalışıyorlardı. Yakında ölecek olan kızın az önce tuttuğu el ise bıraktığı gibi duruyordu.

Kız acıdan çok, bir çeşit görev ve zorunluluk duygusuyla otobüse sokuldu, eli şefkatle tuttu.

"Sevgilimdi," dedi. "Kitabı ilk ben okudum, büyülendim, korktum. Hata ettim, o da benim gibi büyülenecek sanarak okusun diye ona verdim. Büyülendi, ama bununla yetinmedi, o ülkeye gitmek istedi. Bunun bir kitap olduğunu söyledimse de inandıramadım. Sevgilimdi. Yollara düştük, şehir şehir gezdik, hayatın yüzeylerine dokunduk, renklerin gizlediklerinin içlerine girdik, esas olanı aradık, ama bulamadık. Aramızda kavgalar çıkmaya başladığı için onu arayışlarında yalnız bıraktım, evime anneme babama döndüm, bekledim. Sonunda sevgilim bana döndü, ama bambaşka biri olarak. Bana kitabın pek çok kişiyi yoldan çıkardığını, pek çok talihsizin hayatını kaydırdığını, bütün kötülüklerin kaynağı olduğunu söyledi. Şimdi bütün bu hayal kırıklıklarına ve kırık hayatlara yol açtığı için kitaptan intikam almaya yemin etmişti. Ona, kitabın bir suçu olmadığını söyledim, bunun gibi pek çok kitap olduğunu anlattım. Önemli olan insanın okurken gördüğü şeylerdir, dedimse de dinletemedim. Aldatılmış bahtsızların intikam ateşi içine girmişti bir kere. Bana Dr. Narin'den söz etti, onun kitaba karşı savaşından, bizi yok eden yabancı uygarlıklara, Batı'dan gelen yeni eşyalara açtığı savaştan, yazıya karşı büyük mücadelesinden bahsetti... Çeşit çeşit saatlerden, eski eşyalardan, kanarya kafeslerinden, el değirmenlerinden, kuyu çıkrıklarından söz ediyordu. Anlamıyordum, ama seviyordum onu. İçini kin bürümüştü, ama gene de benim canım sevgilimdi. Bu yüzden, Güdül kasabasında "amaçlarımız" için bir gizli bayiler toplantısı var dediği zaman peşinden gittim. Dr. Narin'in adamları bizi bulup alacaklar, Dr. Narin'in kendisine götüreceklerdi... Şimdi bizim yerimize oraya siz gidin... Kitaba ve hayata ihaneti durdurun. Dr. Narin bizleri, davaya inanmış genç soba bayileri olarak bekliyor. Kimliklerimiz sevgilimin ceketinin iç cebinde... Bizi almaya gelecek olan adam OPA tıraş kremi kokacak."

Yüzü gene kanlar içinde kalan kız, elindeki ölü eli öptü, okşadı ve ağlamaya başladı. Canan omuzlarından tuttu onu.

"Ben de suçluyum melek," dedi kız. "Senin sevgini hak

etmiyorum. Sevgilime kandım, peşinden gittim, kitaba ihanet ettim. O benden de suçlu olduğu için seni göremeden öldü. Babam çok kızacak ama, ben senin kollarında öleceğim için mutluyum."

Canan ölmeyeceğini söyledi ona. Ama gördüğümüz filmlerde ölenler hiçbir zaman öleceklerini ilan etmedikleri için bu ölüm bize çoktan inandırıcı gözükmeye başlamıştı. Melek rolündeki Canan, kızın elini, o filmlerdeki gibi ölü oğlanın eline sıkı sıkıya tutuşturdu. Sonra kız, eli sevgilisinin elinde, öldü.

Canan dünyaya tersinden bakan oğlanın cesedine sokuldu. Başını otobüsün patlamış camından içeri soktu, bir süre orada arandı ve yüzünde mutlu bir gülümseyiş, elinde yeni kimliklerimizle bizim yağmurlu dünyamıza geri döndü.

Yüzünde o mutlu gülümseyişi görünce nasıl da seviyordum Canan'ı. Geniş ağzının kenarlarında, güzel dişlerinin bittiği yerle dudaklarının yumuşak bir açıyla birleştiği noktalarda ağzının içinin iki karanlık noktasını görüyordum. Gülerken Canan'ın ağzının kenarlarında beliren iki sevimli üçgen!

O beni bir kere öpmüştü, ben onu bir kere öpmüştüm, şimdi yağmurun altında bir kere daha öpüşelim istedim, ama hafifçe uzaklaştı benden.

"Yeni hayatımızda, senin adın Ali Kara, benim adım da Efsun Kara," dedi elindeki kimlikleri okurken. "Evlilik cüzdanımız da var." İngilizce dersinde işittiğimiz o öğretici, şefkatli, anlayışlı öğretmen sesiyle gülümsedi sonra: "Bay ve Bayan Kara bayiler toplantısı için Güdül kasabasına gidiyorlar."

7

Güdül kasabasına bitip tükenmeyen yaz yağmurlarından ve üç otobüs ve iki şehir değiştirdikten sonra vardık. Çamurlu garajlardan çarşının dar kaldırımlarına çıkarken yukarıda tuhaf bir gök gördüm; orta yerine gerilmiş bez afişte çocuklar yazlık Kuran kursuna çağrılıyordu. Tekel ve Spor Toto bayiinin önünde, içleri doldurulmuş üç sıçan ölüsü, renkli likör şişeleri arasında dişlerini göstererek gülümsüyordu. Eczanenin kapısına siyasi cinayetlerden sonraki cenazelerde yakalara takılan el ilanlarına benzer resimler yapıştırılmıştı: Altlarında doğum ve ölüm tarihi yazan ölüler eski yerli filmlerdeki iyi zenginleri hatırlattı Canan'a. Bir dükkana girip kendimize saygıdeğer birer genç bayi süsü vermek için plastik bir el çantası ve naylon gömlekler aldık. Bizi otele doğru çıkaran dar kaldırımlarda kestane ağaçları şaşılacak bir düzgünlükte dizilmişti. Birinin gölgesindeki levhada, "lazer ile değil el ile sünnet" sözlerini okuyunca Canan, "bizi bekliyorlar," dedi. Ben rahmetli Ali Kara ile Efsun Kara'nın cebimdeki evlilik cüzdanını hazır ediyordum. İkbal Oteli'nin Hitler bıyıklı ufak tefek kayıt memuru cüzdanı yalnızca şöyle bir karıştırdı.

"Bayiler toplantısı için mi geldiniz?" dedi. "Hepsi lisedeki açılışa gittiler..Bu çantadan başka bavul yok mu?"

"Bavullarımız otobüs ve yolcularla birlikte yandı," dedim ben. "Lise nerede?"

"Tabii otobüsler yanar, Ali Bey," dedi memur. "Çocuk size liseyi gösterir."

Bizi liseye götüren çocukla, benimle hiç konuşmadığı şeker bir sesle konuştu Canan: "O kara gözlükler dünyanı karartmıyor mu senin?" "Karartmıyor," dedi çocuk. "Çünkü ben Michael Jackson'um." "Annen ne diyor buna?" dedi Canan. "Bak, annen sana ne güzel bir yelek örmüş." "Annem karışamaz!" dedi çocuk.

Adı, Beyoğlu pavyonlarında olduğu gibi, yanıp sönen neon lambalarla yazılmış Kenan Evren Lisesi'ne varana kadar Michael Jackson'dan şunları öğrendik: Orta bire gidiyordu; babası otel sahibinin işlettiği sinemada çalışıyordu, ama şimdi toplantıyla meşguldü; bütün kasaba bayiler toplantısıyla meşguldü; bazıları da bu işe karşı çıkıyorlardı; çünkü kaymakam şöyle bir şey demişti: "Ben, kaymakam olduğum yere leke sürdürmem!"

Kenan Evren Lisesi'ndeki kalabalık içinde zamanı saklayan makineyi, siyah beyaz televizyonu renkliye çeviren sihirli camı, ilk Türk otomatik domuz eti dedektörünü, kokusuz tıraş losyonunu, gazeteden şıpınişi kupon kesen makası, ev sahibi eve girer girmez kendi kendine yanan sobayı ve bir hamlede bütün bir minare, müezzin, hoparlör ve Batılılaşma-İslamlaşma sorununu modern ve ekonomik bir çözümle safdışı bırakan kurgulu saati gördük. Bildiğimiz guguklu saatin kuşu yerine geleneksel mekanizmaya iki figür bağlanmıştı. Namaz saatlerinde şerefe biçimindeki ilk katta belirip üç kez "Allah uludur!" diyen minik bir imam ve saat başlarında yukarıdaki şerefede belirip, "Ne mutlu Türküm, Türküm, Türküm!" diyen kravatlı ve bıyıksız bir minik oyuncak beyefendi.

Görüntü saklama makinasını görünce, ileri sürüldüğü gibi, bu buluşların bütünüyle bölge lise öğrencileri tarafından yapıldığından şüphelendik. Kalabalıkta gezinen babalar, amcalar, öğretmenlerin de aklı ve parmağı karışmış olmalıydı bu buluşlara.

İçiçe geçmiş bir otomobil jantıyla dış lastik arasına yüzlerce el aynası karşılıklı bir labirent oluşturacak şekilde dizilmişti. Bir noktadan ışık ve görüntü aynalar labirentine alınıyor, kapak kapatılınca zavallı ışık sonsuza kadar aynalar arasında dönmek zorunda kalıyordu. Sonra, keyfin canın ne zaman isterse o zaman, kapalı deliğe gözünü uydurup kapağı açarsan, içerdeki görüntüyü, artık ne görüntüsü hapsedilmişse içeri, bir çınar ağacı, sergiyi gezen cadoloz öğretmen, şişman buzdolabı bayii, sivilceli öğrenci, bir bardak limonata içen tapu memuru, ayranla dolu sürahi, Evren Paşa'nın portresi, makineye gülen dişsiz hademe, karanlık bir adam, onca yolculuğa rağmen teni ışıl ışıl parlayan güzel ve meraklı Canan ya da kendi gözün, işte onu yeniden görüyordun.

Makineye değil de sergiye bakarken başka şeyler de gördük: Mesela, kare ceketli beyaz gömlekli kravatlı bir adam bir konuşma yapıyordu. Kalabalıktakilerin çoğu küçük takımlar oluşturmuş, birbirlerini ve bizi süzüyorlardı. Saçı kırmızı kurdelalı bir küçük kız başörtülü iri anasının eteği dibinde az sonra okuyacağı şiiri gözden geçiriyordu. Canan bana sokuldu. Üzerinde Kastamonu'dan aldığımız, Sümerbank basmasından fıstıki bir eteklik vardı. Onu seviyordum, çok seviyordum, biliyorsun melek. Ayran içtik. Yemekhanedeki tozlu akşam ışığına dalgın, yorgun, uykulu baktık. Bir çeşit varolma müziği. Bir çeşit hayat bilgisi. Bir çeşit televizyon ekranı da vardı ki, sokulmuş, anlamaya çalışıyorduk.

"Bu yeni televizyon Dr. Narin'in katkısı," dedi papyonlu bir adam. Mason muydu? Masonların papyon taktığını bir gazetede okumuştum. "Kiminle tanışmış oluyorum," diye sordu bana ve alnıma dikkatle baktı, belki de Canan'a benden fazla bakıyor olmaktan çekindiği için.

"Ali Kara ve Efsun Kara," dedim ben.

"Çok gençsiniz. Kırık kalpli bayiler arasında bu kadar gençlerin olması bizi umutlandırıyor."

"Gençliği değil, yeni bir hayatı temsil ediyoruz, efendim," diyordum ki ben:

"Kırık kalpli değil, sağlam imanlıyız," dedi iri yapılı biri, sevimli biri, sokakta liseli kızların saati sorabileceği iyimser amca.

Böylece, biz de kalabalığa katıldık. Saçı kurdelalı kız, hafif bir yaz rüzgârı gibi bir mırıldanmayla şiirini okudu. Yerli filmlerde iyi bir şarkıcı olabilecek yakışıklı delikanlı, bir askerin sınıflama titizliğiyle bölgemizden söz etti: Selçuklu minarelerinden, leyleklerden, yapılmakta olan elektrik santralından ve yörenin verimli ineklerinden. Her öğrenci yemekhane masalarının üzerine konmuş buluşunu anlatırken, babası ya da öğretmeni yanına gelip gururla bizlere bakıyordu. Ellerimizde ayran ve limonata bardakları bazı köşelerde toplandık; birbirimize çarptık, el sıkıştık. Belli belirsiz bir alkol kokusu aldım, bir OPA kokusu da, ama kimden, kimlerden? Dr. Narin'in televizyonuna da baktık. En çok Dr. Narin'den sözediliyordu, ama kendi ortalıkta yoktu.

Hava kararınca, erkekler önden, kadınlar arkadan lokantaya gitmek için liseden çıktık. Kasabanın karanlık sokaklarında sessiz bir düşmanlık vardı. Hâlâ kapanmamış berber ve bakkalların kapılarından, televizyonu açık bir kahvehaneden ve lambaları yanan kaymakamlığın pencerelerinden gözetleniyorduk. Yakışıklı öğrencinin sözünü ettiği leyleklerden biri meydandaki kuleden, lokantaya giren bizleri dikizliyordu. Merakla? Düşmanca?

Lokanta, duvarlarına Türk büyüklerinin, şerefle batmış tarihî bir denizaltımızın, çarpık kafalı futbolcuların, mor incirlerin, saman sarısı armutların ve mutlu koyunların resimleri asılmış akvaryumlu, saksılı ve iyiniyetli bir yerdi. Bir anda bayiler ve karılarıyla, lise öğrencileri ve öğretmenler, bizi sevenler, bize inananlarla dolunca, sanki böyle bir kalabalığı aylardır bekliyormuşum, aylardır böyle bir geceye hazırlanıyormuşum gibi hissettim kendimi. Herkesle birlikte, herkesten çok içtim. Erkekler masasında, yanıma oturup kalkanlarla, rakı kadehlerini tokuştururken iştahla onurdan sözettim, hayatın kayıp anlamından, kayıp birşeylerden. Hayır, konuyu önce onlar açtığı için: Cebinden bir deste oyun kâğıdı çıkaran ve papaz yerine çizdiği "şeyh"i ve vale yerine çizdiği "kul"u gururla gösterip ülkemizdeki yüzyetmiş bin kahvehanenin ikibuçuk milyona yakın masasında artık bu kâğıtların dağıtılması gerektiğini uzun uzun anlatan dosta öyle bir hak verdim ki birlikte şaştık: Umut buradaydı, bir suret olarak bu gece aramızdaydı; melek miydi bu umut? Bir ışıktır, dediler. Dediler ki: Her soluk alıp verişte biraz daha eksiliyoruz. Dediler ki: Eşyalarımızı gömdüğümüz yerden çıkarıyoruz. Biri bir soba resmi gösterdi. Tanıdık bir başkası: Bir bisiklet ki boyu boyumuza, posu posumuza uyar. Papyonlu bey cebinden bir sıvı şişesi çıkardı: Diş macunu yerine... Bir rüya gördüm diye anlattı ne yazık ki içemeyen dişsiz dede: Korkmayın diyor o bize, o zaman kırılmazsınız. O kimdi? Esas eşyanın sırrını bilen Dr. Narin niye gelmemişti, niye yoktu? Aslında, dedi bir ses, Dr. Narin bu imanlı delikanlıyı göreydi kendi oğlu gibi severdi. Kimdi bu ses, ben dönene kadar yok oldu. Hşşşt, dediler, Dr. Narin'den böyle ulu-orta bahsetmeyin. Yarın televizyonda melek gözükünce, tartışma çıkacak! Her şey, bütün bu korku kaymakam yüzünden, diyorlardı, ama o da aslında tam karşı değil. Türkiye'nin en zengini Vehbi Koç da bu sofraya, bu davete gelebilir. En büyük bayidir o, dedi biri. Birileriyle öpüştüğümü hatırlıyorum; genç diye beni kutlayanlarla, açıksözlü diye kucaklayanlarla; çünkü onlara otobüslerdeki ekranı, renkleri ve zamanı anlatmıştım. Ekran, dedi Tekel bayii, sevimli de bir adamdı: Şimdi bizim ekran bizlere bu tuzağı hazırlayanların sonu olacak; yeni ekran yeni hayattır. Birileri yanıma oturuyor kalkıyordu; ben de başkalarının yanına oturdum, kalktım ve anlattım: Kazaları, ölümü, huzuru, kitabı, o ânı... Daha da ileri gitmiş olmalıyım: "Aşk" dedim, kalkıp oturduğu yere baktım, Canan kendisini inceleyen öğretmenler ve karıları arasındaydı. Oturdum: Zaman, dedim bir kazadır, bir kaza sonucu buradayız. Dünyada olmak da öyle. Meşin ceketli bir çiftçiyi çağırdılar, sen onu dinle o zaman dediler. Çok ihtiyar değildi, ama oflaya puflaya, "estağfurullah," dedi, "naçizane" keşfini iç cebinden çıkardı: Bir cep saatiydi, ama mutlu olduğun zamanı anlıyordu ve o zaman kendiliğinden duruyordu ve o vakit mutluluğun da sonsuza kadar uzuyordu. Mutlu olmadığın vakit saatin akrebiyle yelkovanı telaşla koşarlar ve sen de, aman zaman ne çabuk geçmiş derdin o vakit ve dertlerin de göz açıp kapayıncaya kadar geçerdi. Sonra gece, sen saatin yanıbaşında huzurla uyurken, kendiliğinden zamanın artısını eksisini ayarlardı ihtiyarın bana açılmış elinde sabırla tıkırdayan bu küçük şey ve sabah hiçbir şey olmamış gibi, herkesle birlikte kalkardın.

Zaman demiştim ya, bir ara akvaryumda ağır ağır salınan balıklara bakakalmıştım. Bir adam sokulmuş yanıma, bir gölge, dedi ki: "Bizi," dedi. "Batı medeniyetini küçümsemekle suçluyorlar. Aslında tam tersi... Ürgüp'teki mağaralarının içinde yüzyıllardır yaşayan haçlı kalıntılarını duymuş muydunuz?" Ben balıklarla konuşurken kimdi konuşan bu balık, ben dönene kadar yok oldu. Önce gölgeymiş dedim, sonra o dehşet kokuyu aldım korkuyla: OPA.

Bir sandalyeye oturur oturmaz koca bıyıklı bir amca, bir parmağına anahtarlık zincirini sinirle dolarken sordu: Kimlerdendim ben, oyum kimeydi, hangi buluşu beğendim, yarın sabah ne karar veririm? Aklımda balıklar vardı, bir bardak daha rakı içer misiniz diyecektim. Sesler, sesler, sesler duydum.

Sustum. Sonra sevimli Tekel bayii ile yanyana düşmüşüz: Artık hiç kimseden korkmadığını söyledi, vitrinindeki doldurulmuş üç fareye takan kaymakamdan bile. Niye yalnız bir Tekel vardı bu ülkede likör satar; devlet tekeli. Bir şey hatırlıyordum, korktum ve korkunca aklıma geleni söyledim: Hayat, dedim, bir yolculuksa eğer, altı aydır ben de bir yoldayım, bir şey öğrendim, izin verin söyleyeyim. Çünkü bir kitap okumuştum, bütün dünyamı kaybetmiştim, yenisini bulmak için yollara düşmüştüm! Ne buldum? Ne bulduğumu sanki sen söyleyiverecektin melek! Bir an sustum, bir an düşündüm ve melek, dedim, ne dediğimi bilmeden ve birden bir rüyadan uyanır gibi hatırladım ve kalabalıkta seni aramaya başladım: Aşk. Orada, buzdolabı ve soba bayileri ve karıları ve papyonlu adamla kızları arasında ve öğretmenlerin ve içi geçmiş bunakların ölçülü bakışları arasında ve görülmeyen bir radyonun müziğinin eşliğinde Canan liseli uzun boylu ve arsız bir herifle dans ediyordu.

Oturdum bir sandalyeye, sigara içtim. Dans etmeyi bilseydim... Filmlerde gelinle damadın edeceği türden bir dans. Kahve içtim. Bütün saatler, mutluluk cep saati bile ilerlemiş olmalıydı... Sigara... Dans eden çiftleri alkışladılar. Kahve... Canan kadınların arasına döndü. Bir kahve daha içtim...

Otele dönerken karılarının kollarına giren kasabalılar gibi, bölge bayileri gibi, ben de Canan'a sokuldum. Kim o liseli çocuk, seni nereden tanıyor? Kasaba karanlığında, kurulduğu kulesinden leylek bizi seyrediyor. Gerçek bir karı koca gibi otelin gece bekçisinden ondokuz numaralı anahtarımızı almıştık ki, herkesten çok işini bilen, herkesten çok kararlı gözüken biri merdivenlerle benim arama, iri, terli gövdesini yerleştirip yolumu kesti.

"Sayın Kara," dedi, "eğer vaktiniz varsa..." Polis, diye düşündüm ben, evlilik cüzdanının bir trafik şehidinden miras olduğunu farketti. "Rahatsız etmiyorsam, biraz konuşmak mümkün mü acaba?" Bir erkek erkeğe muhabbet havasındaydı, Canan elinde 19 numara, etekliği basmadan, merdivenlerden yukarı ne narin, ne zarif uzaklaştı.

Güdül kasabasından değildi adam, adını da işitirken unuttum, gece konuştuğuna göre diyelim ki Bay Baykuş, belki de bekleme salonundaki kafesteki kanarya yüzünden aklıma gelmiştir. Kanarya bir aşağı, bir yukarı ve hop bir de tellere sıçrarken Baykuş dedi ki:

"Şimdi bizi yediriyorlar, içiriyorlar, ama yarın oy vermemizi isteyecekler. Düşündünüz mü? Bütün gece, yalnız bu bölgenin değil, memleketin dört bir yanından gelmiş bütün bayilerle tek tek konuştum. Yarın bir kargaşa çıkabilir, düşünmenizi istiyorum, düşündünüz mü? En genç bayi sizsiniz... Oyunuz kimedir?"

"Kime vermeliyim sizce?"

"Dr. Narin'e değil. İnan, kardeşim bana -kardeşim diyorum sana- bunun sonu maceradır. Melekler günah işler mi? Karşımızdaki bütün o güçlerle başedebilir miyiz? Artık kendimiz olmamıza imkân yok. Bunu ünlü köşe yazarı Celal Salik bile anlamış ve intihar etmiştir. Yazılarını onun yerine başkası yazıyor. Her taşın altından onlar çıkıyor, Amerikalılar. Kendimiz olamayacağımızı anlamak, evet bir kederdir; ama bu olgunluk bizi felaketlerden de korur. Ne yapalım yani, oğullarımız torunlarımız da bizi anlamayıversinler... Medeniyetler kurulur, medeniyetler yıkılır. Kurulurken sen kurulacağına inan da, yıkılırken oyun bozan borazan çocuk gibi silaha sarıl. Bütün bir halk başka bir kimliğe bürünürken sen bunların kaçını öldüreceksin? Meleği nasıl suç ortağı edebilirsin? Sonra, kimdir melek efendim? Eski sobaları, pusulaları, çocuk dergilerini, mandalları biriktiriyormuş, kitaba yazıya düşmanmış. Hepimiz anlamlı bir hayat yaşamaya çalışıyoruz, ama bir noktada duruyoruz. Kendisi olabilen kim? Meleklerin fısıldadığı talihli kim? Bunlar spekülasyonlar, bunlar anlayamayanları kandırmak için boş laflar: İş şirazesinden çıkacak. Duydunuz mu, Koç gelecek diyorlar, Vehbi Koç... Devlet, kaymakam da izin vermez; yaşla birlikte kuru da yanar: Dr. Narin'in televizyonu neden özel muameleyle yarın gösteriliyor? Hepimizi bir maceraya sürüklüyor, Cola hikâyesini açıklayacak diyorlar, bu çılgınlık. Biz bu toplantıya bunun için gelmedik."

Daha da anlatacaktı anlatmasına, ama lobi denemeyecek salona kızıl kravatlı bir adam giriyordu... Baykuş: "Bütün gece bu markaj sürer artık..." deyip sıvıştı. Bir başka bayinin peşinden sokağa, kasabanın karanlığına çıktığını gördüm.

Canan'ın çıktığı merdivenler karşımdaydı. Bir ateş hissettim, bacaklarım titriyordu, belki rakıdan belki kahveden, bir yürek çarpıntısı vardı ve alnımda ter birikmişti. Merdivenlere değil, köşedeki telefona koştum, numarayı çevirdim, hatlar karıştı, çevirdim, numaralar karıştı, çevirdim anne sana: Anne, dedim, anne duyuyor musun, ben evleniyorum, bu akşam, az sonra, şimdi, hatta evlendik, yukarıda odada, merdivenlerden çıkılıyor, bir melekle, ağlama anne, yemin ediyorum, eve döneceğim, ağlama anne kolumda bir gün bir melekle.

Kanarya kafesinin arkasında bir ayna olduğunu neden daha önce farketmemiştim? Merdivenlerden çıkarken bir tuhaf gözüküyor.

19 nolu oda, Canan'ın bana kapısını açtığı, elinde sigara beni karşıladığı, sonra açık pencereye gidip kasaba meydanını seyrettiği oda, bir başkasının bize kendiliğinden açılıvermiş özel kasası gibiydi. Sessiz. Sıcak. Yarı karanlık. Yanyana iki yatak.

Açık pencereden kederli bir kasaba ışığı Canan'ın uzun boynuna ve saçlarına yandan vuruyordu ve sinirli, sabırsız, sigara dumanı, -bana mı öyle geliyordu- Güdül şehrindeki uykusuzların, ölülerin ve huzursuzlukla uyuyanların yıllarca yıllarca soluk alıp vererek gökte biriktirdikleri bir çeşit mutsuz karanlığa doğru Canan'ın göremediğim ağzından yükseliyordu.

Aşağıdan bir sarhoşun kahkahası duyuldu, -belki bir bayi- bir kapı çarptı. Canan'ın sönmemiş sigarasını bitirimler gibi aşağıya attığını ve sigaranın taklalar atarak düşen turuncu ışığına bir çocuk gibi baktığını gördüm. Pencereye gittim, ben de aşağıya, sokağa, alana baktım, baktığımı görmeden. Daha sonra yeni bir kitabın kapağına bakar gibi uzun uzun pen- cereden gördüğümüz şeyleri seyrettik.

"Sen de çok içtin değil mi?" diye sordum.

"İçtim," dedi Canan iyimserlikle.

"Daha nereye kadar gider bu?"

"Yol mu?" dedi Canan neşeyle. Meydandan çıkıp garajlara, garajlardan önce de mezarlığa uğrayan yolu işaret ederek.

"Nerede bitecek bu sence?"

"Bilmiyorum," dedi Canan. "Ama gideceği yere kadar gitmek istiyorum, bir de oturup beklemekten iyi değil mi?"

"Cüzdandaki paraların sonuna geldik," dedim.

Az önce Canan'ın işaret ettiği yolun karanlık köşeleri bir arabanın güçlü ışıklarıyla aydınlandı. Alana giren araç bir boşluğa park etti.

"Oraya hiç varamayacağız," dedim ben.

"Sen benden de çok içmişsin," dedi Canan.

Aracın içinden çıkan bir adam kapıyı kilitledikten sonra bizi görmeden, bizi farketmeden bize doğru yürüdü ve Ca- nan'ın aşağıya attığı sigara izmaritine, başkalarının hayatlarını acımasızca ezenlerin yaptığı gibi düşüncesizce bastıktan sonra İkbal Oteli'ne girdi.

Uzun, çok uzun süren bir sessizlik başladı; sanki küçük sevimli Güdül şehrinde kimse yoktu. Uzak bir mahalleden bir-iki köpek karşılıklı havlaştılar ve yeniden sessizlik başladı. Arada bir meydanın karanlık yerindeki çınar ve kestane ağaçlarının yaprakları farkedilmeyen bir rüzgârda hiç hışır- damadan kıpırdanıyordu. Çok uzun bir zaman orada pen- cerede, eğlence bekleyen çocuklar gibi sessizce dışarı bakarak durmuş olmalıyız. Bir çeşit hafıza aldatması gibi: Her saniyeyi teker teker hissediyordum, ama geçen vaktin ne tuttuğunu söyleyemezdim sanki. Çok sonra:

"Hayır lütfen lütfen bana dokunma!" dedi Canan. "Hiçbir erkek daha dokunmadı bana."

Yalnız geçmişi hatırlarken değil, bazan hayatın ta içinde onu yaşarken de olur ya, bir an yaşadığım şeyin ve pencereden gördüğüm küçük Güdül kasabasının gerçek değil de hayalini kurduğum şeyler olduğunu hissettim. Belki de önümde gerçek bir kasaba değil, posta idaresinin çıkardığı memleket dizisindeki pulların üstünde görülenlerden bir kasaba resmi vardı da ona bakıyordum. O pulların üzerindeki küçük kasabalar gibi, şehir meydanı bana kaldırımlarında gezinilecek, bir paket sigara alınacak ve tozlu vitrinlere bakılacak bir yer değil de, hatıra gibi gözüküyordu.

Hayalşehir, diye düşündüm, Hatıraşehir. Gözlerimin, çok derinden gelen ve kendiliğinden bir hareketle bir daha hiç mi hiç unutulmayacak acı hatıranın bir daha hiç unutulmayacak görsel karşılığını aradığını biliyordum: Meydanın karanlık yanındaki ağaçların altını, belirsiz bir ışıkla parıldayan traktörlerin çamurluklarını, eczanenin, bankanın üzerindeki bütünü gözükmeyen harfleri, sokakta yürüyen bir ihtiyarın sırtını ve bazı pencereleri taradım... Sonra fotoğraftaki meydanın değil o fotoğrafı çeken makinenin ve fotoğrafçının yerini çıkarmaya çalışan meraklı gibi, İkbal Oteli'nin ikinci katındaki pencereden bakan kendimi hayalimde dışarıdan görmeye başladım. Otobüslerde gördüğümüz yabancı filmlerin jeneriklerindeki gibi: Önce şehrin genel görüntüsü görülür, sonra bir mahalle, sonra bir avlu, bir ev, bir pencere... Ve bu ücra ve uzak otelin penceresinden ben bakarken ve sen üzerinde hemen tozlanmış elbiselerin pencerenin ardındaki yataklardan birine yorgun uzanmış yatarken, ikimizi, pencereyi, oteli, meydanı, kasabayı, geçtiğimiz onca yolu ve ülkeyi de dışarıdan ve içimden görüyordum. Sanki hayalini kurduğum ve bölük pörçük hatırladığım bütün o şehirler, köyler, filmler, benzinciler ve yolcular derinde bir yerde içimde hissettiğim acıyla, eksiklikle birleşmişti de şehirlerden, kırık dökük eşyalardan, yolculardan mı kederin bana geçtiğini, yoksa yüreğimdeki acıdan bütün bir ülkeye, haritaya benim mi keder dağıttığımı çıkaramıyordum.

Pencerenin kenarından başlayan mor duvar kâğıdını haritaya benzettim. Köşede duran elektrikli sobanın üzerinde VEZÜV yazıyordu ve bölge bayisiyle akşam yeni tanışmıştım. Karşı duvardaki lavabonun musluğu tıp tıp damlıyordu. Dolabın kapısı tam kapanmadığı için üzerindeki ayna iki yatağın arasındaki komodini ve üzerindeki küçük lambayı yansıtıyordu. Lambanın ışığı yanıbaşındaki yatağın mor yapraklı örtüsüne, bu örtünün üzerine elbiseleriyle uzanıp uyuyuvermiş Canan'a yumuşacık vuruyordu.

Kestane rengi saçları hafifçe kızıllaşmıştı. Şimdiye kadar nasıl farketmemiştim ben bu kızıllığı?

Başka pek çok şeyi daha farkedemediğimi düşündüm. Aklım gece yolculuklarında otobüsten inip çorba içtiğimiz o lokantalar gibi hem ışıl ışıldı, hem de karmakarışık. Belirsiz bir kavşak noktasındaki bir lokantanın önünden geçen uykulu ve hayalet kamyonlar gibi yorgun düşünceler oflaya puflaya vites değiştirerek aklımın bu karışıklığından geçip geçip gidiyorlardı ve hemen arkamda hayallerimdeki kızın bir başkasını düşleyerek uyurken soluk alıp verişlerini işitiyordum.

Yanına uzan sarıl ona, bu kadar beraberlikten sonra gövdeler birbirini ister! Dr. Narin de kim oluyor? Dayanamayıp, dönüp güzelim bacaklarına bakarken hatırlıyorum ki, kardeşler, kardeşler, kardeşler, dışarıda, gecenin sessizliğinde dolaplar çeviriyorlar ve beni bekliyorlar. O sessizliğin içinden sızan bir pervane lambanın ampulü etrafında acıyla tozlarını döke döke dönüyor. Ateşler içinde ikiniz de yanıp tutuşuncaya kadar uzun uzun öp onu. Bir müzik mi duyuyorum, yoksa aklım, dinleyicilerimizin isteği üzerine "Gecenin Çağrısı" adlı parçayı mı çaldı. Gecenin çağrısı aslında, ben yaştaki erkek kardeşlerimin çok iyi bildiği gibi, karşılık bulamamış cinsel isteklerin yerine kör karanlık bir sokağa girip, kendim gibi iki-üç umutsuz it bulup, acı acı ulumak, birilerine küfür etmek, birilerini havaya uçuracak bombanın hazırlıklarını yapmak ve melek sen anlarsın belki, bizi bu sefil hayata mahkûm eden uluslararası kumpası tezgahlayanlar hakkında dedikodu etmektir. Bu dedikoduya "tarih" dendiğini sanıyorum.

Yarım saat, belki kırkbeş dakika, peki, peki, en fazla bir saat uyuyan Canan'ı seyrettim. Sonra kapıyı açtım, dışarı çıktım, dışarıdan kilitledim, anahtarı cebime indirdim. Canan'ım orada kaldı, reddedilmiş ben, gecenin içinde. Sokakta bir aşağı yukarı yürür, döner ona sarılırım. Bir sigara içer döner ona sarılırım. Açık bir yerde biraz kafayı çekip cesaret bulur, döner ona sarılırım.

Gecenin kumpasçıları bana merdivende sarıldılar. "Siz Ali Kara," dedi bir tanesi. "Sizi tebrik ederim, buraya kadar geldiniz ve ne kadar da gençsiniz." "Bize katılırsanız," dedi aşağı yukarı aynı boyda aşağı yukarı aynı ince kravat ile aynı kara ceketi giyen aynı yaşlardaki ikinci haydut. "Size yarın kopacak çıngardan bazı sahneler gösterebiliriz."

Ellerindeki sigaraları, uçları alnıma nişanlanmış birer kızıl namlu gibi tutuyor, kışkırtıcı bir şekilde gülümsüyorlardı. "Sizi korkutmak için değil, uyarmak için," diye ekledi birincisi. Geceyarısı burada bir çeşit dedikodu, bir çeşit "adam tavlama" hazırlıkları yaptıklarını çıkarabiliyordum.

Leyleğin artık gözetlemediği sokaklara çıktık, likör şişelerinin ve doldurulmuş farelerin önünden geçtik. Bir ara sokağa girdik, iki adım yürüdük yürümedik bir kapı açıldı, bizi yoğun bir rakı ve meyhane kokusu karşıladı. Muşamba örtülü kirli bir masaya oturduktan ve ikişer kadeh rakıyı –ilaç gibi lütfen– hızlı hızlı içtikten sonra dostlarım hakkında, mutluluk hakkında, hayat hakkında yeni şeyler öğrenmiştim.

Bana ilk laf atanı Sıtkı Bey, Seydişehir'de bira bayiiydi. Bana yaptığı işle inançları arasında hiçbir çelişki olmadığını hikâye etti. Çünkü bira, biraz düşünülürse bu anlaşılırdı, rakı gibi alkollü bir mai değildi. İçindeki kabarcıkların "gazoz" olduğunu bana açtırıp, bir bardağa boşalttığı bir şişe Efes birasıyla gösterdi. İkinci dostum belki de dikiş makinesi bayii olduğu için bu çeşit alınmalar, alınganlıklar ve huzursuzluklara aldırmıyor, geceyarıları kör elektrik direkleriyle körlemesine buluşan uykulu ve sarhoş kamyon şoförleri gibi hayatın ta kalbine hızla dalıyordu.

İşte: Huzur, huzur, buradaydı huzur; bu kasabada, bu küçük meyhanede: Şimdinin içinde; biz üç inançlı yoldaşın paylaştığı içki masasının ve hayatın kalbinde. Şimdi geçmişte başımıza gelenleri ve yarın gelecek olanları düşündükçe bu ânın, muzaffer geçmişimiz ile korkunç ve sefil geleceğimiz arasındaki bu eşsiz ânın kıymetini biliyorduk. Birbirimize hep doğruyu söyleyeceğimize yemin ettik. Öpüştük. Gözyaşlarıyla gülüştük. Dünyanın ve hayatın yüceliğini kutsadık. Meyhanedeki çılgın bayiler ve uyanık örgütçüler kalabalığına dönüp kadehlerimizi kaldırdık. Hayat buydu işte, ne oradaydı, ne de başka bir yerde, ne cennette ne cehennemde: Tam işte burada, bu ânın içindeydi muhteşem hayat. Hangi çılgın bizim yanıldığımızı ileri sürebilirdi ki, hangi şaşkın bize laf dokundurabilirdi, kimdi bize zavallı, sersefil, süprüntü diyecek! Ne İstanbul'daki hayatı istiyorduk biz, ne Paris'teki, ne New York'takini; salonlar, dolarlar, apartmanlar ve uçaklar orada kalsın; radyolar ve televizyonlar -bizim de var bir ekranımız- renkli gazeteler kalsın. Bizde tek bir şey var: bak, bak yüreğime, nasıl da sızıyor hakiki hayatın ışığı onun içine.

Melek, bir an, aklımı başıma toplayıp, niye herkes bu kadarını bile yapamıyor? diye düşündüğümü hatırlıyorum. Bu kadar kolaysa mutsuzluğun ilacını içmek, meyhaneden çıkıp can dostlarıyla yaz gecesinde yürüyen adı takma Ali Kara soruyor: Neden bu kadar acı, keder, sefalet, neden? İkbal Oteli'nin ikinci katında Canan'ımın saçlarını kızıllaştıran lambanın ışığı yanıyor.

Sonra bir Cumhuriyet, Atatürk, damga pulu havasına giriverdiğimizi hatırlıyorum. Binaya girdik, ta onun odasına ve Kaymakam Bey, beni alnımdan öptü; o da bizdendi. Ankara'dan emir geldiğini, yarın bizden kimsenin burnunun kanamayacağını söyledi. Beni mimlemişti, güveniyordu ve evet istersem gıcır gıcır makinenin teksir ettiği ispirtoyla ıslak bildirileri okuyabilirdim:

"Değerli Güdül halkı, büyüklerimiz, kardeşlerimiz, bacılar, analar, babalar ve İmam Hatip Lisesi'nin imanlı gençleri! Öyle anlaşılıyor ki dün kasabamızda misafir olarak gelen bazı kişiler bugün misafir olduklarını unuttular! Ne istiyorlar? Yüzlerce yıldır camileri, mescitleri, bayramlarıyla dinine, peygamberine, şeyhlerine ve Atatürk heykeline bağlı kasabamızın kutsal bildiği her şeye küfür etmek mi? Hayır biz şarap içmeyeceğiz, hayır bize Coca Kola içiremezsiniz, puta, Amerika'ya, şeytan'a değil, Allah'a taparız! Aralarında Yahudi ajanı Maks Rulo, Mareşal Fevzi Çakmak'ı küçük düşürmeye çalışan Mari ve Ali taklitçileri ve tescilli müptezeller niye huzurlu şehrimizde toplanıyorlar? Melek kimdir ve onu televizyona çıkarıp alay etmek kimin haddinedir? Yirmi yıldır bu şehri koruyan Hacı Leylek Dede'ye ve gayretkeş itfaiyenin neferlerine yapılan küstahlıklara seyirci mi kalınacak? Atatürk Yunan'ı bunun için mi kovdu? Misafir olduğunu unutan bu arsızlara hadlerini bildirmezsek, bunları şehrimize davet eden gafillere haketikleri dersi vermezsek, yarın birbirimizin yüzüne nasıl bakacağız? Saat onbirde İtfaiye Meydanı'nda toplanıyoruz. Çünkü şerefsiz yaşamaktansa, onurla ölmeyi istiyoruz."

Bildiriyi bir daha okudum. Tersinden okunursa, ya da büyük

harfleri birleştirilirse yeni bir tebliğ elde edebilir miydim? Hayır. Kaymakam Bey itfaiye arabalarının sabahtan beri Güdül deresinden su çektiklerini söyledi. Yarın, küçük bir ihtimal ama, işler belki denetimden çıkabilir, yangınlar yayılabilir, kalabalık sıcakta üzerine fışkırtılan sudan şikayetçi olmayabilirdi. Başkan arkadaşlarımızı yatıştırdı: Belediye ile tam bir işbirliği içindeydiler ve vilayet merkezindeki jandarma birlikleri olaylar çıkar çıkmaz bastıracaklardı. "Olaylar yatışıp da kışkırtıcıların, Cumhuriyet ve millet düşmanlarının maskeleri düşünce," dedi kaymakam, "bakalım görelim o zaman duvarlardaki sabun ilanlarını, kadınlı afişleri kim karalayacak? Görelim o zaman terzinin dükkanından sarhoş çıkıp kaymakama ve leyleğe ana avrat kim sövecek?"

Terzinin dükkanını da benim -ben gözüpek gencimizin- görmem gerektiğine o ara karar verdiler. Kaymakam, Çağdaş Uygarlığa Yükselme Örgütü'nün yarı gizli üyesi iki öğretmen tarafından kaleme alınmış bir "karşı bildiriyi" de bana okuttuktan sonra bir hademeyi yanıma kattı. Delikanlıyı, terziye götürmesini söyledi.

"Kaymakam Bey hepimize fazla mesai yaptırıyor," dedi hademe Hasan Amca bana sokakta. İki sivil polis memuru Kuran kursunun bezden duyurusunu lacivert gecenin içinde iki hırsız gibi sessizce söküyorlardı. "Devlet, millet için çalışıyoruz."

Terzi dükkanında kumaşlar, dikiş makineleri ve aynalar arasına yerleştirilmiş bir sehpada bir televizyon, altında ise bir video gördüm. Benden biraz büyük iki genç televizyonun arkasına geçmişler, ellerindeki tornavidalar ve tellerle aletin üzerinde çalışıyorlardı. Kenardaki, mor bir koltukta oturup hem onları hem de karşısındaki boy aynasında kendisini seyreden adam bir bana baktı, bir de soran gözlerle Hasan Amca'ya.

"Kaymakam Bey yolladı," dedi Hasan Amca. "Size emanetmiş bu çocuk."

Mor koltuktaki adam, arabasını park ettikten, Canan'ın sigarasına bastıktan sonra otele giren adamdı. Bana şefkatle gülümsedi, oturmamı söyledi. Yarım saat sonra uzanıp bir düğmeye basıp videoyu çalıştırdı.

Televizyon ekranında başka bir televizyonun görüntüsü belirdi. O ekranın içinde de başka bir ekranın görüntüsü. Derken mavi bir ışık gördüm, ölümü hatırlatan bir şey, ama ölüm çok uzak olmalıydı o ara. Işık, bizim otobüslerin gezindiği uçsuz bucaksız bir bozkırda boşuboşuna gezindi bir süre. Sonra bir sabah gördüm, şafak sökerken derler ya, onun gibi bir şey; takvim manzaraları gördüm. Dünyanın ilk günlerine ilişkin bazı görüntüler de olabilirdi bunlar. Ne güzeldi yabancı bir kasabada sarhoş olup, otel odasında sevgilim uyurken, tanımadığım dostlarla bir terzi dükkânında oturup hayatın ne olduğunu hiç mi hiç düşünmeden, hayatın ne olduğunu birden bir görüntüyle görüvermek. Neden kelimelerle düşünür de insan, görüntüler yüzünden acı çeker. "İstiyorum, istiyorum!" dedim kendime, tam da neyi istediğimi bilemeden. Sonra beyaz bir ışık belirdi ekranda, televizyona eğilmiş iki genç de belki de ışığın yüzüme yansımasından anladılar da bunu dönüp ekrana baktılar ve sesi açtılar. Derken ışık melek oldu.

"Ne kadar da uzaktayım ben," dedi bir ses. "O kadar uzakta ki her an aranızdayım. Dinleyin şimdi beni kendi iç sesinizle, dudaklarınızı benim dudaklarım sanarak mırıldanın."

Mırıldandım ben de, başkasının sözlerini kötü bir çeviriden kendisinin kılmaya çalışan bahtsız bir seslendirme sanatçısı gibi.

"Dayanılmazsın sen, zaman," dedim o sesle. "Canan uyurken, sabah yaklaşırken. Ama gene de dişimi sıkarsam dayanabilirim."

Sonra bir sessizlik oldu, sanki kendi aklımdakileri televizyonda görüyordum ve böyle olduğu için de gözüm açıkmış, kápalıymış farketmez diyordum, hepsi aynı görüntü, hem aklımın içinde, hem de dışardaki dünyada. Derken gene konuştum:

"Kendi sınırsız sıfatlarının suretini görmek istediğinde, kendisini kendi aynasında görüp kendi sırrından yapmak istediğinde, Allah alemi yarattı. Böylece ekranlarda ve film başlarında bol bol gördüğümüz bozkır sabahları, pırıl pırıl gökyüzü, el değmemiş suların yıkadığı kayalı sahillerle, gece ormanın içinde gördüğümüzde korktuğumuz Ay vücut buldu. Gece bütün aile mışıl mışıl uyurken, kesik elektrikler geliverince salonda kendi kendine nasıl aydınlanıp dünyayı anlatırsa yalnız televizyon, karanlık göğün içinde Ay da yapayalnızdı o zaman. Ay ve öteki şeyler ta o zaman vardılar, ama onlara bakan biri yoktu. Cilasız bir aynada görüleceği gibi demek ki, ruhsuzdu bütün şeyler. Bilirsiniz, çok seyrettiniz, şimdi bir daha ibret için seyreyleyin bu ruhsuz alemi."

"Ağabey bomba işte tam burada patlayacak," dedi iki gençten eli matkaplı olanı.

Ondan sonraki konuşmalardan televizyona bir bomba taktıklarını anladım, yanlış mı anladım, hayır doğru anladım, bir çeşit görüntülü bomba; meleğin ışığı göz alarak ekranda belirince patlayacaktı. Doğru anladığımı şuradan çıkarıyordum. Bir çeşit suçluluk duygusu, görüntülü bombanın teknik ayrıntılarına duyduğum bir merakla birlikte aklımı kurcalıyordu. Öte yandan "böyle olmalı işte," diye düşünüyordum. Şöyle olacaktı galiba: Sabahki toplantıda bayiler ekrandaki sihirli görüntülere dalıp gitmişken ve melek ve eşyalar, ışık ve zaman üzerine tartışmaya girişmişken, bomba tam bir trafik kazasında olacağı gibi, yumuşacık, sıcacık patlayacak ve yaşamaya, kavga etmeye, kumpasa susamış kalabalığın içinde yıllarca birikmiş zaman birden hırsla etrafa yayılarak her şeyi donduracaktı. Bir bombayla ya da kalp krizinden değil, gerçek bir trafik kazasıyla ölmek istediğimi o zaman düşündüm. Melek, bana belki o zaman gözükeceği için: Hayatın sırrını kulağıma fısıldayıvermek için. Ne zaman, melek?

Ekranda hâlâ görüntüler görüyordum. Bir ışık belki renksiz bir renk, belki melek, ama çıkaramıyordum. Bombadan sonraki görüntüleri görmek, ölümden sonraki hayata bir göz atmaya benziyor. Bu eşsiz fırsattan yararlanmanın heyecanıyla kendimi ekrandaki görüntüyü seslendirirken buldum. Bir başkası söylüyordu da ben mi tekrarlıyordum, yoksa iki ruhun bir "öte ülke"de buluşması gibi bir kardeşlik ânı mıydı bilmiyorum. Diyorduk ki:

"Allah'ın üflemesiyle birlikte aleme ruhla birlikte Adem'in gözü de değdi. O zaman cilasız aynada olduğu gibi değil, alemde oldukları gibi, evet, tam da çocukların göreceği gibi gördük şeyleri. Gördüğünü adlandıran, adıyla da gördüğü şeyi bir tutan biz çocuklar o zamanlar ne şendik! O zamanlar zaman zamandı, kaza kaza, hayat da hayat. Bu mutluluktu ve şeytanı mutsuz etti ve o da şeytandır, Büyük Kumpas'ı başlattı. Bir adam Büyük Kumpas'ın piyonu, Gütenberg, -matbaacı dediler ona ve taklitçilerine- çalışkan elin, sabırlı parmağın ve titiz kalemin yetiştiremeyeceği kadar çoğalttı kelimeleri ve ipini koparan, kelimeler, kelimeler, kelimeler boncuklar gibi dört bir yana dağıldılar. Sokak kapılarımızın altını ve sabun kalıplarının ve yumurta paketlerinin üstünü aç ve çılgın hamamböcekleri gibi kelimeler ve yazılar sardılar. Böylece bir zamanlar etle kemik gibi olan söz ile eşya birbirlerine sırt döndüler. Böylece, gece ay ışığında, zaman nedir, diye bize sorulduğunda, hayat nedir, keder nedir, kader nedir, acı nedir diye sorulduğunda, bir zamanlar yüreğimizle bildiğimiz bütün cevapları, imtihan gecesini uykusuz geçiren ezberci öğrenci gibi birbirine karıştırdık. Zaman, derdi bir budala, bir gürültüdür. Kaza, derdi başka bir talihsiz, kaderdir. Hayat derdi, bir üçüncüsü, bir kitaptır. Biz şaşkınlar, anlıyorsunuz ya, doğru cevabı kulağımıza fısıldasın diye meleği beklerdik."

"Ali Bey oğlum," diye sözümüzü kesti mor koltukta oturan adam, "inanıyor musunuz Allah'a?"

Düşündüm bir süre.

"Canan'ım benim bekliyor," dedim, "beni otel odasında."

"Hepimizin cananı o, git kavuş ona," dedi. "Sabah da Venüs berberinde bir tıraş ol."

Sıcak yaz gecesine çıktım, bomba tıpkı kaza gibi bir seraptır dedim, ne zaman görüleceği bilinmez. Öyle anlaşılıyordu ki, tarih denen kumarı kaybetmiş olan biz sefil mağluplar, en azından bir şey kazandığımıza kendimizi inandırabilmek, bir zafer duygusu tadabilmek için yüzyıllarca birbirimize bomba atacak, Allah, kitap, tarih ve dünya aşkından şeker paketleri, Kuran ciltleri ve vites kutularına yerleştirdiğimiz bombalarla ruhlarımızı ve gövdelerimizi bir iyice havalandıracaktık. Bu bana çok kötü gelmiyor, diye düşünürken birden Canan'ın odasının ışığını gördüm.

Otele girdim, odaya girdim, anne ben çok sarhoşum. Canan'ın yanına uzandım, uyudum, ona sarıldığımı sanarak.

Sabah uyanır uyanmaz yanımda yatan Canan'ı uzun uzun seyrettim. Otobüs koltuklarında video filmi seyrederken yüzünde bazan beliren endişe ve dikkat vardı yüzünde; gördüğü rüyanın çarpıcı, şaşırtıcı bir sahnesine hazırlanır gibi kestane rengindeki kaşlarını kaldırmıştı. Tıp tıp lavabo hâlâ damlıyordu. Perdeler arasından süzülen tozlu güneş ışığı bacaklarına bal rengiyle vurunca Canan bir soru sorarak mırıldandı. Yatağında hafifçe dönünce ben sessizce odadan çıktım.

Sabah serinliğini alnımda hissederek gittiğim Venüs berberinde dün geceki adamı gördüm; Canan'ın sigarasına basan adam. Tıraş oluyordu, yüzü köpük içindeydi. Bekleme koltuğuna oturur oturmaz tıraş sabununun kokusunu korkuyla tanıdım. Aynada gözgöze geldik ve birbirimize gülümsedik. Buydu tabii bizi Dr. Narin'e götürecek adam.

8

Bizi Dr. Narin'e götüren 61 modeli kuyruklu Chevrolet'nin arka koltuğunda oturan Canan elindeki *Güdül Postası*'yla sabırsız bir İspanyol prensesi gibi sinirli sinirli yelpazelenirken, ben ön koltuktan hayaletimsi köyleri, yorgun köprüleri ve bezgin kasabaları saydım. OPA kokan şoförümüz konuşkan değildi, radyoyu kurcalamaktan ve aynı haberleri ve birbirini tutmayan hava durumlarını dinlemekten hoşlanıyordu. İç Anadolu'da yağmur bekleniyordu, beklenmiyordu, Batı Anadolu'nun iç kesimleri yer yer sağanak yağışlıydı, parçalı bulutluydu, bulutsuzdu. Bu parçalı bulutların altından ve korsan filmlerinden ve masal ülkelerinden çıkıp gelen karanlık sağanakların içinden geçerek altı saat yol aldık. Chevrolet'nin tavanını acımasızca döven sonuncu sağanaktan sonra, tıpkı masallardaki gibi birden bambaşka bir ülkede bulduk kendimizi.

Sileceklerin kederli müziği susmuştu. Güneş pırıl pırıl ve geometrik bir dünyada sol pencerenin kelebek camından batmak üzereydi. Billur gibi berrak, açık, sessiz ülke bize sırlarını teslim et! Üzerlerinde su damlacıkları, ağaçlar açık seçik birer ağaçtılar. Kuşlar ve kelebekler, ön cama hiç yaklaşmadan akıllı, huzurlu kuşlar ve kelebekler gibi önümüzden uçtular. Zaman dışı ülkenin masal devi nerede, diyecektim, pembe cücelerle mor cadılar hangi ağacın arkasında? Ve manzarada hiçbir harf ve hiçbir işaret yok diyecektim ki, pırıldayan asfalttan sessiz bir kamyon geçti yanımızdan. Arkasında şu kelimeler yazılıydı: Sollamadan Önce Düşün! Sola döndük, toprak bir yola girdik, tepelere çıktık, alacakaranlıkta silinmiş kayıp köylerden geçtik, karanlık ormanları gördük ve Dr. Narin'in evinin önünde durduk.

Göçlerden, ölümlerden ve uğursuzluklardan sonra büyük aile dağılınca, Şen Palas, Sefa Palas, Cihan Palas ve Konfor Palas gibi adlarla otele çevrilen eski kasaba konaklarından birine benziyordu ahşap ev, ama çevresinde ne belediyenin itfaiyesi ve arazözü vardı, ne tozlu traktörler, ne de Merkez Lezzet Lokantası. Bir sessizlik... Üst katta bu tarz konaklardaki gibi altı değil dört pencere vardı ve üçünden evin önündeki üç çınar ağacının alt yapraklarına portakal rengi bir ışık vuruyordu. Yalnız bir dut ağacı yarı karanlıktaydı. Perdeler kıpırdadı, bir pencere çarptı, ayak sesleri, bir çıngırak; gölgeler oynadı, kapı açıldı, bizi karşılayan, evet, kendisi, Dr. Narin'di.

Uzun boylu, yakışıklı, altmışbeş-yetmiş yaşlarında, gözlüklü. Ama odanda yalnız kalıp düşündüğünde yüzünü çok iyi hatırlıyordun da gözlüklerini değil; iyi tanıdığın bazı adamların bıyıklı olup olmamasını sonradan hatırlayamamak gibi. Fazla fazla bir varlığı vardı karşımızda. Daha sonra odada, "korkuyorum" dedi Canan, bence korkudan çok merakla.

Uzun upuzun bir masada gaz lambalarının ışığında gölgelerimiz daha uzarken hep birlikte akşam yemeği yedik. Üç kızı vardı. En küçükleri, mutlu ve hülyalı Gülizar, geçkin yaşına rağmen bekârdı. Ortancaları, Gülendam babasından çok, karşımda, burnundan sesli sesli soluyan doktor kocasına yakındı. En büyükleri, güzel Gülcihan -altı yedi yaşlarındaki iki uslu kızının konuşmalarından anladım- kocasından çoktan ayrılmış olmalıydı. Gül kızların anneleri, küçük tehditkâr bir kadındı: Yalnız gözleri ve bakışları değil, bütün duruşu, bakın, şimdi ağlarım ha, diyordu. Masanın öbür ucunda, kasabadan -hangi kasabaydı bilmiyordum- bir avukat vardı, bir süre, bir toprak davası çevresinde particilik, politika, rüşvet ve ölümle ilgili bir hikâye anlattı ve beklediği, istediği gibi, Dr. Narin, hem merakla hem de tiksinerek, tiksindiğini de bir çeşit onaylama gibi, gözleriyle belli ederek dinleyince sevindi. Benim yanıbaşımda ömrünün son yıllarını güçlü, nüfuzlu ve kalabalık ailelerin canlı yaşantısına tanık olmanın mutluluğuyla geçirebilen ihtiyarlardan biri oturmuştu. Ailenin nesi oluyordu belli değildi, ama tanık olduğu mutluluğu tabağının yanına bir ek tabak gibi yerleştirdiği küçük bir transistörlü radyoyla destekliyordu. Birkaç kere onu radyosunu kulağına iyice yapıştırıp -belki de iyi işitmiyordu- bir şeyler dinlerken gördüm. "Güdül'den bir haber yok!" dedi sonra Dr. Narin'e ve bana dönüp, takma dişlerini göstererek güldü ve sözlerinin doğal sonucuymuş gibi ekledi: "Doktor, filozofik tartışmalardan hoşlanır: Sizin gibi gençlere de bayılır. Ne kadar da benziyorsunuz oğluna!"

Uzunca bir suskunluk başladı. Anne ağlayacak sandım, Dr. Narin'in gözlerinde çakmak çakmak bir öfke gördüm. Odanın dışından bir yerden, sarkaçlı bir duvar saati dokuz kere zamanın ve hayatın geçiciliğini hatırlatarak dın dan vurdu.

Gözlerimi masada, odada, eşyaların, insanların, yiyeceklerin üzerinde gezdirdikçe yavaş yavaş farkediyordum ki, orada, aramızda, konakta rüyalardan çıkma ya da bir zamanlar derinden hissedilmiş yaşantılardan ve hatıralardan kalma bazı izler, işaretler vardı. Canan'la otobüslerde geçirdiğimiz uzun gecelerden birinde, hevesli yolcuların da isteklendirmesiyle muavinin videoya ikinci bir filmin kasetini takmasından sonra, birkaç dakika, bazan yorgun, kararsız bir büyülenme, kesin, ama hedefsiz bir iradesizlik duygusuna kapılır, kendimizi rastlantı ve zorunluluğun anlamını sezemediğimiz bir oyununa bırakır ve daha önceden yaşanmış bir dakikayı, başka bir koltukta başka bir bakış açısından yeniden yaşıyor olmanın şaşkınlığıyla hayat denen gizli ve hesaplanılmamış geometrinin sırrını keşfetmek üzere olduğumuzu hisseder ve ekrandaki ağaç gölgelerinin, tabancalı adamın soluk görüntüsünün ve video kırmızısı elmaların ve mekanik seslerin arkasındaki derin anlamı coşkuyla tam adlandırırken birden farkederdik ki, a biz bu filmi daha önceden görmüşüz!

Bu duygu, yemekten sonra da beni bırakmadı. Bir süre ihtiyar konuğun radyosundan çocukluğumda izlediğim radyo tiyatrosunu dinledik. Gülizar, bir eşini Rıfkı Amcalar'ın evinde gördüğüm gümüş bir şekerlikle bize artık unutulmuş hindistan cevizli aslan şekerleri ve Yeni Hayat karamelaları getirdi. Gülendam kahve sundu, anneleri bize bir dileğimiz olup olmadığını sordu. Sehpaların üzerinde, kapağı açık aynalı dolapların raflarında yurdun her yerinde satılan resimli romanlardan vardı. Kahvesini içerken, duvardaki saati kurarken, Dr. Narin Milli Piyango biletlerinin üzerindeki mutlu aile resimlerindeki babalar kadar şefkatli ve inceydi. Odadaki eşyada da bu pederşahi zarafetten ve kolayca adlandırılamayan bir mantığın düzeninden izler vardı: Kenarlarına lale ve karanfil motifleri işlenmiş perdeler, artık hiç kullanılmayan gaz sobaları ve ışıklarıyla birlikte ölmüş lambalar arasındaydık. Dr. Narin elimden tutup duvarın bir kenarına asılmış barometreyi gösterdi bana ve ince narin camına üç kere tık-tık-tık vurmamı söyledi. Vurdum. Barometrenin ibresi kıpırdayınca, "Yarın hava gene bozacak!" dedi baba sesiyle.

Duvarda barometrenin hemen yanında camlanmış büyük bir çerçeve içinde bir de eski bir fotoğraf asılıymış; genç birinin fotoğrafı. Ben farketmemiştim, odamıza döndüğümüzde bunu bana Canan söyledi. Filmleri uyuklayarak seyreden, kitapları dikkatsizce okuyan hayatı kaymışların, tutkusuzların soracağı gibi, ben de, çerçevede kimin fotoğrafı olduğunu sordum.

"Mehmet'in," dedi Canan. Bize verilen odadaki gaz lambasının soluk ışıkları altındaydık. "Hâlâ anlamadın mı? Dr. Narin Mehmet'in babası!"

Aklımda, jetonu bir türlü düşmeyen bahtsız bir telefonun çıkaracağı cinsten, birtakım iç sesler duyduğumu hatırlıyorum. Sonra her şey yerli yerine oturdu ve bir şafak vakti fırtınanın dinmesinden sonra olacağı gibi gerçeği olanca kesinliğiyle görerek hayretten çok öfke duydum. Çoğumuza olur, olmuştur, bir saattir anlayarak seyrettiğimizi sandığımız bir filmi aslında yanlış anlayan sinemadaki tek budalanın kendimiz olduğunu farkettiğimizde bir öfke sarar içimizi.

"Önceki adı neymiş?"

"Nahit," dedi Canan, astrolojiye inananlar gibi başını bilmiş bilmiş sallayarak. "Venüs yıldızı demekmiş."

"Benim de böyle bir adım olsaydı ve böyle bir babam, ben de başka biri olmak isterdim," diyecektim ki farkettim, Canan'ın gözlerinden yaşlar akıyordu.

Gecenin geri kalanını hatırlamak bile istemiyorum. Bana Mehmet namı diğer Nahit için gözyaşı döken Canan'ı avutmak düşmüştü; bu belki bir şey değildi; ama Canan'a Mehmet Nahit'in, bizim de bildiğimiz gibi ölmediğini, yalnızca bir trafik kazasında ölmüş numarası yaptığını hatırlatmak zorunda kalıyordum: Mehmet'i bozkırın kalbinde bir yerde kitaptan çıkardığı bir bilgeliği hayata geçirmiş olarak, yeni hayatın yaşandığı harika diyarın harika sokaklarında gezerken mutlaka bulacaktık.

Bu inanç aslında Canan'da benden çok daha kuvvetle yaşamasına rağmen, ondan kuşku da kederli güzelimin ruhunda fırtınalar estirdiği için, uzun uzun nasıl da doğru yolda olduğunu anlatmam gerekti. Bak, nasıl bayiler toplantısından başımızı belaya sokmadan sıvışıp kaçmış, bak nasıl da, kendini rastlantı olarak gösteren gizli bir mantığın hükmünce aradığımız kişinin çocukluğunu geçirdiği konağa, buraya, onun izleriyle kaynaşan bu odaya varmıştık. Dilimdeki öfkeli alaycılığı sezen okurlar, gözlerimin önündeki perdenin kalktığını, ruhumu ışıkla dolduran ve her yerimi saran bendeki o büyülenmenin, nasıl söylesem, bir çeşit yön değiştirdiğini de belki farkediyorlardır. Mehmet Nahit'ine ölü muamelesi yapılması Canan'ı o kadar kederlendirirken, beni artık otobüs yolculuklarımızın eski otobüs yolculukları olmayacağını anlamak hüzünlendiriyordu.

Sabah, üç kızkardeşle birlikte ettiğimiz kahvaltıdan –bal, lor, çay– sonra Dr. Narin'in genç yaşta elim bir otobüs kazasında yanarak ölen dördüncü çocuğu ve tek erkek evladı Nahit için konağının ikinci katında yaptırdığı bir çeşit müzeyi gezdik. "Babam burayı görmenizi istedi," demişti Gülcihan elindeki kocaman anahtarı beni şaşırtacak kadar küçük bir deliğe zorlamadan sokarken.

Kapı sihirli bir sessizliğe açıldı. Eski dergi ve gazete kokusu. Perdelerden süzülen loş bir ışık. Nahit'in yattığı yatak ve üzeri çiçek işlemeli örtüsü. Duvarda çerçeveler içinde Mehmet'in çocukluk, gençlik ve Nahit'lik fotoğrafları.

Yüreğim tuhaf bir dürtüyle hızlanmış tıp tıp atıyordu. Gülcihan, Nahit'in çerçeveler içindeki ilkokul ve lise karnelerini, iftihar belgelerini fısıltıyla işaret etti. Fısıltıyla, hepsi pekiyi. Küçük Nahit'in futbol oynadığı çamurlu ayakkabılar, askılı kısa pantolonu. Ankara'daki Fulya mağazasından getirtilmiş Japon malı kalaydoskop. Odadaki yarı karanlıkta ürpererek kendi çocukluğumu buluyor ve Canan'ın dediği gibi, korkuyordum ki, Gülcihan perdeleri araladı ve sevgili kardeşinin tıp okuduğu yıllarda, yaz tatillerinde bütün gün hiç durmadan kitap okuduktan sonra, bu pencereyi açıp dut ağacına bakarak sabaha kadar sigara içtiğini fısıltıyla anlattı.

Bir sessizlik oldu. Canan, Mehmet Nahit'in o sıralarda

okuduğu kitapları sordu. Büyük abla esrarlı bir suskunluk ve kararsızlık geçirdi. "Babam onların burada durmasını doğru bulmadı," dedi, önce. Sonra bir tesellisi olanlar gibi gülümsedi: "Yalnızca bunlar var bakılabilecek, çocukken okuduğu şeyler."

Yatağın başucundaki küçük bir kütüphaneyi dolduran çocuk dergilerini, resimli romanları işaret ediyordu. Bir zamanlar bu dergileri okumuş olan çocukla kendimi daha fazla özdeşleştirmekten ve bu sinir bozucu müzede Canan'ın duygusallaşıp yeniden ağlamasından korktuğum için fazla sokulmak istemedim. Ama raflara düzenle dizilmiş dergilerin sırtları, solmuş olsalar da fazla fazla tanıdık gelen renkleri ve bir içgüdüyle kendiliğinden uzanıveren elimin alıp okşadığı kapak resmi bendeki direnişi kırdı.

Kapakta, yalçın kayalıklarla sarılı dik bir uçurumun kenarındaki oniki yaşlarında bir çocuk bir eliyle, yaprakları tek tek çizilmiş, ama kapak baskısı iyi yapılmadığı için yeşilleri dışarı taşmış bir ağacın kalın gövdesine sarılıyor, diğer eliyle de dipsiz uçuruma düşmekte olan kendi yaşında sarışın bir çocuğu son anda elinden yakalayıp kurtarıyordu. Çocuk kahramanların ikisinin yüzünde de bir dehşet ifadesi vardı. Arkada ise, kurşuni ve mavi renklere boyanmış vahşi Amerikan doğasında bir akbaba bir kötülük olmasını, kan akmasını bekleyerek uçuyordu.

Çocukluğumda sık sık yaptığım gibi, sanki ilk defa görüyormuşum gibi kapaktaki başlığı yüksek sesle heceledim: NEBİ NEBRASKA'DA. Derginin sayfalarını acele acele çevirirken, Rıfkı Amca'nın ilk eserlerinden olan bu resimli romanda anlatılan serüvenleri hatırladım.

Küçük Nebi, Chicago'da açılan Dünya Fuarı'nda Müslüman çocuklarını temsil etmek için padişahça görevlendirilir. Chicago'da tanıdığı kızılderili kökenli Tom adlı bir çocuk ona başının belada olduğunu anlatır, birlikte Nebraska'ya giderler.

Dedelerinin yüzyıllardır bizon avladığı topraklara göz diken beyazlar, Tom'un kızılderili kabilesini alkole alıştırmakta, kabilenin yoldan çıkmaya eğilimli gençlerinin eline konyak şişesiyle birlikte silah vermektedirler. Nebi ile Tom'un çözdükleri kumpas acımasızdır: Barışçı kızılderilileri sarhoş edip isyan ettirmek, sonra isyancıları Federal Ordu'nun askerlerince ezdirip bu topraklardan kovmak. Tom'u uçuruma iterken kendi uçuruma düşen bar ve otel sahibi zenginin ölümüyle çocuklar kabileyi bu tuzağa düşmekten kurtarırlar.

Adı tanıdık geldiği için Canan'ın kapıp karıştırmaya başladığı *Mari ile Ali*'de de Amerika'ya gitmiş İstanbullu bir çocuğun maceraları vardı. Galata'dan macera hevesiyle bindiği bir buharlı gemiyle vardığı Boston rıhtımında Ali, hıçkıra hıçkıra ağlayarak Atlas Okyanusu'na bakan Mari'yi tanıyor, üvey annesinin evden attığı bu kızın babasını bulmak üzere birlikte Batı'ya doğru yolculuğa çıkıyorlardı. *Tom Miks* dergilerindeki çizimleri hatırlatan St. Louis sokaklarından geçiyorlar, Rıfkı Amca'nın karanlık köşelerine kurt gölgeleri yerleştirdiği beyaz yapraklı Iowa ormanlarını aşıyorlar ve bir noktadan sonra bütün silahşör kovboyların, trenlere saldıran soyguncuların, kervanları kuşatan kızılderililerin arkada kaldığı güneşli bir cennete varıyorlardı. Bu yemyeşil ve apaydınlık vadide Mari mutluluğun, babasını bulmasında değil, Ali'den öğrendiği geleneksel Doğu değerlerini Huzur'u, Tevekkül'ü ve Sabır'ı kavramakta olduğunu anlayarak bir görev duygusuyla Boston'a kardeşinin yanına dönüyordu. Ali ise, "adaletsizlik ve kötü insanlar, aslında, dünyanın her yerinde var!" diye düşünüyordu, İstanbul özlemiyle bindiği yelkenli gemiden arkada bıraktığı Amerika'ya bakarken. "Önemli olan insanın içindeki iyiliği koruyacak bir hayat yaşayabilmesidir."

Canan sandığım gibi kederlenmemiş, bana çocukluğumun soğuk ve karanlık kış akşamlarını hatırlatan bir mürekkep kokusuyla kokan sayfaları çevirirken neşelenmişti. Ona bu dergileri benim de çocukluğumda okuduğumu söyledim. Sözümdeki imayı farketmediğini düşünerek bunun Mehmet namı diğer Nahit ile aramızdaki pek çok benzerlikten biri olduğunu ekledim. Aşklarına karşılık alamayınca sevgililerini anlayışsız sanan gözü dönmüş âşıklar gibi davranıyordum galiba. Bu resimli romanları yaratan yazar-ressamın çocukluğumun Rıfkı Amca'sı olduğunu söylemek ise hiç gelmiyordu içimden. O ara Rıfkı Amca'nın içinden ise, neden bu kitapları ve bu kahramanları yaratma gereğini duyduğunu bizlere söylemek geldi.

"Sevgili çocuklar," diyordu Rıfkı Amca ilk maceralardan birinin başına koyduğu küçük bir notta. "Okul çıkışlarında, tren vagonlarında, mahallemin fakir sokaklarında sizleri ellerinizde hep o kovboy dergilerindeki Tom Miks'lerin, Bill Kid'lerin serüvenlerini okurken görüyorum. Ben de sizler gibi seviyorum o dürüst ve cesur kovboyların, rangerlerin maceralarını. Bu yüzden bir Türk çocuğunun Amerika'da kovboylar arasındaki serüvenlerini sizlere anlatırsam belki hoşlanırsınız, diye düşündüm. Hem böylelikle yalnızca Hıristiyan kahramanlarla karşılaşmaz, atalarımızın bize miras bıraktığı ahlakı ve milli değerlerimizi de cesur Türk kardeşlerinizin serüvenleri sayesinde daha çok seversiniz. İstanbullu bir fakir mahalle çocuğunun Bill Kid kadar hızlı silah çekebildiğini, Tom Miks kadar dürüst olduğunu görmek sizi heyecanlandırıyorsa gelecek maceramızı da bekleyin."

Uzun bir süre, Canan ile birlikte Rıfkı Amca'nın çizdiği dünyanın siyah beyaz kahramanlarına, gölgeli dağlarına, korkutucu ormanlarına ve tuhaf buluşlar ve alışkanlıklarla kaynaşan şehirlerine, tıpkı Amerika'nın vahşi batısında karşılaştıkları harikalara bakan Mari ve Ali gibi, sabırla, dikkatle, sessizce baktık. Avukatlık yazıhanelerinde, yelkenlilerle dolu limanlarda, uzak tren istasyonlarında, altına hücum edenler arasında padişaha ve Türklere selam söyleyen silahşörler, kölelikten kurtulup İslam'a sığınan zenciler, Şaman Türkler'in çadır yapma yöntemlerini soran kızılderili kabile şefleri ve melek kadar saf, melek kadar iyi yürekli çiftçiler ve çocuklarını gördük. Hızlı silah çeken silahşörlerin birbirlerini sinekler gibi avladıkları kanlı bir macerada, iyilikle kötülüğün sık sık kılık değiştirerek kahramanları şaşırttığı ve Doğu'nun ahlakı ile Batı'nın akılcılığının karşılaştırıldığı bazı sayfalardan sonra, alçakça arkadan kurşunlanarak öldürülen iyi yürekli cesur kahramanlardan biri, bir şafak vakti ölmeden önce, her iki dünyanın dışında bir yerde, bir eşikte melekle karşılaşacağını hissetti, ama Rıfkı Amca meleği resmetmemişti. İstanbullu Pertev ile Bostonlu Peter'in arkadaş olup bütün Amerika'nın altını üstüne getirdikleri bir dizi maceranın anlatıldığı sayıları üstüste koyup Canan'a en çok sevdiğim sahneleri gösterdim: Küçük Pertev, Peter'in de yardımıyla kurduğu bir aynalar düzeniyle bütün kasabayı soyup soğana çeviren hilekâr kumarbazın foyasını ortaya çıkarıyor ve pokere ve kumara tövbe diyen kandırılmışlarla birlikte onu kasabadan kovuyor. Teksas'taki kasaba kilisesinin tam orta yerinden petrol fışkırınca ikiye bölünen, gırtlak gırtlağa gelmek ve petrol milyarderleriyle din sömürücülerinin ağına düşmek üzere olan halkı Peter, Pertev'den öğrendiği Batılılaşmacı, aydınlanmacı bir Atatürkçü laik nutukla yatıştırıyor. Meleklerin ışıktan yapıldığını, elektriğin de sihriyle bir çeşit melek olduğunu söyleyerek Pertev, daha o zamanlarda trenlerde gazete satarak geçinmeye çalışan küçük Edison'a ampulü keşfetmek için ilk fikir elektriklenmesini veriyor.

Demiryolu Kahramanları ise Rıfkı Amca'nın kendi tutkularını ve heyecanlarını, en çok yansıttığı eseriydi. Bu macerada Pertev ile Peter'i Amerika'yı Doğu'dan Batı'ya bağlayacak demiryolcu öncülere destek olurken görüyorduk. Tıpkı 1930'lardaki, Türkiye'nin demiryol davası gibi, Amerika'yı bir uçtan bir uca geçecek olan demiryolunun yapılması da ülke için ölüm kalım meselesiydi, ama Wells Fargo araba şirketinin sahiplerinden Mobil petrol şirketinin adamlarına, topraklarından demiryolun geçmesini istemeyen papazlardan, Rusya gibi ülkenin uluslararası hasımlarına kadar pek çok düşman, kızılderilileri kışkırtarak, işçileri greve teşvik ederek ve tıpkı İstanbul'un banliyö trenlerinde yapıldığı gibi, gençlere kompartmanların koltuklarını jilet ve bıçaklarla parçalattırarak demiryolcuların aydınlanmacı çabasını baltalamaya çalışıyorlardı.

"Demiryolu davası başarısızlığa uğrarsa," diyordu bir konuşma balonunda telaşlı Peter, "ülkemizin kalkınması suya düşecek ve kaza denen şey bir kader olacaktır. Sonuna kadar savaşmamız gerekiyor Pertev!"

Büyük balonları dolduran iri harflerin ardından gelen o kocaman ünlemleri ne kadar da severdim! "Dikkat!" diye bağırırdı Pertev Peter'e ve kalleşin tekinin arkadan attığı bıçak sırtına saplanmadan o kendini yana atardı. "Arkanda!" diye bağırırdı Peter Pertev'e ve Pertev hiç o yöne bakmadan arkasına doğru bir yumruk savurur, demiryol düşmanının çenesini bulurdu. Bazan da Rıfkı Amca araya girer, resimler arasına açtığı küçük kutucuklar içerisine ANSIZIN diye yazardı kendi gibi ince bacaklı harfleriyle, FAKAT O DA NESİ diye yazardı, AMA BİRDENBİRE diye yazardı ve kocaman bir ünlem koyar ve beni ve anlıyordum ki bir zamanlar adı Nahit olan Mehmet'i hikâyenin içine çekerdi.

Ünlemli cümlelere dikkat ettiğimiz için olacak bir ara Canan'la sonu ünlemle biten bir konuşma balonunu okuduk.

"Kitapta yazan şeyler, benim için çok gerilerde kaldı!" diyordu kendini okuma yazma seferberliğine adamış bir kahraman, bütün hayatı başarısızlığa uğrayınca kapandığı kulübesinde ziyaretçileri Pertev ile Peter'e.

Bütün iyi niyetli Amerikalıların sarışın ve çilli, bütün kötülerin ağızlarının yılık olduğu, herkesin birbirine her fırsatta teşekkür ettiği, bütün ölüleri akbabaların didik didik edip yediği, bütün kaktüslerin içinden susuzluktan ölmekte olanları kurtaran sular çıktığı bu sayfalardan Canan'ın uzaklaştığını görünce kendimi toparladım.

Hayata yeniden bir Nahit olarak başlama hayalleri kuracağıma, Nahit'in ortaokul karnelerine, ve kimlik kartındaki resmine bakarak içlenen Canan'ı yanlış hayallerden kurtarmalıyım, dedim kendi kendime. Talihsizliğin ve düşmanlarının köşeye sıkıştırdıkları iyi bir kahramanına Rıfkı Amca'nın bir kutucuğun içinde ANSIZIN! deyip yardım yetiştirmesi gibi, ansızın odaya Gülizar girdi ve babasının bizi beklemekte olduğunu söyledi.

Bundan sonra başımıza gelecekler konusunda hiçbir fikrim yoktu, Canan'a bundan sonra nasıl yaklaşabileceğimin hesaplarını dayandırabileceğim bir tutamak bile yoktu aklımda. O sabah vakti Mehmet'in Nahit olduğu yılların müzesinden çıkarken bir an iki içgüdüsel düşünce belirdi aklımda: Olay yerinden kaçmak istiyordum ya da Nahit olmak istiyordum.

9

Bu iki istek, daha sonra, biz ikimiz topraklarında uzun bir yürüyüşe çıktığımızda Dr. Narin tarafından bana birer hayat seçeneği olarak cömertçe sunuldu. Babaların, sonsuz hafızaları ve kayıt defterleri olan tanrılar gibi, oğullarının aklından geçen her şeyi bilmeleri bir rastlantıdır. Çoğu zaman oğullarına ve oğullarına benzettikleri sıradan yabancılara kendi gerçekleşmemiş tutkularını yansıtırlar, o kadar.

Müzeyi gördükten sonra Dr. Narin'in benimle başbaşa yürümek, konuşmak istediğini anladım. Belli belirsiz bir rüzgârda dalgalanan buğday tarlalarının kenarından, meyveleri küçük ve ham elma ağaçlarının altından ve uykulu birkaç koyunla sığırın olmayan yeşillikleri kokladığı bakımsız topraklardan geçtik. Dr. Narin bana köstebeklerin açtığı çukurları gösterdi, yaban domuzlarının ayak izlerine dikkatimi çekti ve kasabanın güneyindeki topraklardan meyve bahçelerine doğru, küçük, düzensiz kanat darbeleriyle uçan kuşların ardıç olduğunu nasıl anlamam gerektiğini açıkladı. Eğitici, sabırlı ve şefkatten hiç de uzak olmayan bir sesle başka pek çok şeyi de açıkladı.

Aslında doktor değildi. Bir vidanın sekizgen somunu, manyetolu telefonun çevriliş hızı gibi ufak tefek tamir işlerinde yararlı olan ayrıntılara dikkat ettiği için, askerde arkadaşları vermişti bu lakabı ona. Eşyaları sevdiği, onlara bakmaktan hoşlandığı, her nesnenin benzersizliğini keşfetmeyi yaşamanın en büyük nimeti olarak gördüğü için bu adı benimsemişti. Tıp değil, milletvekili babasının isteğine uyarak hukuk okumuştu; kasabada avukatlık yapmış, babasının ölümünden sonra işaret parmağıyla bana gösterdiği bu topraklar, bu ağaçlar kendisine kalınca dilediği gibi yaşamak istemişti. Dilediği gibi: Kendi seçtiği, kendi alıştığı, kendi anladığı eşyalar arasında. Kasabadaki dükkanını bu amaçla açmıştı.

Kararsız bir güneşin yarısını ısıtmadan aydınlattığı bir tepeye doğru çıkarken, Dr. Narin bana eşyaların bir hafızası olduğunu söyledi. Tıpkı bizler gibi nesnelerin de aslında başlarından geçen şeyleri, hatıralarını kaydeden, saklayan bir yanları vardı, ama çoğumuz bunun farkında bile değildik. "Eşyalar, birbirini sorar, birbiriyle anlaşır, fısıldaşır ve aralarında gizli bir ahenk kurar, dünya dediğimiz bu müziği oluştururlar," dedi Dr. Narin. "Dikkat eden duyar, görür, anlar." Yerden aldığı kurumuş bir dalın üzerindeki kireçli lekelerden ardıçların buralarda yuva yaptığını, çamur izlerinden iki hafta önce yağan yağmuru ve dalın hangi rüzgârla, ne zaman kırılmış olacağını bana açıkladı.

Kasabadaki dükkanında yalnız Ankara'dan, İstanbul'dan değil, Anadolu'nun her yanındaki imalathanelerden getirdiği malları satarmış: Hiç aşınmayan biley taşları, halılar, demircilerin döverek şekillendirdiği kilitler, gaz ocakları için mis kokulu fitiller, basit buzdolapları, en iyi keçeden külahlar, RONSON çakmak taşları, kapı kulpları, benzin bidonundan bozularak yapılmış sobalar, küçük akvaryumlar, aklına ne gelirse ve bir aklı olan her şey. Bütün temel insani ihtiyaçların insanca karşılandığı dükkanda geçen o yıllar hayatının en mutlu yıllarıymış. Üç kızdan sonra bir de erkek evladı olunca daha da mutlu olmuş. Yaşımı sordu, söyledim. Oğlu öldüğünde benim yaşımdaymış.

Yamacın aşağılarından bir yerden, göremediğimiz bazı çocukların bağrışmaları geliyordu. Güneş hızla yaklaşan ısrarlı ve karanlık bulutların arkasında kaybolduğu zaman, uzaktaki kel bir düzlükte futbol oynayan çocukları gördük. Topa vuruşlarıyla vuruş sesinin işitilmesi arasında bir-iki saniye geçiyordu. Bazılarının küçük hırsızlıklar yaptıklarını söyledi Dr. Narin. Büyük uygarlıkların yıkılışı ve hafızaların çözülüşüyle birlikte ahlaksızlığa ilk kapılanlar çocuklar olurlarmış. Onlar eskiyi daha çabuk ve acısız unutur, yeniyi daha kolay düşlerlermiş. Çocukların kasabadan geldiklerini ekledi.

Oğlundan sözederken içimi bir öfke kapladı. Neden bu kadar gurur düşkünü olur babalar? Neden bu kadar bilinçsizce zalim? Gözlerinin, gözlüklerinin arkasında, –gözlükleri yüzünden– olağanüstü küçük durduklarını farkettim. Bu gözlerden oğlunda da olduğunu hatırladım.

Çok zekiymiş oğlu, çok parlak. Dörtbuçuk yaşında okumaya başlamış, üstelik gazeteyi başaşağı çevirince tersinden de harfleri seçip okuyabilirmiş. Kurallarını kendi koyduğu küçük çocuk oyunları keşfeder, babasını satrançta yener, iki kere okuduğu üç kıtalık bir şiiri hemen ezberlermiş. Oğlunu kaybetmiş iyi satranç oynayamayan bir babanın hikâyeleri olduğunun çok iyi farkındaydım bunların, ama gene de zokayı yiyordum. Birlikte Nahit'le nasıl ata bindiklerini anlatırken, hayalimde ben de onlarla ata biniyordum; bir ara ortaokul yıllarında Nahit'in nasıl kendini dine verdiğini hikâye ederken ben de hayalimde onun gibi nineyle birlikte soğuk kış gecesinde sahura kalkıyordum; onun gibi, babasının onun yaptığını hatırlayıp anlattığı gibi, çevremdeki yoksulluğa, cehalete, budalalığa ben de acıyla karışık bir öfke duydum; duymuştum evet! Dr. Narin anlatırken, ben de Nahit gibi, bütün bu parlak niteliklerime rağmen, derin bir iç dünyası olan bir genç olduğumu da hatırladım. Evet, bazan, bir kalabalık içerisinde, ellerinde bardaklar, sigaralar, herkes bir şaka yapmayı, bir an dikkati çekmeyi kurarken, Nahit bir köşeye çekilir, sert bakışlarını yumuşatan içli düşüncelere dalarmış; evet, en olmadık zamanlarda hiç farkına varmadığımız birinin içindeki cevheri sezer, ortaya çıkarır ve onunla –kasaba lisesindeki hademenin oğluyla, ya da sinemanın makineye hep yanlış bobini takan meczup ve şair makinistiyle– arkadaş olurmuş. Ama kendi dünyasından vazgeçmesi anlamına da gelmezmiş bu dostluklar. Aslında herkes onunla dost, arkadaş, bir çeşit yakın olmak istermiş çünkü. Dürüstmüş, yakışıklıymış, büyüklerine saygı duyar, kendinden küçükleri...

Uzun bir süre Canan'ı düşündüm; bir çeşit sürekli aynı kanalı gösteren televizyon gibi hep düşünüyordum, ama bu sefer, başka bir koltukta otururken düşündüm; belki de kendimi bir başka türlü görmeye başladığım için.

"Sonra birden bana karşı çıktı," dedi Dr. Narin, tepeye vardığımızda. "Çünkü bir kitap okumuş."

Tepedeki selvi ağaçları sert olmayan, ama serin ve kokusuz rüzgârda kıpırdanıyorlardı. Selvilerin ötesinde bir yükselti; kaya ve taş parçaları vardı. Önce mezarlık sanmıştım, ama tepeye varınca, düzgün kesilmiş büyük taşlar arasında yürürken, Dr. Narin, bir zamanlar burada bir Selçuklu hisarı olduğunu açıkladı. Karşı yamaçları, üzerinde selvilerle birlikte gerçekten bir mezarlık olan karanlık bir tepeyi, buğday tarlalarıyla ışıltılı düzlükleri, rüzgârın estiği ve karanlık yağmur bulutlarının iyice kararttığı yükseltileri ve bir köyü işaret etti: Hisar da dahil hepsi şimdi onundu.

Bütün bu canlı toprağa, selvilere, kavaklara, canım elma ve çam ağaçlarına, bu hisara, babasının onun için hazırladığı düşüncelere ve bunların hepsine bütünüyle uygun düşen bir dükkan dolusu eşyaya sırtını döner ve babasına bir daha onu görmek istemediğini, peşine adam salmamasını, kendisini izletmemesini, kaybolmak istediğini neden yazar bir genç? Dr. Narin'in yüzünde bazan öyle bir bakış beliriyordu ki, bana, benim gibi olanlara, bütün dünyaya bir iğne mi soktuğunu, yoksa bütün bu lanet dünyadan çoktan vazgeçmiş küskün ve sağır bir adam mı olduğunu çıkartamıyordum. "Hepsi kumpas yüzünden," dedi. Bir büyük kumpas varmış, kendisine, düşüncesine, bütün hayatını verdiği eşyalarına, bu ülke için hayati olan her şeye karşı.

Benden açıklayacaklarını dikkatle dinlememi istedi. Söyleyeceklerinin ücra bir kasabada sıkışıp kalmış bir ihtiyar bunağın hezeyanları, oğlunu kaybetmiş bir babanın acıyla kurduğu hayaller olmadığından emin olmalıymışım. Emindim. Dikkatle dinledim, belki aklım oğluna ve Canan'a gittiği için, belki böyle durumlarda herkes öyle yapacağı için, bazan ipin ucunu kaçırarak da olsa.

Uzun bir süre eşyaların hafızasından sözetti; neredeyse elle tutulur bir şeyden söz eder gibi hırslı bir inançla, eşyaların içine sıkışmış zamanı anlattı. Eşyalardan, basit bir kaşıktan ya da bir makastan, onları tutan, okşayan, kullanan bizlere geçen sihirli, gerekli ve şiirsel bir zamanın varlığını Büyük Kumpas'tan sonra farketmiş. Özellikle, kaldırımları hepsi bir örnek, hepsi aynı ruhsuz, ışıksız yeni nesneler ve onları vitrinlerinde sergileyip kokusuz dükkanlarında satan bayiler sardığı zaman. Önce gaz ocaklarını, yani o düğmeli şeyleri alevlendiren gözükmez sıvı gazı satan AYGAZ bayiine, sentetik kar beyazı buzdolapları satan AEG bayiine önem vermemiş. Hatta bildiğimiz kaymaklı yoğurt yerine MİS yoğurt –pis gibi söylemişti bunu– ve vişne şurubu ya da ayran yerine düzgün, temiz kamyonlarla, önce kravatsız sürücülerin getirdiği taklit MR TÜRKCOLA ve sonra kravatlı ve hakiki bay COCA-COLA gelince bir ara kendisi de budalaca bir hevesle bir bayilik almayı – mesela çam tutkalı yerine tüpünün üzerinde her şeyi yapıştırmak isteyen şirin bir baykuşun gözüktüğü Alman UHU, killi toprak yerine kokusu da kutusu kadar tahripkâr olan LUX sabununu– düşünmüş. Ama bu nesneleri, huzurla başka bir zamanı yaşayan dükkanına koyar koymaz anlamış artık yalnız saati değil, zamanı da şaşırdığını. Yalnız kendisi değil, yandaki kafese konan arsız sakalardan rahatsız olan bülbüller gibi, kendi eşyaları da bu ışıltısız bir örnek şeylerin yanında huzurlarını kaybettikleri için bayilikten vazgeçmiş. Dükkanına yalnızca sineklerin ve ihtiyarların uğramasına aldırış etmemiş, kendi hayatını ve zamanını yaşamak istediği için atalarının yüzyıllardır bildiği, tanıdığı eşyaları satmaya başlamış gene.

Hâlâ kimisiyle arasıra ilişki kurduğu, bazılarıyla dostluk ettiği bayileri ve onların maşası olduğu Büyük Kumpas'ı alışıp unutacakmış belki de. Tıpkı Coca-Cola içip deliren, ama herkes içip delirdiği için delirdiğini farketmeyenler gibi. Üstelik dükkanı, kendi eşyaları –ütüleri, çakmakları, koku yapmaz sobaları, kuş kafesleri, ahşap küllükleri, mandalları, yelpazeleri, daha neler neler– kendi aralarında oluşturdukları sihirli müziğin ahenginden olsa gerek, Bayiler Kumpası'na karşı ayaktaymışlar. Kendi gibi başkaları, Konya'dan kravatlı bir kara adam, Sivas'tan bir emekli paşa, Trabzon'dan ve evet Tahran'dan, Şam'dan ve Edirne'den ve Balkanlar'dan başka kırık kalpli, ama imanlı bayiler de kumpasa karşı çıkıp ona katılıyorlarmış ve kendi yeni eşya düzenlerini ve kırık kalpli bayiler teşkilatını kuruyorlarmış. İşte tam o sırada, İstanbul'da tıp okuyan oğlundan o mektupları almış: "Beni arama, beni izletme, ben yok oluyorum!" diye alaycılıkla tekrarladı Dr. Narin ölü oğlunun isyankâr sözlerine duyduğu öfkeyle.

Dükkanıyla, fikriyle, zevkiyle başedemeyeceklerini anlayınca büyük kuvvetlerin, Büyük Kumpasçılar'ın, oğlunu ele geçirip kendisini –ben, Dr. Narin'i, dedi gururla–, çökertmek için bu yolu denediklerini anlamış hemen. Böylece oğlunun mektubunda yapmasını istemediği şeyleri yaparak işi tersine çevirmek istemiş. Peşine adam takmış, oğlunun her davranışını izleyip raporlar yazmasını istemiş. Sonra birincisini yeterli bulmayıp ikinci, üçüncü adamlarını da yollamış oğlunun arkasından. Onlar da raporlar yazmaya başlamışlar. Sonradan yolladığı diğerleri de... Bu raporları okuyunca, bu memleketi, bizim ruhumuzu yıkıp yok etmek, hafızamızı silmek isteyenlerin Büyük Kumpas'ının varlığından bir kere daha emin olmuş.

"Raporları siz de okuyunca anlayacaksınız dediğimi," dedi. "Onlarla ilgili herkesin her şeyin izlenmesi gerekiyor. Devletin yapması gereken bir büyük işi ben yapıyorum. Yapabiliyorum, çünkü artık beni seven, bana inanan pek çok kalbi kırık insan var."

Üzerine çıktığımız tepeden gözüken ve bütünü Dr. Narin'in mülkü olan küçük kartpostal coğrafyanın hepsi şimdi güvercin grisi bulutların altındaydı. Kesin ve pırıl pırıl görüntü, mezarlığın yerleştiği tepeden başlayarak, bir çeşit soluk safran rengi bir titreşimin içinde kayboluyordu. "Orada yağmur yağıyor," dedi Dr. Narin. "Ama buraya gelmeyecek." Yüksek bir tepeden varoluşun kendi iradesiyle kıpırdanan hareketine bakan bir Tanrı gibi konuşmuştu, ama böyle konuştuğunun farkında olduğunu gösteren bir çeşit şakacılık, kendine dönük bir alay da vardı sesinde. Bu belli belirsiz ince mizahın oğlunda hiç mi hiç olmadığına karar verdim. Dr. Narin'i sevmeye başlamıştım.

Bulutlar arasında ipince ve kırılgan şimşekler gidip gelirken Dr. Narin oğlunu kendisine karşı çıkaran şeyin bir kitap olduğunu bir kere daha söyledi. Oğlu bir gün bir kitap okumuş ve bütün dünyasının değiştiğini sanmış, "Ali Bey," dedi bana, "siz de bir bayi oğlusunuz, siz de yirmi yaşlarındasınız, söyleyin bana: İnsanın bütün dünyasını değiştirecek bir kitap, bugün mümkün müdür böyle bir şey?" Sustum, gözümün ucuyla Dr. Narin'i süzerek. "Böyle kuvvetli büyü, günümüzde hangi reçeteyle gerçekleşebilir?" Bir düşüncesini kuvvetlendirmek için değil, ilk defa gerçekten benden bir cevap almak için soruyordu, korkuyla sustum. Bir an arkamdaki hisarın taşlarına doğru değil de, bana doğru, üzerime üzerime yürüyor sandım. Birden durdu ve yerden bir şey kopardı.

"Gel bak, ne buldum," dedi. Yerden koparttığı şeyi avucunun içinde bana gösterdi. "Üç yapraklı bir yonca," dedi gülümseyerek.

Dr. Narin kitabın ve yazının bu saldırısı üzerine, Konyalı kravatlı adamıyla, Sivas'daki emekli paşasıyla, Trabzon'daki Halis beyiyle Şam'dan, Edirne'den, Balkanlar'dan ses veren öteki kırık kalpli dostlarıyla ilişkilerini kuvvetlendirmiş. Büyük Kumpas'a karşı onlar birbirlerinden mal alıp satmaya, başka kırık kalpli kardeşlere açılmaya ve Büyük Kumpas'ın maşalarına karşı dikkatli, insanca ve alçakgönüllülükle örgütlenmeye başlamışlar. Bu sefalet ve unutuluş günlerinden sonra, kurtuluş günü çatınca hafızamızı, "bu en büyük hazinemizi" kaybetmiş şaşkınlar gibi çaresiz kalmayalım ve "yok edilmek istenen kendi saf zamanımızın hükümranlığını" yeniden zaferle kuralım diye, Dr. Narin bütün dostlarından, eşyalarını, ellerinin, kollarının uzantıları olan ve ruhlarını şiir gibi tamamlayan o hakiki şeyleri, ince belli çay bardaklarını, yağdanlıkları, kalem kutularını, yorganlarını, "hangi eşya seni gerçek kılıyorsa işte onu" saklamalarını istemiş. Böylece dükkanlarda, – eğer belediye mevzuatı denilen devlet terörüyle dükkanlarda saklamak yasaklanmışsa– evlerinde, bodrumlarda, hatta bahçelerde kazılan çukurlarda, yeraltında, herkes kendine göre, eski hesap makinelerini, sobalarını, boyasız sabunları, cibinlikleri, sarkaçlı saatleri saklamış.

Dr. Narin, arada bir benden uzaklaşıp kendi kendine aşağı yukarı yürüdüğü için hisar kalıntılarının arkasındaki selvi ağaçlarının içinde kaybolunca onu bekledim. Yüksek çalılar ve selviler arkasında gizlenen bir tepeye doğru yürüdüğünü görünce ona yetişmek için arkasından koştum. Eğrelti otları ve dikenli çalılarla kaplı hafif bir meyil indik, dik bir yokuş çıkmaya başladık. Dr. Narin önden gidiyor, anlattıklarını işiteyim diye bazan beni bekliyordu.

Madem ki, demiş dostlarına, Büyük Kumpas'ın bilinçli ve bilinçsiz maşaları, piyonları, bize yazıyla, kitapla saldırıyorlar, biz de ona göre tedbirlerimizi alalım. "Hangi yazı?" diye sordu bana, bir kayadan ötekine çevik bir izci gibi atlarken, "Hangi kitap?" Düşünmüş. Nasıl inceden inceye düşündüğünü, bunun kendisi için ne kadar uzun bir zaman tuttuğunu göstermek ister gibi, bir süre sustu. Paçalarımdan yakalanıp kaldığım dikenli bir çalılıktan elini uzatıp beni çıkarırken açıkladı. "Yalnız o kitap, oğlumu kandıran o kitap değil. Matbaadan çıkmış bütün kitaplar, hepsi bizim zamanımızın, bizim hayatımızın düşmanıdır."

Kalemle yazılan, kalemi tutan elin bir parçası olan, eli harekete geçiren kafayı mutlu eden ve o kafayı ışıldatan ruhun kederini, merakını, şefkatini ifade eden yazı değilmiş onun karşı çıktığı. Fareleriyle başedemeyen cahil çiftçiyi bilgilendiren, yolunu kaybetmiş dalgına tutacağı yolu, ruhunu kaybetmiş şaşkına atalarını, dünyayı hiç tanımayan çocuğa resimli hikâyelerle dünyayı ve sunduğu serüvenleri gösteren, eğiten kitaplara da karşı değilmiş, hatta o kitaplar, çok eskiden olduğu gibi şimdi de gerekliymiş, çok yazılsalar iyi de olurmuş. Dr. Narin'in karşı çıktığı, ışıltısını, sahihliğini, hakikatını kaybetmiş kitaplarmış ki onlar bir de ışıltılı, sahih ve hakikiymiş gibi yaparlarmış. Bize bu sınırlı dünyanın duvarları içinde cennetin sihrini ve huzurunu bulacağımızı söyleyen kitaplarmış ki, onları Büyük Kumpas'ın piyonları —bir tarla faresi, kaşla göz arasında kaçtı gitti— bize hayatımızın şiirini ve inceliğini unutturmak için matbaalarda basıp basıp yayarlarmış. "İspatı mı?" dedi soruyu sanki ben soruyormuşum gibi bana kuşkuyla bakarak. "İspatı mı?" Üzeri kuş pislikleriyle kaplı kayaların, cılız meşe ağaçlarının arasından kıvrılarak hızla tırmanıyordu.

İspatı için İstanbul'daki, bütün ülkedeki adamlarına, casuslarına yaptırdığı araştırmaların tutanaklarını okumalıymışım. Kitabı okuduktan sonra oğlu, pusulayı şaşırıp babasına, ailesine sırt çevirmekten başka —haydi gençliktir diyelim bu meydan okumaya— hayatın bütün zenginliğine, yani "zamanın gizli simetrilerine", yani "eşyaların bütün teferruatına" gözlerini kapatan bir çeşit "körlüğe", bir çeşit "ölüm saplantısına" kapılmış. "Bütün bütün bir kitabın işi mi bu?" diye sordu Dr. Narin. "O kitap Büyük Kumpas'ın yalnızca küçük bir aracı."

Gene de ama, kitabı ve yazarını hiç küçümsemediğini söyledi önce. Dostlarının, casuslarının yazdığı raporları, tuttuğu tutanakları okuduğumda bu adamın ve kitabının, amaçları dışında kullanıldıklarını görecekmişim. Yazar zavallı bir emekli memur, yazdığı kitabı savunacak kadar cesareti bile olmayan zayıf bir kişilikmiş. "Batı'dan gelen rüzgârların, hafızalarımızı boşaltan unutma vebasını bize bulaştıranların bizden istediği zayıf bir kişilik... Zayıf biri, silik biri, bir hiç! Yok oldu gitti, tahrip edildi, yeryüzünden silindi." Kitabın yazarının öldürülmesinden üzüntü duymadığını tane tane söyledi.

Uzun bir süre hiç konuşmadan bir keçi yolunu izleyerek tırmandık. Yavaş yavaş yer değiştiren, ama ne yaklaşan, ne de uzaklaşan yağmur bulutları arasında ipeksi şimşekler gidip geliyordu, ama sesi kısılmış bir televizyonu seyrederken olacağı gibi, hiçbir gürültü duymuyorduk. Tepeye varınca yalnız Dr. Narin'in topraklarını değil, aşağıdaki düzlükte çalışkan bir evhanımının kurduğu sofra gibi derli toplu duran kasabayı, kırmızı kiremitli damları, ince minareli camiyi, sokakların özgürce yayılışını ve kasabanın dışındaki, düzgün sınır çizgileriyle birbirinden ayrılmış buğday tarlalarıyla, meyve bahçelerini de gördük.

"Sabahları gün beni uyandırıp karşılamadan önce, ben uyanır

günü karşılarım," dedi Dr. Narin manzaraya bakarken. "Dağlar arkasından sabah gelir, ama başka yerlerde güneşin çoktan doğduğunu insan kırlangıçlarla birlikte anlar. Sabahları bazan taa buraya kadar yürür, beni selamlayan güneşi karşılarım. Doğa durgun olur, arılar, yılanlar daha ortaya çıkmamıştır. Ben ve dünya, birbirimize, neden varolduğumuzu, neden bu saatte burada olduğumuzu, amacın, en büyük amacın ne olduğunu sorarız. Pek az ölümlü bunları doğayla birlikte düşünür. İnsanlar düşünürlerse eğer, başkalarından duydukları, ama kendilerinin sandıkları zavallı birkaç düşünce vardır akıllarında, doğaya bakıp keşfettikleri şeyler değil. Hepsi zayıftır, siliktir, kırılgandır."

"Ayakta kalmak için güçlü ve kararlı olmak gerektiğini Batı'dan gelen Büyük Kumpas'ın varlığını keşfetmeden önce de anlamıştım," dedi Dr. Narin. Kederli sokaklar, sabırlı ağaçlar, solgun lambalar bana aldırmıyorlardı, ben de eşyalarımı topladım, kendi zamanıma çekidüzen verdim; tarihe ve tarihe hükmetmek isteyenlerin oyununa boyun eğmedim. Neden eğeyim? Kendime inandım. Kendime inandığım için benim irademe ve hayatımın şiirine başkaları da inandı. Onları istekle kendime bağladım. Böylece onlar da kendi zamanlarını keşfettiler. Birbirimize bağlandık. Şifrelerle haberleştik, sevgililer gibi mektuplaştık, gizli gizli toplandık. Güdül'deki ilk bayiler toplantımız, yıllar süren bir mücadelenin, iğneyle kuyu kazar gibi sabırla işlenmiş, tasarlanmış bir hareketin, bir örümcek ağı dikkatiyle, titizlikle örülmüş bir teşkilatın zaferidir Ali Bey! Artık Batı ne yapsa bizi yolumuzdan döndüremez!" Bir sessizlikten sonra ekledi: Ben genç ve güzel karımla Güdül'den salimen ayrıldıktan üç saat sonra, şehirde yangınlar başlamış. İtfaiyenin onca devlet desteğine rağmen başarısızlığa uğraması rastlantı değilmiş. Çünkü isyancılarda, gazetelerin kışkırttığı çapulcularda, ruhlarının, kendi şiirlerinin, hatıralarının çalındığını sezgileriyle anlayan kırık kalpli dostlarının gözyaşları ve öfkesi varmış. Arabaların yakıldığını, silahların patladığını, bir kişinin – bir kardeşlerinin de öldüğünü biliyor muydum? Tabii bütün bu kışkırtmayı Ankara'yla ve yerel partilerle birlikte düzenleyen kaymakam, kamu düzenini tehdit ettiği gerekçesiyle kırık kalpli bayiler toplantısını yasaklamıştı.

"Ok artık yaydan çıktı," dedi Dr. Narin. "Boyun eğecek değilim. Toplantıda Melekler konusunun tartışılmasını da ben istedim. Bizim kendi ruhumuzu ve çocukluğumuzu yansıtan bir televizyonun yapılmasını da ben istedim, ben yaptırttım o aracı. Oğlumu elimden alan kitap benzeri kötülüklerin, çıktıkları deliğe, kaynadıkları habis çukura kadar izlenip yok edilmesini de ben istedim. Her yıl yüzlerce, yüzlerce gencimizin bu tür oyunlarla 'bütün hayatının değiştirildiğini', ellerine bir, bilemediniz iki kitap verilerek 'bütün dünyalarının şaşırtıldığını' öğrendik. Her şeyi tek tek ben düşündüm. Toplantıya gitmemem de bir rastlantı değildir. O toplantının bana sizin gibi bir genci kazandırması, bu lütuf da karşılıksız bir talih değildir. Her şey önceden düşündüğüm gibi yerli yerine oturuyor... Oğlum bir trafik kazasıyla elimden alındığında sizin yaşınızdaydı... Bugün ayın ondördü. Oğlumu ayın ondördünde kaybetmiştim."

Dr. Narin iri avucunu açınca içindeki yoncayı gördüm. Sapından tutup, bir an onu dikkatle inceledikten sonra hafifçe esen bir rüzgâra bıraktı. Belli belirsiz rüzgâr yağmur bulutlarının yönünden esiyordu; ama estiği için değil, serinliği yüzünden sanki varlığını farkediyordum. Güvercin renkli bulutlar ise sanki bir çeşit kararsızlıkla oldukları yerde kalakalmışlardı. Kasabadan çok uzaklarda bir yerde hafif sarımsı soluk bir ışık, bir kaynama vardı. Dr. Narin yağmurun "şimdi" orada yağdığını söyledi. Tepenin öteki tarafındaki kayalık uçurumun kenarına vardığımızda mezarlık üzerindeki bulutların açıldığını gördük. Yer yer korkunçlaşan dik kayalıklar arasına yuva yapmış bir çaylak, bizi farkedince telaşla havalandı ve Dr. Narin'in arazisi üzerinde, geniş bir yay çizmeye başladı. Kanatlarını neredeyse hiç çırpmayan kuşu sessizce, saygıyla, bir çeşit hayranlıkla izledik.

"Bütün bu arazide," dedi Dr. Narin. "Yıllarca tek bir kesin fikirden ilham alarak olgunlaştırdığım büyük düşüncemi, bu büyük hareketi ayakta tutacak zenginlik ve güç var. Oğlum, bütün parlaklığına rağmen, Büyük Kumpas'ın oyununa gelmeyecek ve bir kitaba kanmayacak kadar güçlü, iradeli olsaydı eğer, bugün bu tepeden bakarken benim hissettiğim gücü ve yaratıcılığı o hissedecekti. Bugün, biliyorum, aynı ilhamı ve ufku siz görüyorsunuz. Bayiler toplantısı sırasındaki kararlılığınızı bana anlatanların hiç abartmadıklarını baştan anladım. Yaşınızı öğrenince tereddüt bile etmedim; geçmişinizi öğrenmeme bile gerek yoktu. Bu yaşta, oğlumun elimden hile ve acımasızlıkla alındığı yaşta siz her şeyi, toplantıya istekle katılacak kadar anlamıştınız. Şu bir günlük tanışıklığımız bana tarihin bir kişide yarım bıraktığı iradenin hareketini, başka bir kişide tekrar başlattığını öğretti. Oğlum için yaptığım o küçük müzeyi size boşuna açmadım. Annesi ve kızkardeşleri dışında o odayı ilk gören siz oluyorsunuz. Kendinizi, kendi geçmişinizi ve geleceğinizi orada gördünüz. Bundan sonra atılması gereken adımı da bana, ben Dr. Narin'e bakarken anlıyorsunuz. Oğlum ol! Onun yerine geç. Benden sonra her şeyi sen götür. İhtiyar bir adamım, ama tutkularım daha hiç yıpranmadı: Bu hareketin devam edeceğine inanmak istiyorum. Devletle de ilişkilerim var. Bana rapor yazanlar hâlâ faal. Yüzlerce kandırılmış genci izletiyorum. Dosyaları, bütün dosyaları sana açacağım, oğlumun bütün hareketlerini izlettim, okursun. Yoldan çıkartılan ne kadar çok genç var! Babandan, ailenden kopman gerekmiyor. Silah kolleksiyonumu da görmeni istiyorum. Bana "evet" de! Evet, sorumluluğumun farkındayım, de bana. Ben yoz biri değilim, her şeyi görüyorum de. Yıllarca bir erkek çocuğum olmadı, acı çektim, sonra onu elimden aldılar, daha da ağır bir acı çektim, ama hiçbir şey bu mirası sahipsiz bırakmaktan daha ağır gelemez bana."

Uzakta, yağmur bulutları yer yer açılırlarken, Dr. Narin'in ülkesine bir sahnenin köşelerine set lambalarından düşen ışık gibi, güneş ışınları düşüyordu. Bir an aydınlanan bir arazi parçası, elma ve iğde ağaçlarıyla kaplı bir düzlük, oğlunun orada yattığını söylediği mezarlık, bir ağılın çevresindeki kıraç topraklar, kısa bir süre sonra rengini değiştiriyor ve koni biçimindeki ışık huzmesinin, telaşlı telaşlı ilerleyen bir ruh gibi sınırları tanımadan, tarlalar üzerinde hızlı hızlı birkaç adım atarak yok olduğunu da görebiliyorduk. Tepeye çıkmak için aldığımız yolun büyük bir kısmını bulunduğumuz noktadan görebildiğimizi farkedince, bakışlarım kayalık yamaç, keçi yolu, dut ağaçları, ilk tepe, ağaçlıklar ve buğday tarlaları boyunca geri geri geri gitti ve birden, kendi evini uçaktan ilk defa gören biri gibi, hayretle Dr. Narin'in konağını da gördüm. Çevresi ağaçlıklarla kaplı genişçe bir düzlüğün ortasındaydı ve o düzlükte kasabaya giden yola ve çam ağaçlarına doğru yürüyen beş küçük insandan birinin Canan olduğunu en son aldığı vişne rengi basma elbisesinden, hayır, yalnız ondan değil, yürüyüşünden, duruşundan, inceliğinden, zerafetinden, hayır, kalbimin atışlarından anladım. Birden ta uzaklarda, Dr. Narin'in küçük harika ülkesinin sınırlarının başladığı dağların kıyısında harika bir gökkuşağının oluştuğunu gördüm.

"Başkaları doğaya bakınca," dedi Dr. Narin, "orada kendi sınırlarını, yetersizliklerini, korkularını görürler. Sonra kendi zayıflıklarından korkup doğanın sınırsızlığı, büyüklüğü, derler buna. Ben ise doğada benimle konuşan, bana ayakta tutmam gereken kendi irademi hatırlatan güçlü bir tebliğ, zengin bir yazı görürüm, onu kararlılıkla, acımasızlıkla, korkusuzca okurum. Büyük adamlar, tıpkı büyük çağlar, büyük ülkeler gibi içlerinde neredeyse patlayacak kadar yüklü bir gücü toplayabilmiş olanlardır. Zamanı gelince, fırsatlar çıkınca, yeni tarih yapılacağı zaman bu büyük güç, harekete geçirdiği büyük adamla birlikte acımasızca kararını verir, kıpırdanır. O zaman kader de aynı acımasızlığıyla harekete geçer. O büyük günde kamuoyunun, gazetelerin, günün düşüncelerinin, Aygaz'ların, Lux sabunlarının, Coca-Cola ile Marlboro'nun, Batı'dan gelen rüzgârlarla kandırılmış zavallı kardeşlerimizin küçük eşyalarıyla küçük ahlakının esamisi okunmaz."

"Efendim, tutanakları okumam mümkün mü?" diye sordum.

Uzun bir sessizlik oldu. Gökkuşağı, Dr. Narin'in tozlu ve lekeli gözlüklerinde iki simetrik gökkuşağı olarak pırıl pırıl yansıyordu.

"Ben bir dahiyim," dedi Dr. Narin.

10

Konağa geri döndük. Hep birlikte yenen sakin bir öğle yemeğinden sonra, bir benzeriyle Gülcihan'ın bize sabah Mehmet'in çocukluk odasını açtığı bir anahtarla, Dr. Narin beni çalışma odasına aldı. Dolaplardan çıkardığı defterleri, raflardan indirdiği dosyaları gösterirken, bu tanıklıkların, bu casus raporlarının hazırlanmasını buyuran iradenin, bir gün bir devlet biçiminde ortaya çıkabileceğini de gözardı etmediğini söyledi. Örgütlediği casuslar bürokrasisinin de gösterdiği gibi, Büyük Kumpas'a karşı başarılı olursa Dr. Narin yeni bir devlet kuracaktı.

Gerçekten, bütün raporlar titizlikle tarihlenip dosyalandığı için olayların kalbine girmem kolay oldu. Dr. Narin oğlunun peşinden saldığı araştırmacıları birbirlerine tanıştırmamış, onların her birine, takma ad olarak bir saat markası vermişti. Çoğu Batı yapısı olmalarına rağmen, yüzyılı aşkın zamandır bizim zamanımızı gösterdikleri için Dr. Narin bu saatleri "bizim" olarak görüyordu.

İlk araştırmacı Zenith, ilk raporunu dört yıl önce Mart ayında yazmıştı. O vakitler adı hâlâ Nahit olan Mehmet İstanbul

Üniversitesi'nde Çapa'da tıp okuyordu. Zenith, bu üçüncü sınıf öğrencisinin sonbahardan başlayarak derslerinde olağanüstü bir başarısızlık gösterdiğini saptıyor, sonra araştırmalarını özetliyordu: "Adı geçenin son aylardaki başarısızlığının nedeni Kadırga'daki öğrenci yurdundan pek az çıkması, derslere, kliniklere hatta hastanelere hiç uğramamasıdır. Dosya, Nahit'in öğrenci yurdundan ne zaman çıkıp hangi pide salonuna, kebapçıya, muhallebiciye, berbere, bankaya gittiğini ayrıntılarıyla belirten tutanaklarla doluydu. Mehmet her seferinde işini gördükten sonra hiç oyalanmadan, hızlı adımlarla yurda geri dönüyor, yazdığı her ihbar mektubunda da Zenith, Dr. Narin'den "araştırmaları" için daha fazla para istiyordu.

Dr. Narin'in, Zenith'den sonra görevlendirdiği Movado Kadırga'daki öğrenci yurdunda bir yönetici olmalıydı ve yurt yöneticilerinin çoğu gibi polisle ilişkiliydi. Mehmet'i neredeyse saati saatine izleyebilen bu tecrübeli adamın taşradaki başka bazı meraklı babalara ya da Milli İstihbarat Teşkilatı'na daha önce de öğrenciler hakkında rapor yazdığını düşündüm. Çünkü yurttaki siyasi güç dengesini profesyonelce bir kıvraklık ve kısalıkla çok ustaca çizivermişti. Sonuç: Öğrenci yurdunda etkili olmak için mücadele veren, ikisi aşırı dinci, biri Nakşibendi tarikatıyla bağlantılı ve biri de ılımlı solcu öğrenci takımlarıyla Nahit'in hiçbir ilişkisi yoktu. Delikanlımız, bütün bu takımlarla sürtüşmeden, kendi halinde, kendi köşesinde, üç arkadaşıyla paylaştığı bir odada yaşıyor, "değerli efendim, tabir caizse", sabahtan akşama kadar Kuran okuyan bir hafız gibi başını hiç kaldırmadığı bir kitaptan başka hiçbir şey görmüyordu. Movado'nun siyasi ve ideolojik konularda düşüncelerine güvendiği yurt yöneticileri, polisler ve gencimizin oda arkadaşları bu kitabın siyasi ve dinci gençlerin hafızladığı tehlikeli kitaplardan biri olmadığına tanıklık etmişlerdi. Movado pek önemsemediği bu vaka hakkında,

delikanlının nasıl saatlerce odasındaki masada kitap oku-
duktan sonra pencereden dışarı dalgın dalgın baktığı ya da
yemekhanede arkadaşlarının iğnelemelerine, hatta alaylarına
nasıl gülümseyerek ya da ilgisizlikle karşılık verdiği ya da
artık her gün tıraş olmadığı türünden bir iki gözlem katmış,
ve sürekli aynı seks filmini izlemek, aynı kaseti binlerce kere
dinlemek, hep aynı kıymalı pırasayı istemek gibi gençlik
heveslerinin "geçici" olduğunu tecrübeyle efendisine
müjdelemişti.

Mayıs ayında işe başlayan Omega ise Mehmet'ten çok okuduğu
kitabın peşine düştüğüne göre, bu konuda Dr. Narin'den bir
emir almış olmalıydı. Bu da, daha ilk aylardan babasının,
Mehmet'in yani Nahit'in hayatını rayından çıkaran şeyin kitap
olduğunu doğru olarak saptadığını gösteriyordu.

Omega, aralarında, üç yıl sonra kitabı bana da satacak sergi
olmak üzere İstanbul'da kitap satılan pek çok noktayı gözden
geçirmişti. Yaptığı sabırlı araştırmalardan sonra iki kaldırım
sergisinde esere rastlamış, buradaki satıcılardan aldığı bilgiyle
sahaflardaki bir dükkana gitmiş, oradan öğrendiklerinden
de şu sonucu çıkarmıştı: Kitap'tan küçük bir miktar −150 ya
da 200 kadar− bilinmeyen bir kaynaktan, büyük ihtimal
kapanan ya da boşalan küflü bir kitap deposundan kiloyla
mal alan bir eskiciye, oradan da sahaflardaki bir dükkanla
birkaç sokak sergicisine gitmişti. Kiloyla mal alan aracı or-
tağıyla kavga etmiş, dükkanını kapatmış ve İstanbul'u terk
etmişti. Onu bulup ilk satıcıyı saptamak mümkün değildi.
Omega sahaflardaki dükkan sahibinden bu kitabın polisten
dağıldığı düşüncesini edinmişti: Kitap bir zamanlar yasal bir
şekilde yayımlanmış, savcılığın isteği üzerine toplatılıp em-
niyete bağlı bir kitap deposuna kaldırılmış, buradan da, sık
sık yapıldığı gibi, bir miktarı, parasız kalmış polis memur-
larınca çalınıp kiloyla mal alan eskicilere satılarak yeniden
dolaşıma girmişti.

Çalışkan Omega kütüphanelerde yazarın başka bir eserine rastlamadığı gibi, eski telefon rehberlerinde de izini bulamayınca şu aklı yürütmüştü: "Bizde telefon almaya parası yetmeyecek kişilerin de kitap yazmaya cüret ettikleri bilinen bir şeyse de, bu özel eserin üzerindeki adın takma olduğunu sanıyorum, efendim."

Bütün yazı boş öğrenci yurdunda kitabı yeniden yeniden okuyarak geçiren Mehmet, sonbahara doğru kitabın kaynaklarına kendisini götürecek bir araştırmaya girişmişti. Babasının bu defa peşine taktığı yeni adam takma adını Cumhuriyet'in ilk yıllarında İstanbul'da yaygın olarak kullanılan Sovyet malı cep ve masa saatlerinden almıştı: Serkisof.

Serkisof, Mehmet'in Beyazıt Devlet Kütüphanesi'nde kendini sürekli okumaya verdiğini saptadıktan sonra, Dr. Narin'e bu delikanlının sıradan öğrenci hayatına geri dönmek için yarım bıraktığı derslerini çalıştığını müjdelemişti önce. Daha sonra gencimizin kütüphanede günlerdir *Pertev ile Peter* ya da *Ali ile Mari* türünden çocuk dergilerini okuduğunu farkedince bir umutsuzluğa kapılmış, bir teselli olarak akıl yürütmüştü: Delikanlı, belki de çocukluk hatıralarına geri dönerek içine düştüğü buhrandan çıkmayı ummaktaydı.

Raporlara göre, ekim ayında Mehmet Babıali'de bir zamanlar çocuk dergisi çıkarmış ya da hâlâ çıkaran yayınevlerini ve bu dergilerde kalem oynatmış Neşati türünden kaşarlanmış yazarları ziyaret ediyordu. Dr. Narin'in takip ettirdiği gencin siyasi ve ideolojik bağlantılarını araştırdığını düşünen Serkisof, bu kişiler hakkında, "efendim, her ne kadar siyasetle ilgilenir gözükseler ve günün siyasi ve ideolojik konularında kalem oynatsalar da," diye yazmıştı, "aslında bu kalemşörlerin kalpten inandıkları hiçbir düşünceleri yoktur. Çoğu para için, eğer o yoksa, sevmediklerini üzmek için yazı yazarlar."

Bir sonbahar sabahı Mehmet'in Haydarpaşa'daki Devlet Demiryolları Personel Müdürlüğü'ne gittiğini hem Serkisof'un hem de Omega'nın raporlarından öğrendim. Birbirlerini farketmeyen iki araştırmacıdan doğru bilgi edineni Omega'ydı: "Delikanlı emekli memurlardan biri hakkında bilgi edinmek istemiş."

Dosyalanmış rapor sayfalarını hızlı hızlı çevirdim. Gözlerim telaşla benim mahallemi, benim sokağımı, benim çocukluğumun adlarını arıyordu. Mehmet'in benim oturduğum sokakta yürüdüğünü, bir evin ikinci kat pencerelerine bir akşam baktığını okuyunca yüreğim hızlandı. Sanki içine çağrılacağım harika dünyanın hazırlayıcıları, bana kolaylık olsun diye hünerlerini benim yanıbaşımda döktürmeye karar vermişlerdi, ama o zamanlar bir lise öğrencisi olan benim bunlardan hiç haberim olmamıştı.

Mehmet'in, Rıfkı Amca ile buluşması ertesi gün olmuştu. Ama bu benim çıkardığım bir sonuçtu. Mehmet'i izleyenlerin ikisi de delikanlının Erenköy Telli Kavak Sok. no. 28'deki bir eve girdiğini, içerde altı, hayır beş dakika kaldığını saptamışlar, ama hangi dairenin kapısını çaldığını, kiminle görüştüğünü saptayamamışlardı. Çalışkan Omega hiç olmazsa köşe bakkalın çırağının ağzını aramış, evde yaşayan üç aile hakkında bilgi almıştı. Sanırım Dr. Narin'in Rıfkı Amca hakkında edindiği ilk bilgi bu olmalıydı.

Rıfkı Bey ile bu görüşmesinden sonraki günlerde Mehmet, Zenith'in bile gözünden kaçmayan bir buhrana girmişti. Yurttaki odasından hiç çıkmadığını, yemekhaneye bile inmediğini, ama onu kitabı bir kere olsun okurken göremediğini yazmıştı Movado. Yurttan çıkışları ise düzensiz ve Serkisof'a göre amaçsızdı. Bir gece sabahlara kadar Sultanahmet'in arka sokaklarında dolaşmış, parkta oturup saatlerce sigara içmişti. Bir başka gece, Omega, elindeki bir kesekâğıdı dolusu üzümü, her bir taneyi bir mücevher gibi uzun uzun inceledikten sonra ağır ağır çiğneyip yutarak dört saatte bitirip yurda geri dönüşüne tanık olmuştu. Sakalları uzamış, üstüne başına bakmaz olmuştu. Araştırmacılar, raporlarında gencin yurttan çıkış saatlerinin düzensizleştiğinden yakınarak ücretlerinin artırılmasını istiyorlardı.

Kasım ortasında bir öğleden sonra, Mehmet vapurla Haydarpaşa'ya geçmiş, trene binip Erenköy'de inmiş ve sokaklarda uzun uzun yürümüştü. Peşindeki Omega'ya göre delikanlı mahallenin bütün sokaklarını arşınlamış, benim penceremin önünden de –büyük ihtimalle ben içerde otururken– üç kere geçtikten sonra karanlık çökerken Telli Kavak Sokağı'ndaki 28 no.lu evin karşısına geçip pencerelerine bakmaya başlamıştı. Karanlıkta, hafif hafif çiseleyen yağmur altında, bir karara varamadan, ya da Omega'ya göre lambaları yanan pencerelerden istediği işareti alamadan iki saat bekleyen Mehmet, akşam Kadıköy'deki meyhanelerin birinde iyice sarhoş olup yurda geri dönmüştü. Daha sonra, Omega ve Serkisof delikanlının aynı yolculuğu altı kere daha yaptığını belirlemişler, her zaman daha kararlı olan Serkisof, delikanlının sürekli baktığı aydınlık pencerenin arkasındaki kişiyi de doğru saptamıştı.

Rıfki Amca ile Mehmet'in ikinci buluşması Serkisof'un bakışları altında olmuştu. İkinci katın aydınlık pencerelerini önce karşı kaldırımdan, sonra da alçak bahçe duvarının üstünden dikizleyen Serkisof görüşmeyi –bazan randevu da diyordu– sonraki mektuplarında pek çok kere yorumlamıştı, ama ilk izlenimleri daha çok gördüklerine ve olgulara yönelik olduğu için daha doğruydu.

İlk önce, ihtiyar adamla delikanlı (aralarında bir kovboy filmi gösteren televizyon) karşılıklı koltuklarda oturmuşlar yedi-sekiz dakika hiç konuşmamışlardı. Bir ara ihtiyarın karısı onlara kahve getirmişti. Daha sonra Mehmet ayağa kalkmış, el kol hareketleriyle, tutkuyla ve öyle hırsla bir şeyler anlatmıştı ki Serkisof gencin ihtiyara el kaldırmak üzere olduğunu sanmıştı. Bu ara yalnızca hüzünle gülümseyen Rıfkı Bey, delikanlının sözlerinin şiddetinin artması üzerine ayağa kalkarak, benzeri bir heyecanla ona cevap yetiştirmişti. Daha sonra, ikisi de, duvarda kendilerini taklit eden sadık gölgeleriyle birlikte koltuklarına geri oturuyorlar ve sabırla birbirlerini dinliyorlar, susuyorlar, kederle televizyona biraz bakıyorlar, yeniden konuşuyorlar, sonra bir süre ihtiyar anlatıyor, delikanlı dinliyor, derken gene susup kederle pencereden dışarı bakıp Serkisof'u farketmiyorlardı.

Ama yan apartmanın penceresinden şirret bir kadın dikizdeki Serkisof'u farkediyor ve avazı çıktığı kadar: "Yetişin! Allah cezanı versin, sapık!" diye bağırdığı için araştırmacı ne yazık ki, çok önemli gördüğü ve daha sonraki mektuplarında çeşitli gizli örgüt, uluslararası siyasi tarikat ve kumpas varsayımlarıyla birleştirdiği buluşmanın son üç dakikasını tespit edemeden elverişli gözlem noktasını palas pandıras terk etmek zorunda kalıyordu.

Bir sonraki dosyadan anlaşıldığına göre, Dr. Narin, o günlerde oğlunun çok sıkı izlenmesini istemiş, araştırmacıları da onu bir rapor yağmuruna tutmuşlardı. Rıfkı Bey ile görüşmesinden sonraki günlerde Omega'ya göre neredeyse gözü dönmüş, Serkisof'a göreyse olağanüstü kederli ve kararlı gözüken Mehmet, bulabildiği bütün sergilerden kitabın nüshalarını satın alıyor ve "bu eseri" Kadırga Öğrenci Yurdu'nda (Movado), öğrenci kahvelerinde (Zenith ve Serkisof) ve otobüs durakları, sinema kapıları, vapur iskeleleri (Omega) gibi şehrin akla gelebilecek her yerinde dağıtmaya çalışıyor ve bunda da kısmen başarılı oluyordu. Yurttaki odasında genç öğrencileri pervasızca etkilemeye çalıştığının Movado fazlasıyla farkındaydı. Başka öğrenci mekânlarında da etrafına gençleri toplamaya çalıştığı belirlenmişti, ama şimdiye kadar kendi dünyasına çekilmiş yalnız bir öğrenci olduğu için yeterince etkili olmuyordu. Yurt yemekhanelerinde, bu amaçla gitmeye başladığı derslerde bir-iki öğrencinin aklını çeldiğini, onlara kitabı okutabildiğini tam öğrenmiştim ki bir gazete kesiğiyle karşılaştım:

ERENKÖY'DE CİNAYET. (A.A.): Devlet Demiryolları emekli başmüfettişlerinden Rıfkı Hat dün akşam dokuz civarında kimliği belirsiz bir kişinin kurşunlarıyla öldürüldü. Dün akşam evinden kahveye çıkarken Telli Kavak Sokak'ta Hat'ın yolunu kesen bir şahıs üzerine üç el ateş etti. Kimliği belirlenemeyen saldırgan olay yerinden derhal kaçtı. Aldığı yaralarla hemen can veren Hat (67) Devlet Demiryolları'nda çeşitli kademelerde faal olarak görev yaptıktan sonra en son başmüfettişken emekliye ayrılmıştı. Çevrede sevilen Hat'ın ölümü üzüntü yarattı.

Başımı dosyalardan kaldırıp hatırladım: Babam geç saatlerde eve perişan dönmüştü. Cenazede herkes ağlamıştı. Bir kıskançlık cinayeti lafı yayılmıştı. Kimdi bu kıskanç adam? Dr. Narin'in düzenli dosyalarını hırsla karıştırırken çıkarmaya çalıştım: Çalışkan Serkisof? Zayıf Zenith? Dakik Omega?

Başka bir dosyadan, Dr. Narin'in kimbilir ne masraflar ederek ilerlettiği araştırmalarının bir başka sonuca ulaştığını öğrendim. Büyük bir ihtimalle Milli İstihbarat Teşkilatı'nda da çalışan Hamilton Saat adlı ajan kısa bir mektupta Dr. Narin'e şu bilgileri vermişti:

Rıfkı Hat kitabın yazarıydı. Bu eseri on iki yıl önce yazmış, utangaç hevesliler gibi üzerine kendi adını koymaya cesaret edememişti. O yıllarda oğullarının ve öğrencilerinin geleceklerinden endişelenen ihbarcı babaların ve öğretmenlerin şikayetlerine kulakları açık olan MİT basın görevlileri, ihbarlar üzerine kitabın bazı gençlerimizi yoldan çıkardığını anlamışlar, amatör yazarın kimliğini matbaadan belirlemişler ve sorunun çözümünü işinin ehli basın savcısına bırakmışlardı. Oniki yıl önce savcı kitabı sessizce toplatıp depoya kaldırtmış, ama hevesli yazarı bir dava açıp korkutmasına bile gerek kalmamıştı. Çünkü yazar, emekli demiryolu müfettişi Rıfkı Hat, savcılığa ilk çağrılışında kitabının toplatılmasına karşı olmadığını, toplatma kararına itiraz etmeyeceğini neredeyse memnuniyete yaklaşan açık bir dille belirtmiş, kendi isteği üzerine tutulan bir zaptı da derhal imzalamış, bundan sonra da yeni bir kitap yazmamıştı. Hamilton'un raporu Rıfkı Amca'nın öldürülmesinden onbir gün önce yazılmıştı.

Gösterdiği tepkilerden Mehmet'in, Rıfkı Amca'nın öldürüldüğünü kısa bir süre içersinde öğrendiği anlaşılıyordu. Movado'ya göre "saplantılı delikanlı", hasta bir halde odasına kapanmış, bir çeşit dini coşkuyla sabahtan akşama kadar hiç durmadan kitabı okumaya başlamıştı. Sonra sonra yurttan dışarı çıktığını belirleyen Serkisof da, Omega da gencimizin bir hedefi ve amacı olmadığına aşağı yukarı karar vermişlerdi. Bir gün Zeyrek'in arka sokaklarında amaçsız bir aylak gibi saatlerce dolanıyor, derken bütün bir öğleden sonrayı Beyoğlu sinemalarında seks filmleri seyrederek geçiriyordu. Bazan Serkisof, geceyarıları yurttan çıktığını belirliyor, ama nereye gittiğini öğrenemiyordu. Bir keresinde, bir öğle vakti Zenith onu çok perişan görmüştü: Saçı sakalı uzamıştı, üstü başı dağınıktı ve sokaklardaki, kaldırımlardaki insanlara "gün ışığından hoşlanmayan bir baykuş" gibi bakıyordu. Öğrenci kahvelerinden, kitabı okumak için gittiği dershane koridorlarından, tanıdıklarından iyice uzaklaşmıştı. Herhangi bir kadınla ilişkisi ya da böyle bir ilişki kurmak gibi bir çabası yoktu. Yurtta yönetici olan Movado, yokluğunda Mehmet'in odasında yaptığı bir araştırmada çıplak kadın resmi yayımlayan birkaç dergi bulmuş, bunların normal öğrencilerin çoğunun istifade ettiği şeyler olduğunu eklemişti. Birbirlerinden habersiz Zenith ve Omega'nın çabalarından anlaşıldığı kadarıyla Mehmet bir süre kendini içkiye de vermişti. Daha çok öğrencilerin gittiği Şen Karga Kardeşler Birahanesi'nde alaycı bir laf atma üzerine bir kavgaya tutuşmasından sonra arka sokaklardaki daha ücra, daha sefil meyhaneleri tercih eder olmuştu. Bir dönem, öteki öğrencilerle, meyhanelerde tanıdığı meczuplarla yeniden ilişki kurmaya çalışmışsa da bunda başarılı olamamıştı. Daha sonra kitapçı sergilerinin önünde saatlerce dikilip kendi gibi kitabı satın alıp okuyacak bir ruh kardeşini aramakla vakit geçirmişti. Dostluğu ilerletip ellerine kitabı verdiği, okutabildiği birkaç genci yeniden arayıp bulmuş, ama Zenith'e göre huysuzluğu yüzünden onlarla hemen kavga etmişti. Aksaray'ın arka sokaklarındaki bir meyhanede Omega bu tartışmalardan birini uzaktan da olsa dinlemeyi başarmış, artık bir delikanlı olarak da gözükmeyen "delikanlımızın" kitaptaki dünyadan, oraya varmaktan, eşikten, huzurdan, eşsiz andan kazadan heyecanla sözettiğini duymuştu. Ama bu heyecanlar da geçici olmalıydı, çünkü Movado'nun saptadığı gibi saçı, sakalı, pisliği ve dağınıklığı arkadaşlarını –eğer artık arkadaşı varsa– rahatsız edecek hale gelmiş olan Mehmet kitabı da hiç okumuyordu. "Bana kalırsa efendim," diye yazmıştı gencimizin amaçsız gezintilerinden, sonu hiçbir yere varmayan yürüyüşlerinden bezen Omega, "bu genç kederini hafifletecek bir şey arıyor, tam ne aradığından ben emin değilim, ama kendisinin de emin olduğunu sanmıyorum."

İstanbul sokaklarında amaçsızca yürüdüğü günlerin birinde Serkisof'un yakından izlediği gencimiz kederini hafifletecek, ruhuna biraz olsun huzur verecek "bu şeyi" otobüs garajlarında, hayır otobüslerin kendinde buluyordu. Elinde hazırlık yaptığını gösteren bir çanta taşımadan, bir hedefi olduğunu gösterecek bir bilet almadan, Mehmet garajlardan kalkmakta olan bir otobüse bir ilham anında gelişigüzel biniyor, bir an kararsızlık geçiren Serkisof da onun arkasından Magirus'a atlıyordu.

Nereye gittiklerini bilmeden, nereye götürüldüklerini anlamadan kasabadan kasabaya, garajdan garaja, otobüsten otobüse biri diğerinin peşinde haftalarca yol almışlardı. Serkisof'un tir tir titreyen otobüs koltuklarında eciş bücüş harflerle yazdığı tutanaklar, bu belirsiz yolculukların sihrine, amaçsız gezintilerin renklerine içten tanıklık ediyordu: Yollarını, bavullarını kaybetmiş yolcular, yüzyılını şaşırmış meczuplar görmüşlerdi; takvim satan emekliler, askere giden hevesliler, yaklaşan kıyameti haber veren gençlerle karşılaşmışlardı. Garaj lokantalarında oturup nişanlı gençlerle, tamirci çıraklarıyla, futbolcularla, kaçak sigara satıcılarıyla, kiralık katillerle, ilk öğretmenlerle, sinema müdürleriyle yemekler yemişler, yüzlerce kişiyle birlikte bekleme salonlarında, otobüs koltuklarında, kucak kucağa uyumuşlardı. Bir kere olsun bir otelde gecelememişlerdi. Bir kere olsun kalıcı bir ilişki, bir dostluk kurmamışlardı. Bir kere olsun bir hedefleri varmış gibi yolculuk edememişlerdi.

"Efendim, bütün yaptığımız bir otobüsten inip ötekine binmekten ibaret," diye yazmıştı Serkisof. "Bir şey bekliyoruz; belki bir mucize, belki bir ışık, belki bir melek, belki bir kaza; bilmiyorum; ama kalemimin ucuna bunlar geliyor... Sanki bilinmeyen bir ülkeye bizi götürecek işaretleri arıyoruz, ama talihimiz hiç yok. Bu zamana kadar başımızdan küçük bir trafik kazası bile geçmemiş olması, belki de bir meleğin bizi koruduğunu gösteriyor. Delikanlı hâlâ benim varlığımı farketmedi mi, bilmiyorum. Sonuna kadar dayanacak mıyım, bilmiyorum."

Dayanamamıştı. Kırık dökük kelimelerle yazılmış bu mektuptan bir hafta sonra Mehmet bir mola yerinde bir geceyarısı içtiği çorbayı yarıda bırakıp kalkmakta olan bir MAVİ VARAN'a atlamış, köşe masada aynı çorbadan kaşıklamakta olan Serkisof kaçıp kaybolan Mehmet'e şaşkın şaşkın bakmıştı. Sonra çorbasını sakin sakin bitirmiş, bundan hiç utanmadığını da Dr. Narin'e dürüstçe bildirmişti. Bundan sonra ne yapmalıydı?

Bundan sonra Mehmet'in ne yaptığını ne Dr. Narin, ne de araştırmalarına devam etmesi söylenen Serkisof öğrenebilmişti.

Mehmet zannettiği başka bir gencin ölüsüyle karşılaşıncaya kadar, Serkisof altı hafta otobüs garajlarında, trafik şubelerinde, şoförlerin buluştuğu kahvelerde vakit öldürmüş, bir sezgiyle olup bitmiş trafik kazalarına yetişip cesetler arasında delikanlımızı aramıştı. Aynı süre boyunca Dr. Narin'in oğlunun peşine başka saatleri de saldığını otobüslerden yazılmış başka mektuplardan anladım. Bu mektuplardan birini kaleme aldığı sırada, otobüsünün bir at arabasına arkadan bindirmesiyle Zenith'in dakik kalbi kan kaybından durmuş, yarım kalmış kanlı mektubunu ERKEN VARAN şirketinin yöneticileri Dr. Narin'e postalamışlardı.

Mehmet'in bir Nahit olarak yaşadığı ilk hayatını zaferle sonuçlandırdığı trafik kazasına Serkisof olaydan ancak dört saat sonra yetişebilmişti. Bir SELAMET EKSPRES otobüsü matbaa mürekkebi yüklü bir tankere arkadan çarpmış, bir süre çığlıklar arasında simsiyah bir sıvıyla ışıldamış, sonra geceyarısı bir alevle pırıl pırıl yanmıştı. Serkisof "hiç tanınmayacak kadar yanmış saplantılı ve bahtsız Nahit'i" aslında teşhis edemediğini, elindeki tek kanıtın bir talih eseri yanmamış olan üzerindeki kimlik olduğunu yazıyordu. Olaydan sağ çıkanlar delikanlının başta da 37 numaralı koltukta oturduğunu doğrulamışlardı. Nahit, 38 numarada otursaydı burnu bile kanamadan kurtulacakmış. 38 numarada oturan ve adının Mehmet olduğunu sağ kalan başka bir yolcudan öğrendiği aynı yaşlardaki delikanlıyı ise Serkisof, Nahit'in son saatlerini sormak için taa Kayseri'deki evine kadar izinden gidip aramış, ama bulamamıştı. Sağ çıktığı bu korkunç kazadan sonra bu genç kendisini gözyaşlarıyla bekleyen annesinin babasının yanına hâlâ dönmediğine göre, kazadan derin bir şekilde etkilenmiş olmalıydı, ama Serkisof'un derdi bu değildi. Aylardır takip ettiği genç öldüğüne göre şimdi başkasını izlemek için Dr. Narin'den emir ve para bekliyordu. Çünkü yaptığı araştırmalar Anadolu'nun ve belki de bütün Ortadoğu ve Balkanlar'ın bu tür kitapları okuyan gözü dönmüş gençlerle kaynaştığını ona göstermişti.

Oğlunun ölüm haberi ve kömürden cesedin eve gelişinden sonra Dr. Narin kendini öfkesinin şiddetine vermişti. Rıfkı Amca'nın öldürülmüş olması bu şiddeti hafifletmiyor, yalnızca öfke odağını bulanıklaştırarak bütün bir topluma doğru yayıyordu. Cenazeyi izleyen günlerde Dr. Narin İstanbul'daki işlerini gören çevresi geniş bir emekli polisin yardımıyla yedi yeni araştırmacıyı daha göreve almış, onlara da imza olarak çeşitli saat markaları bağışlamıştı. Ayrıca ortak düşmanlarının Büyük Kumpas'ına karşı kırık kalpli bayiler ile ilişkilerini geliştirmiş, onlardan tek tük ihbar mektupları almaya başlamıştı. Özellikle uluslararası soba, dondurma, buzdolabı, gazoz, tefecilik ve köfteli ekmek şirketlerinin rekabetiyle dükkanları tek tek kapanan bu kişiler, yalnız Rıfkı Amca'nın kitabını değil, genel olarak tuhaf, değişik, yabancı buldukları kitapları okuyan gençlerden pireleniyor, onları mimliyor, Dr. Narin tarafından teşvik de edilirlerse bu gençleri izleyip, hayatlarını gözleyip, öfkeli ve paranoik raporlar yazmayı seve seve üzerlerine vazife ediniyorlardı.

Gülizar'ın, "Babam çalışmanızı kesmek istemezsiniz diye düşündü," diyerek bir tepsiyle getirdiği akşam yemeğini yerken bu raporları şurasından burasından okuyordum. Bir taşra kentinde ya da boğucu bir öğrenci yatakhanesinde ya da İstanbul'un ücra bir mahallesinde benim gibi biri, kitabı benim okuduğum gibi okumuştur ve Dr. Narin'in casuslarından biri görüp izlemiştir diye... Bir ruh kardeşine rastlayabilme hevesiyle hızlı hızlı çevirdiğim sayfalar arasında tüylerimi ürperten bir-iki ilginç vakaya rastladım, ama bunlar ne kadar benim ruh kardeşlerimdiler çıkartamadım:

Babası Zonguldak'ta kömür işçiliği yapan bir veterinerlik öğrencisi, mesela, kitabı okumaya başladıktan hemen sonra başka hiçbir şey yapamaz hale gelmiş, karnını doyurmak, uyumak gibi temel ihtiyaçlarının dışında, vaktinin hepsini kitabı yeniden okumaya vermişti. Bu genç bazan günler boyunca aynı sayfayı binlerce kere okuyor, bundan başka da hiçbir şey yapmıyordu. İntihar eğilimlerini gizleyemeyen sarhoş bir lise matematik öğretmeni ise, öğrencileri kazan kaldırana kadar, derslerinin son on dakikasını kitaptan birkaç cümle okumak ve arkasından sinir bozucu kahkahalar atmakla geçiriyordu. İktisat okuyan Erzurumlu bir genç ise, yurt odasının duvarlarını, duvar kağıdıyla kaplar gibi kitabın sayfalarıyla kaplamıştı. Bu da oda arkadaşlarıyla sıkı bir kavgaya yol açmış; bunlardan biri, kitabın Hazreti Muhammed'e küfrettiğini ileri sürmüş, bunun üzerine öğrenci yurdunun gözleri görmez idare amiri, bir sandalyeye çıkıp soba borusuyla tavan arasındaki köşeyi büyüteçle okumaya başlamış, vakayı Dr. Narin'e ihbar eden kırık kalpli tesisatçı kitaptan böyle haberdar olmuştu, ama "savcılığa şikayet edelim mi," tartışmalarına yol açan ve Erzurumlu gencimizin hayatını karartan kitabın Rıfkı Amca'nın yazdığı kitap olduğundan ben emin olamadım.

Öyle anlaşılıyordu ki, rastlantısal buluşmalarla, yarı meraklı okurların sözünü etmesiyle, sergilerde dikkati çekmesiyle, ortalıkta hâlâ bir yüz-yüzelli nüshası elden ele serseri bir mayın gibi gezinmekte olan kitap ya da aynı işlevi sihirli bir şekilde görebilen başka kitaplar, bazan okurlarından birinde bir heyecan dalgası, bir çeşit ilham uyandırıyordu. Bazıları kitapla bir yalnızlığa çekiliyor, ciddi bir buhranın eşiğindeyken dünyaya açılarak hastalıktan kurtuluyorlardı. Kitabı okur okumaz bir sarsıntı geçiren, bir öfkeye kapılanlar da vardı. Bunlar kitaptaki dünyayı bilmedikleri, tanımadıkları, aramadıkları için dostlarını, yakınlarını, sevgililerini suçluyor, kitaptaki dünyanın insanlarına benzemedikleri için onları acımasızca eleştiriyorlardı. Başka bir takım da kitabı okur okumaz metnin kendisine değil, insanlara dönen örgütçülerdi. Bu hevesliler kitabı kendileri gibi okumuş başkalarını aramaya koyuluyor, bunda başarısız olurlarsa —ki hep böyle oluyordu— kitabı başkalarına okutup avladıkları bu kişilerle bir ortak eyleme girişmeye çalışıyorlardı. Bu ortak eylemin ne olduğu konusunda onların da, bu eylemcileri izleyen ihbarcıların da herhangi bir fikri yoktu.

Ondan sonraki iki saat içinde, ihbar mektuplarının arasına özenle, düzenle yerleştirilmiş gazete kesiklerinden kitaptan ilham alabilmiş bu okurlardan beş tanesinin Dr. Narin'in saatlerince öldürüldüğünü anladım. Cinayetleri hangi saatin, hangi amaç ve emirle işlediği belli değildi. Yalnızca gazetelerden kesilmiş kısa cinayet haberleri tarih sırasına göre ihbar tutanaklarının arasına konmuştu. İki cinayet hakkında ayrıntılı bilgi vardı: Birinde, öldürülen bir gazetecilik öğrencisi *Güneş* gazetesinin dış haberler servisine çeviriler yaptığı için Yurtsever Gazeteciler Derneği olayı önemser gözükmüş, Türk basınının sapık teröre asla boyun eğmeyeceğini duyurmuştu. Öbüründe, çalıştığı dönerci dükkanında bir garson, elleri boş ayran şişeleriyle doluyken kurşunlanmış, İslamcı Genç Akıncılar şehidin üyeleri olduğunu açıklamış, olayın CIA ve COCA-COLA'nın maşalarınca işlendiğini bir basın toplantısıyla duyurmuşlardı.

11

Kelli felli adamların toplumumuzda yokluğundan yakındıkları okuma zevki denen şey, o sırada Dr. Narin'in çılgın ve düzenli arşivinin belgeleri ve cinayet haberleri arasında duyduğum müzik olmalı. Kollarımda hafif bir gece serinliği hissediyordum, kulaklarımda varolmayan bir akşam müziği duyuyordum ve bir yandan da, genç yaşta karşılaştığı hayat harikaları karşısında kararlı olmaya niyet etmiş bir genç gibi bundan sonra ne yapacağımı çıkarmaya çalışıyordum. Geleceğini düşünen iyiniyetli bir genç olmaya karar verdiğim için, Dr. Narin'in arşivinden bir kağıt da ben çekmiş, işime yarayacak küçük ipuçlarını yazmaya başlamıştım.

Evinde konuk olduğum filozof babanın ve dünyanın ne kadar da gerçekçi, ne kadar da acımasız olduğunu içimde iyice hissettiğim bir saatte, kulaklarımda hâlâ o müzik, arşiv odadan dışarı çıktım. Şakacı bir ruhun cesaret verici kışkırtmalarını da duyar gibiydim: Neşelendirici ve umut verici bir filmden çıktıktan sonra benim gibilerin hissettiği hafif müzik kadar hafif o oyunculuk duygusu içimde bir yerlerde kıpırdanıyordu. Hani olur ya: Filmdeki bütün o zeki şakaları, kahramana kendiliğinden geliveren hoşlukları, akıl almaz hazırcevaplıkları zaten ben hep yaparmışım yanılsaması...

"Benimle dans eder misiniz?" demek üzereydim bana endişeyle bakan Canan'a.

Üç gül kızkardeşle birlikte sofadaki masaya oturmuş, hasırdan el örgüsü bir sepetin içinden bir bolluk ve mutluluk mevsiminin olgun elmaları ve portakalları gibi masanın üzerine renk renk dökülen top top örgü yünlerine bakıyordu. Sepetin yanında da, bir zamanlar annemin de aldığı *Ev ve Kadın* dergisinin orta sayfalarından çıkan el-işi örgü patronları, kare kare işlenmiş çiçekler, vak vak ördekler, kediler, köpekler ve bütün bunları Alman dergilerinden aşırıp Türk kadınına sunan yayımcının katkısı cami motifleri vardı. Bir an gaz lambalarının ışığında bütün bu renklere ben de baktım ve az önce okuduğum hakiki hayat sahnelerinin bu ham renklerle yapıldığını hatırladım. Sonra, Gülcihan'ın esneye esneye annelerine yaklaşan, gözlerini kırpıştırarak mutlu aile tablosunun içinde eriyip giden iki küçük kızına dönüp dedim ki:

"Daha hâlâ anneniz yatırmadı mı bakayım sizleri?"

Bir şaşırdılar, bir korktular, annelerine sokuldular. Daha da keyiflendim.

"Sizler, sizler, daha solmamış birer çiçeksiniz aman," bile diyebilirdim beni şüpheyle süzen Gülendam ile Gülizar'a.

"Efendim," diyebildim yalnızca, yandaki selamlığa geçince Dr. Narin'e. "Efendim, oğlunuzun hikâyesini üzüntüyle okudum."

"Her şey belgelenmiştir," dedi Dr. Narin.

Beni yarı karanlık odadaki iki yarı karanlık adamla tanıştırdı. Hayır, saat değildi bu tıkırtısız beyler, biri noterdi, ötekinin kim olduğunu böyle karanlık durumlarda olduğu gibi aklım kaydetmedi çünkü Dr. Narin'in beni onlara nasıl tanıştırdığına dikkat ediyordum: Pek büyük işler başarmaya namzet ağırbaşlı ciddi ve tutkulu bir gençtim ben ve şimdiden onun çok yakınıydım. O Amerikan filmlerinden çıkma, uzun saçlı özentili gençlerden hiçbir şey yoktu bende. Bana çok güveniyordu, çok.

Nasıl da hemen benimsedim bu övgüleri! Elimi kolumu nereye koyacağımı bilemedim, böyle bir gence yakışacağı gibi övgüler karşısında alçakgönüllülüğü elden bırakmamak için kibar kibar boynumu büküp konuyu değiştirmek istedim, konuyu değiştirmek istediğimin de görüleceğini düşünerek.

"Gece burada ne kadar sessiz oluyor, efendim," dedim.

"Bir tek dut ağacının yaprakları hışırdar," dedi Dr. Narin. "En rüzgârsız, en sakin gecede bile. Dinleyin."

Hep birlikte dinledik. Odanın ürpertici yarı karanlığı uzaktan belli belirsiz bir yerden gelen bir ağaç hışırtısından daha çok içime işliyordu. Sessizlik sürerken bir gündür bu evde, hep fısıldayarak konuşulduğunu hatırladım.

Dr. Narin beni kenara çekti. "Biz şimdi bezik oynamaya oturuyoruz," dedi. "Bana cevap vermenizi istiyorum. Oğlum, saatlerimi mi görmek istersiniz silahlarımı mı?"

"Saatleri görmek istiyorum efendim," dedim bir içgüdüyle.

Daha da karanlık yan odada biri silah patlar gibi takırdayan iki eski Zenith masa saati gördük. Dr. Narin'in bir eşinden Topkapı Sarayı haremınde olduğunu söylediği Galata saat kolonisi yapımı işlemeli, ağaç zarflı, kendi kendine müzik çalan, haftada bir kurulan çekmece saatini gördük. Sarkaçlı, cevizden kapağı işlemeli, dolaplı duvar saatini yapıp imzalayan Levanten Simon S. Simonien'in hangi liman şehrinden olduğunu mineli kadranın üzerindeki "a Smyrne" kelimelerinden çıkardık. Aylı, tarihli bir Universal marka saatin mehtaplı günleri gösterdiğini anladık. Sultan III. Selim'in teşvikiyle ön yüzü Mevlevi kavuğu biçiminde yapılmış sarkaçlı iskelet saatini, Dr. Narin kocaman bir anahtarla kurarken, iç organlarının gerildiğini gerilerek hissettik. Pek çok evde kafesteki kanaryalar gibi hâlâ kederle tıkırdayan sarkaçlı Junghans duvar saatini çocukluğumuzdan beri ne kadar çok yerde görüp dinlediğimizi hatırladık. Serkisof marka kaba masa saatinin kadranı üzerindeki lokomotifi ve altında yazan Made in USRR ifadesini görünce ürperdik.

"Saat tıkırtısı bizim için, tıpkı cami avlusundaki şadırvanın şıkırtısı gibi, dünyayı farketmenin değil, iç aleme geçmenin sesidir," dedi Dr. Narin. "Günde beş vakit namaz, sahur vakti, iftar vakti... Muvakkithanelerimiz ve saatlerimiz Batı'da olduğu gibi dünyaya yetişmenin değil, Allah'a koşmanın aracılarıdır. Hiçbir millet bizler kadar saate düşkün olmadı. Avrupa saatçiliğinin en büyük müşterisi hep bizdik. Onlardan alıp da ruhumuza kabul ettirebildiğimiz tek şey de saatlerdir. Bu yüzden, tıpkı silah gibi saatin de yerlisi yabancısı olmaz. Bizler için Allah'la yakınlaşmanın iki yolu vardır. Cihadın aracı silahla ve namazın aracı saatle. Silahlarımızı bozdular. Şimdi saatlerimizi de bozalım diye bu trenleri çıkardılar. Ezan vaktinin en büyük düşmanının tren vakti olduğunu herkes bilir. Rahmetli oğlum bunu bildiği için bizim kayıp zamanımızı aylarca otobüslerde aramıştır. Onu benden uzaklaştırmak isteyenler, bu yüzden evladımın canını otobüste aldılar, ama Dr. Narin onların oyununa gelecek kadar saf değil. Şunu unutmam: Yüzyıllardır, biraz parası olan birimizin ilk satın aldığı şey saattir..."

Dr. Narin fısıldayarak daha da konuşacaktı belki, ama altın yaldızlı, mine kadranlı, yakut güllü ve bülbül sesli bir İngiliz Prior saati "Katibim" türküsünün ezgisini söyleyerek sözünü kesti.

Bezik arkadaşları Üsküdar'a giden katibimin tatlı müziğine kulak kabartırlarken Dr. Narin kulağıma fısıldadı:

"Kararınızı verdiniz mi evladım?"

Açık kalmış kapıdan, yan odadaki büfelerin aynalarında,

Canan'ın gaz lambalarının ışığında titreyen pırıl pırıl hayalini işte tam o sırada gördüm ve aklım karıştı.

"Arşivde daha da çalışmam gerekiyor efendim," dedim.

Bir karara varabilmek için değil, daha çok bir karardan kaçmak için demiştim bunu. Yandaki odadan geçiyordum, çocuklarını yatırıp geri dönmüş Gülcihan'ın, titiz Gülizar'ın, sinirli Gülendam'ın bakışlarının üzerimde olduğunu sezdim. Canan'ın bal rengi gözleri ne kadar da meraklı, ne kadar da kararlıydı. Yanında güzel ve hayat dolu bir kadın olan erkeklerin yaptığını sandığım gibi, önemli işler başarmış biri gibi hissettim kendimi.

Oysa ne kadar da uzaktım o adam olmaktan! Dr. Narin'in arşivinde oturmuş, önüme ihbar dosyalarını açmış yan odadaki büfe aynaları arasında güzelliği artan Canan'ın hayalini kıskançlıkla içime yerleştirmiş, daha da kıskanır da en sonunda bir karara varabilirim diye sayfaları hızlı hızlı çeviriyordum.

Çok fazla araştırmama gerek kalmadı. Oğlu niyetine gömdüğü Kayserili talihsiz gencin cenazesinden sonra kitabı okuyan herkesi izletebilmek için Dr. Narin'in işe aldığı yeni saatlerden en çalışkan ve hevesli olanı, Seiko, kitabı okuyan birilerine rastlamak umuduyla İstanbul'daki öğrenci yurtlarında, kahvelerde, derneklerde ve fakülte koridorlarında yaptığı araştırmalarının birinde Mimarlık Fakültesi'nde Mehmet ile Canan'ı belirlemişti. Onaltı ay önceydi bu. Bahardı, Canan'la Mehmet birbirlerine aşıktılar ve ellerinde de bir köşeye çekilip okudukları kitap vardı. Sekiz ay boyunca kendilerini pek fazla yakından olmasa da izleyen Seiko'nun varlığını ruhları bile duymamıştı.

Onları keşfetmesinden, benim kitabı okumama ve Mehmet'in minibüs duraklarının önünde vurulmasına kadar geçen bu sekiz ay boyunca Seiko, Dr. Narin'e düzensiz aralıklarla yirmi iki rapor yazmıştı. Geceyarısından çok sonraya kadar bu raporları yeniden yeniden dikkatle sabır ve kıskançlıkla okudum ve onlardan çıkardığım sonuçların zehirini çalıştığım arşivdeki düzene uygun bir mantıkla içime sindirmeye çalıştım.

1. Güdül kasabasındaki 19 numaralı otel odamızdan gece şehir meydanına bakarken Canan'ın bana söylediği, hiçbir erkeğin kendisine dokunmadığı yolundaki sözleri doğru değildi. Yalnız bahar günlerinde değil onları yaz boyunca da birkaç kere bulup izleyebilen Seiko, iki gencin Mehmet'in çalıştığı otele girdiklerini, içerde uzun saatler kaldıklarını saptamıştı. Bunu tabii tahmin ediyordum, ama tahmin etmekte olduğumuz şeyleri bir başkası çoktan tanık olup yazmışsa daha da aptal hissederiz kendimizi.

2. Mehmet'in bir Nahit olarak hayatının bitmesinden sonra edindiği yeni kimliği ve başladığı yeni hayatından, babası, çalıştığı otelin yöneticileri, Mimarlık Fakültesi Kayıt Bürosu ve Seiko'nun kendisi şüphelenmemişlerdi hiç.

3. Âşıkların birbirlerine âşık olmalarından başka toplumsal olarak dikkati çeken bir yanları yoktu. Son on gün sayılmazsa, ellerindeki kitabı başkalarına vermeye kalkışmamışlardı. Kitabı da her zaman okumuyorlardı. Zaten Seiko, bu yüzden kitap ile ne yaptıklarının fazla üzerinde durmamıştı. Sıradan bir evliliğe hazırlanan sıradan iki üniversiteli genç görünümündeydiler. Sınıf arkadaşlarıyla dostlukları dengeli, dersleri iyi, heyecanları ölçülüydü. Herhangi bir siyasi takımla ilişkileri de, kayda değer herhangi bir heyecanları da yoktu. Hatta Mehmet'in kitabı okumuş kişiler içinde en sakini, en saplantısızı, en tutkusuzu olduğunu bile yazmıştı Seiko. Daha sonra bu yüzden o kadar şaşırmıştı, hatta belki sevinmişti de.

4. Seiko onları kıskanıyordu. Başka raporlarıyla karşılaştırdığımda Canan'ı gereğinden fazla dikkatli ve fazla şiirsel bir dille tasvir ettiğini gördüm önce: "Kitabı okurken genç kızın kaşları hafifçe çatılıyor ve yüzüne belirgin bir zarafet

ve vakar geliyor." "Sonra o kendine özgü hareketi yaptı ve bir küçük hamlede saçlarını kulaklarının arkasında topladı." "Yemekhane kuyruğunda beklerken elindeki kitaba bakarsa üst dudağı hafifçe öne çıkıyor ve gözleri birden öyle bir ışıldamaya başlıyor ki insan iri bir yaş tanesinin her an bu güzel gözlerde belireceğini sanıyor." Ya şu şaşırtıcı satırlar: "Efendim, kızın bütünüyle kitaba dönük yüzünün çizgileri ilk yarım saatten sonra öylesine yumuşadı ve öylesine tuhaf ve değişik bir ifadeye büründü ki bir an sihirli bir ışığın pencerelerden değil de bu melek yüzlü kişinin okuduğu kitabın sayfalarından fışkırdığını sandım." Sonra Canan'ın melekleşmesine koşut olarak yanındaki oğlan da fazla fazla dünyevileşiyordu. "İyi bir aileden bir genç kızla kimliği, geçmişi belirsiz bir aileden yoksul bir gencin aşkı efendim bu." "Delikanlımız her zaman daha dikkatli, daha sinirli, daha hesaplı." "Kız belki arkadaşlarına daha çok açılmaya, onlarla yakınlaşmaya, hatta belki onlarla kitabı paylaşmaya eğilimli, ama otel katibi onu tutuyor." "Belli ki yoksul bir aileden geldiği için kızın çevresine girmekten çekiniyor." "Aslına bakarsanız bu genç kızın bu soğuk ve silik adamda ne bulduğunu anlamak da zor." "Bir otel katibinden beklenmeyecek kadar kendini beğenmiş." "Sessizliği, suskunluğu bir erdem gibi gösterebilen becerikli kişilerden..." "Hesapçı züppe." "Hiçbir özelliği yok aslında, efendim." Seiko'yu sevmeye başlamıştım. Bir de beni inandırabilseydi. Başka şeye ikna etti oysa.

5. Ah ne de mutluydular! Dersten çıkıyor, Beyoğlu'na bir sinemaya giriyor, el ele tutuşarak *Sonsuz Geceler* adlı filmi seyrediyorlardı. Okulun kantininde bir köşedeki masaya oturuyor gelip geçenleri seyrediyor, sonra aralarında tatlı tatlı konuşuyorlardı. Birlikte Beyoğlu vitrinlerine bakıyor, birlikte otobüse biniyor, derslerde yanyana oturuyorlardı. Şehirde gezintiye çıkıyor, bir büfede dizdize taburelere oturup aynada kendilerini seyrederek sandviç yiyor, derken kızın çantasından

çıkardığı kitabı okuyorlardı. Hele bir yaz günü vardı ki! Seiko Mehmet'i otel kapısından izlemeye başlamış, elinde plastik torba taşıyan Canan'la buluştuğunu görünce bir iz üzerinde olduğunu sanıp peşlerine takılmıştı. Vapurla Büyükada'ya gitmişler, sandal kiralayıp denize girmişler, at arabasına binmişler, mısırla dondurma yemişler, dönüşte de delikanlının çalıştığı oteldeki odasına çıkmışlardı. Zordu bunları okumak. Küçük kavgalar ettikleri, tartıştıkları, Seiko'nun da bunları kötüye yorduğu oluyordu, ama sonbahara kadar aralarında bir gerginlik yoktu.

6. O karlı Aralık günü, plastik torbadan çıkardığı tabancayla minibüs duraklarının orada Mehmet'i vuran kişi Seiko idi. Bundan bütünüyle emin değildim. Ama öfkesi, kıskançlığı bunu doğruluyordu. Pencereden gördüğüm gölgeyi, karlı parkta sıçrayarak kaçışını gözlerimin önüne getirince Seiko'nun otuz yaşlarında olduğunu düşünüyordum. Otuz yaşlarında, kıt gelirine ek olsun diye dışarıdan iş alan, mimarlık okuyan gençleri "züppe" olarak gören, polis koleji mezunu hırslı bir memur. Peki o benim hakkımda ne düşünüyordu?

7. Tuzağa düşürülmüş zavallı bir avdım ben. Seiko bile bu sonuca o kadar kolay varmıştı ki, benim için kederlenmişti. Oysa, kızla oğlanın arasında sonbahardan itibaren başlayan gerginliğin Canan'ın kitapla bir şey yapma isteğinden kaynaklandığını çıkaramamıştı. Sonra, Canan'ın ısrarı üzerine kitabı bir başkasına vermeye karar vermiş olmalıydılar. Ya da Mehmet, Canan'ın ısrarı üzerine buna razı olmuştu. Bir süre, tıpkı özel bir işyerinde boşalan bir kişilik kadro için başvuruları gözden geçiren işverenler gibi, fakülte koridorlarında rastladıkları gençleri gözden geçirmişlerdi. Beni neden seçtikleri belli değildi hiç. Fakat bir süre sonra, beni izlediklerini, beni gözlediklerini, benim hakkımda konuştuklarını Seiko şaşmaz bir şekilde saptamıştı. Ondan sonra av sahnesi açılıyordu ki bu beni seçmelerinden de kolay olmuştu. Şu kadar

kolay: Canan birkaç kere, elinde kitap, koridorda bana yakın yakın yürümüştü. Bir kere bana tatlı tatlı gülümsemişti. Arkasından asıl oyununu zevkle oynamıştı: Kantinde kuyrukta beklerken benim kendisini seyretmekte olduğumu farketmiş, çantasında cüzdanını ararken elindeki şeyi bırakması gerekiyormuş gibi yapıp, kitabı oturduğum masanın üzerine, hemen önüme bırakmış, sekiz-on saniye sonra da zarif eliyle geri almıştı. Sonra ikisi, Canan'la Mehmet, zavallı balığın zokayı yediğinden emin olup, daha önceden saptadıkları benim dönüş yolumdaki kaldırım kitapçısına kitabı bedava bırakıvermişlerdi ki, ben, akşam eve dönerken dalgın dalgın bakıp "Aa, o kitap!" deyip alayım. Öyle de oldu. Seiko durumu rapor ederken benim için haklı olarak, "hiçbir özelliği olmayan hülyalı bir genç," diyordu kederle.

Aynı ifadeyi Mehmet için de kullandığından aldırmadım, hatta biraz teselli buldum ve şu soruyu sorma cesaretini bile gösterdim. Kitabı o güzel kızla yakınlaşmama yardımcı olabilir diye alıp okuduğumu şimdiye kadar kendime niye hiç itiraf etmemiştim?

En dayanılmaz olanı, ben Canan'a hayran hayran bakarken, baktığımı bile farketmeden onu seyrederken, kitap sihirli ve ürkek bir kuş misali masamın üzerine bir konup bir havalanırken, yani ben hayatımın büyülenmesini yaşarken, Mehmet'in ikimizi, Seiko'nun da üçümüzü uzaktan dikizlemesiydi.

"Benim hayatın kendisi sanarak mutlulukla karşıladığım, aşkla sevdiğim rastlantı bir başkasının kurgusuymuş yalnızca," dedi aldatılmış kahraman ve Dr. Narin'in silahlarını görmek için odadan çıkmaya karar verdi.

Ama önce biraz hesap kitap, biraz araştırma yapması, yani biraz saat olması gerekiyordu. Hızlı hızlı çalıştım ve Dr. Narin'in çalışkan saatlerinin ve kırık kalpli bayilerinin Anadolu'nun dört bir yanında kitabı okurken görüp saptadığı şüpheli genç Mehmetler'in bir dökümünü yaptım. Serkisof bizim Mehmet'imizin soyadını yazmadığı için, elimde o sırada nasıl araştıracağımı bile çıkaramadığım upuzun bir liste oluşmuştu.

Vakit iyice geç olmuştu, ama Dr. Narin'in beni beklediğinden emindim. Saat tıkırtıları eşliğinde bezik oynanan odaya yürüdüm. Canan da Dr. Narin'in kızları da odalarına çekilmişler, bezik arkadaşları çekip gitmişlerdi. Dr. Narin odanın en karanlık köşesinde, iri bir koltuğa gaz lambalarının ışığından sakınır gibi gömülerek oturmuş kitap okuyordu.

Beni farkedince okuduğu kitabı, açık sayfasına sedef kakmalı bir açacak yerleştirip kenara koydu, ayağa kalktı, beni beklediğini, hazır olduğunu söyledi. Gözlerim okumaktan aşırı yorgunsa biraz dinlenebilirdim. Ama okuduklarımdan ve öğrendiklerimden memnun olduğumdan emindi. Ne kadar da şaşırtıcı olaylarla, hinoğlühinliklerle doluydu değil mi hayat? Ama o, bu karmaşaya bir düzen vermeyi kendine görev edinmişti.

"Dosyaları, fihristleri gergef işleyen bir kızın dikkatiyle Gülendam hazırlamıştır," dedi. "Gülizar bütün yazışmaları yönlendirmeyi, benim cevaplarımın ve isteklerimin ana fikrini benden alıp sevgili ve itaatkâr saatlerime mektuplar yazmayı babasına bağlılık kadar zevk bilir. Her öğleden sonra, Gülcihan bana tek tek bütün mektupları güzel sesiyle okurken çaylarımızı içeriz. Bazan bu odada çalışırız, bazan sizin çalıştığınız arşive geçeriz. Yazları, ılık bahar günlerinde dut ağacının altındaki masada saatlerce otururuz. Benim gibi sükuneti seven bir insan için, o saatler, gerçek bir mutlulukla geçer."

Bütün bu fedakarlık ve sevgiyi, bütün bu dikkat ve inceliği, bütün bu düzen ve huzuru övecek sözler arıyordum kafamda. Dr. Narin'in beni görünce yarıda bıraktığı kitabın bir *Zagor* cildi olduğunu kapağından anladım. Adamlarına öldürttüğü Rıfkı Amca'nın, başarısızlık yıllarında bu resimli romanın millileştirilmiş bir uyarlamasına giriştiğini biliyor muydu? Ama bu rastlantıların küçük incelikleriyle oyalanacak gibi hissetmiyordum kendimi.

"Efendim, silahları görmek mümkün mü acaba?"

Sevgiyle, bana güven aşılayan şefkatli bir sesle cevap verdi: Ona "baba" da diyebilirmişim, "doktor" da.

Dr. Narin bana, Emniyet teşkilatınca 1956'da açılan bir ihaleyle Belçika'dan ithal edilmiş şarjörlü Browning tabancayı gösterip yakın zamana kadar bunlardan ancak yüksek kademeli polislerde olduğunu açıkladı. Uzun namlulu kılıfı da kabza olup tüfeğe dönüşebilen Alman Parabellum'un, bir keresinde yanlışlıkla patlayıp, dokuz milimetrelik kurşunun iki hantal Macar atını delip, evin bir penceresinden girip, ötekisinden çıkıp dut ağacına saplandığını anlattı, ama zordu bu silahı taşımak. Pratik ve güvenilir bir şey arıyorsam, bana kabzadan emniyetli bir Smith-Wesson öneriyordu. Tutukluk ihtimaline karşı tavsiye edeceği başka bir toplu tabanca, bütün meraklılarının bayılacağı ışıl ışıl bir Colt vardı, ama insan bunu taşırken çok fazla Amerikan, çok fazla kovboy hissedebilirdi kendini. Böylece bizim ruhumuza en çok sindirebildiğimiz bir dizi Alman Walther ile onların yerli taklidi patentli Kırıkkale tabancaya döndü ilgimiz. Yaygınlığı, kırk yıldır ordudan bekçilere, polislerden fırıncılara kadar pek çok silahsever tarafından pek çok isyancı, hırsız, çapkın, politikacı ve aç vatandaş gövdesi üzerinde yüzbinlerce kere denenmiş olması bu tabancaları benim gözümde de seçkinleştiriyordu.

Dr. Narin'in, Walther ile Kırıkkale arasında hiçbir fark olmadığını, onların bizim ruhlarımız kadar gövdelerimizin bir parçası olduğunu birkaç kere söylemesi üzerine, cepte çok kolay taşınan ve kesin bir sonuç almak için yakından ateş etmeyi de gerekli kılmayan 9 milimetrik, horozlu bir Walther'de karar kıldım. Tabii ki, pek fazla bir şey söylememe gerek kalmadan. Dr. Narin, atalarımızın silah tutkusuna hafif bir gönderme yapan ölçülü bir jestle aleti bana iki dolu şarjör ile hediye etti ve beni alnımdan öptü. O çalışmalarına devam edecekti, şimdi ben uyumalı, dinlenmeliydim.

Uyku, aklımdaki en son şeydi. Tabanca dolabıyla bizim odamız arasındaki onyedi adımlık yolu yürürken onyedi değişik senaryo geçti aklımdan. Uzun okuma saatleri boyunca hepsini aklımın bir köşesinde kurmuş, son anda son sahneye uygun bir bileşimde karar kılmıştım. Gecenin o saatinde onca sayfayı okumaktan sarhoş olmuş aklımın bu harikasını, Canan'ın kilitlediği kapıyı üç kere vurduktan sonra bir kere daha gözden geçirdiğimi hatırlıyorum da, gözden geçirdiğim şey nedir aklıma bile gelmiyor. Çünkü kapıyı vurur vurmaz, "Parola?" dedi içimden bir ses, belki de Canan'ın böyle diyebileceğini düşündüğüm için, "Padişahım çok yaşa!" dedim ona hazırcevaplıkla.

Canan beni merakta bırakan yarı neşeli, hayır yarı kederli, hayır bütünüyle esrarlı bir yüzle önce kilidi, sonra kapıyı açınca birden haftalardır ezberlediği sözleri, sahne ışıkları altına çıkar çıkmaz unutuveren acemi oyuncu gibi hissettim kendimi. Bu durumda şöyle böyle hatırladığı birkaç döküntü kelimeye güvenmektense aklı başında birinin kendini içgüdülerine bırakacağını çıkarmak zor değildi. Ben de öyle yaptım; en azından tuzağa düşürülmüş bir av olduğumu unutmaya çalıştım.

Uzun bir yolculuktan sonra eve dönen genç koca gibi Canan'ı dudaklarından öptüm. İşte en sonunda, onca badireden sonra, ikimiz birlikte evimizde, odamızdaydık. Onu çok seviyordum. Başka hiçbir şeyi önemsemiyordum. Hayatta halledilmesi gereken bir-iki pürüz varsa, bunca yolu cesaretle almış olan ben onları da kolaylıkla hallederdim. Dudakları dut kokuyordu. Uzaklardaki, belirsiz yerlerdeki büyük düşüncelere, bu düşüncelere kanıp hayatı kaymış kişilere, kendi saplantılarını dünyaya yansıtmaya çalışan saygıdeğer ve tutkulu budalalara, fedakarlıklarıyla bizi üzmeye çalışanlara, oradaki erişilmez ve iddialı hayatın çağrısına biz ikimiz, bu odanın içinde birbirimize sarılarak sırt dönmeliydik. Büyük hayalleri paylaşmış, aylarca sabah akşam yoldaşlık etmiş, birlikte onca yol almış iki kişinin kapıların, pencerelerin dışındaki dünyayı unutarak birbirlerine sarılmalarına, ey melek, her şeyden çok gerçek olmalarına, o eşsiz gerçeklik zamanını bulmalarına ne engel olabilir?

Bir üçüncünün hayaleti.

Hayır, canım bırak öpeyim dudaklarını, çünkü artık yalnızca ihbar tutanaklarında bir ad olan o hayalet gerçek olmaktan korkuyor. Ben ise, buradayım bak ve biliyorum zaman ağır ağır tükeniyor: Birlikte bindiğimiz otobüslerin aldığı bütün o yollar biz üzerinden kayıp gittikten sonra, nasıl bize hiç mi hiç aldırmadan, yaz gecelerinde, yıldızların altında asfalt, taş ve sıcak bir dokunuş olarak kendileriyle dopdolu varolup uzanıyorsa huzurla, biz de, burada, daha vakit geçirmeden, birlikte uzanalım... Hayır canım, hiç vakit geçirmeden, ellerim güzel omuzlarını, ince ve kırılgan kollarını tuttukça, sana ben yaklaştıkça, bütün otobüslerin ve bütün yolcuların aradığı o eşsiz zamana, bak ağır ağır ne mutlu ulaşıyoruz. Dudaklarımı kulağınla saçların arasındaki yarı saydam alana bastırdığımda, saçlarının elektriğinden ürken kuşlar bir anda, yüzüme ve alnıma sonbahar kokusuyla karıştığında, ve avucumun içinde kanat çırpan inatçı kuş gibi göğsün diklendiğinde, bak işte şimdi, o erişilmez zaman aramızda nasıl dopdolu, sapasağlam diriliyor, görüyorum gözlerinde: Şimdi işte, ne orada, ne başka bir yerde, ne hayal ettiğin ülkede, otobüslerle kör otel odalarında, ne de yalnızca kitap sayfalarında varolan bir gelecekteyiz. Şimdi, burada ikimiz, bu odada, telaşlı öpüşlerim ve iç çekişlerinle iki ucu açık bir zamanın içindeymiş gibi, birbirimizi tutmuş bir mucize görelim diye bekliyoruz. Doluluk anı! Sarıl bana, zaman akmasın, haydi sarıl canım bana, mucize bitmesin! Hayır, karşı koyma, hatırla: Gövdelerimizin otobüs koltuklarında ağır ağır birbirine kayıp, düşlerimizin saçlarımız gibi birbirine karıştığı geceleri; dudaklarını çekmeden hatırla: Başlarımız birlikte soğuk ve karanlık cama yaslandığında, küçük kasabaların ara sokaklarında gördüğümüz ev içlerini; hatırla, el ele seyrettiğimiz onca filmi: Yağmur gibi yağan kurşunları, merdivenlerden inen sarışınları, bayıldığın soğukkanlı yakışıklıları hatırla. Hatırla, bir günah işler, bir suçu unutur ve başka bir diyarı düşler gibi sessizce seyrettiğimiz öpüşmeleri. Dudakların birbirine yaklaşmasını ve gözlerin kameradan uzaklaşmasını hatırla; hatırla, otobüsümüzün tekerlekleri saniyede yedibuçuk kere dönerken bizim nasıl da bir an kıpırtısız ve hareketsiz kalabildiğimizi. Ama hatırlamadı. Son bir kere daha umutsuzca öptüm onu. Yatak darmadağınık olmuştu. Walther'imin sertliğini farketmiş miydi? Canan yanımda uzanmış, yıldızlara bakar gibi düşünceli tavana bakıyordu. Gene de, dedim ki:

"Canan, biz otobüslerde mutlu değil miydik? Gene otobüslere dönelim."

Bunun tabii, hiçbir mantığı yoktu.

"Ne okudun," diye sordu bana. "Ne öğrendin, bugün?"

"Hayat hakkında pek çok şey," dedim ben de bir dublaj diliyle ve dizi filmi havasıyla. "Pek yararlı şeyler aslında. Birçok insan var kitabı okuyan, hepsi de bir yerlere doğru koşturuyorlar... Her şey karmakarışık ve kitabın insanlara ilham ettiği ışık ölüm gibi göz kamaştırıyor. Hayat ne kadar şaşırtıcı."

Bu dille anlatmaya devam edebileceğimi, aşkla olmuyorsa, hiç olmazsa kelimelerle, çocukların seveceği mucizeler yaratabileceğimi hissediyordum. Saflığımı ve bu çaresizlikte başvurduğum oyunculuğu affet, melek, çünkü yetmiş günden sonra ilk defa Canan'a bu kadar yakınlaşabilmiş ve yanına uzanmış yatıyordum ve çocukluğu taklit, biraz kitap karıştıran herkesin bildiği gibi, gerçek aşk cennetinin kapıları yüzüne çarpılan benim gibilerin başvurduğu ilk çaredir. Tufanı andıran sağanakların yağdığı bir gece, Afyon'la Kütahya arasında tavanından, pencerelerinden seller gibi sular akan bir otobüste seyrettiğimiz *Sahte Cennetler* adlı filmi, bir yıl önce çok daha mutlu ve huzurlu bir ortamda elinde sevgilisinin eli Canan'ın seyretmiş olduğunu Seiko bana daha yeni öğretmemiş miydi?

"Melek kim?" diye sordu bana.

"Öyle anlaşılıyor ki," dedim, "kitapla ilgilidir. Bunu da bilen yalnızca biz değiliz. Başkaları da var onun peşinde."

"O kime görünüyor?"

"Kitaba inanana. Onu dikkatle okuyana."

"Sonra?"

"Sonra kitabı okuya okuya sen o oluyorsun. Bir sabah kalkıp kitabı okurken seni görenler, efendim diyorlar, efendim, kitaptan çıkan ışıkta bu kız melek olmuş! Demek ki kızmış melek. Ama böyle bir melek, başkalarını nasıl tuzağa düşürebilir diye meraklanıyorsun sonra! Melekler kötü oyunlar oynayabilir mi?"

"Bilmem."

"Ben de bilmiyorum. Ben de düşünüyorum. Ben de arıyorum," dedim melek, belki de bütün bu yolculuğun beni ulaştırabileceği tek cennet parçasının Canan'la uzandığım bu yatak olduğunu düşünüp, tehlikeli ve güvensiz bölgelere adım atmaktan çekinerek. Bırak hükmünü sürsün şu eşsiz an. Odada belli belirsiz bir ahşap kokusu, çocukluğumuzda kullandığımız, ama şimdi ambalajı iyi değil diye bakkaldan almadığımız eski sabunların ve çikletlerin parfümünü hatırlatan bir serinlik de vardı.

Kitabın derinliklerine inemeyen ve Canan'ın ciddiyetine çıkamayan ben, gecenin geç saatinde bir ara noktadan birkaç söz söyleyebileceğimi hissettim. Böylece, zamanın en korkunç şey olduğunu söyledim Canan'a; biz bu yolculuğa ondan kurtulmak için çıkmışız da haberimiz yokmuş. Bu yüzden hareket ediyorduk, bu yüzden onun hiç kıpırdamadığı bir anı arıyorduk. Eşsiz an bu doluluktu işte. Ona yaklaştığımızda, bir çıkış zamanı olduğunu da hissetmiş, bu inanılmaz bölgenin mucizelerine ölenler ve ölmekte olanlarla birlikte gözlerimizle yeterince tanık olmuştuk. Sabah karıştırdığımız çocuk dergilerinde, kitaptaki bilgelik bir çekirdek halinde en çocuksu biçimiyle vardı ve biz aklımızı kullanarak onu kavramalıydık artık. Ötede, uzakta bir yerde hiçbir şey yoktu. Yolculuğumuzun başı da sonu da, biz neredeysek orasıydı. Haklıydı: Yollar, karanlık odalar, eli silahlı katillerle doluydu. Kitaptan, kitaplardan hayata ölüm sızıyordu. Sarıldım ona, canım, burada kalalım, güzelim bu odanın kıymetini bilelim: Bak, bir masa, bir saat, bir lamba, bir pencere: Her sabah kalkar hayranlıkla bakarız dut ağacına. İşte o oradaysa, biz de buradayız, pencerenin pervazı, masanın ayağı, lambanın fitili: Işık ve koku; ne kadar da yalındır dünya. Unut artık kitabı. O da istiyor onu unutmamızı. Varolmak sana sarılmaktır. Ama Canan oralı değildi.

"Mehmet nerede?"

Sorusuna cevabı orada okuyacakmış gibi pür dikkat tavana bakıyordu. Kaşları çatıldı. Alnı uzadı. Dudakları bir sır verecekmiş gibi bir an ürperdi. Odadaki parşömen sarısı ışıkta teni daha önce onda hiç görmediğim pembe bir renk almıştı. Bütün o yolculuklardan, otobüslerde geçirilen gecelerden sonra bir gün huzur dolu bir ortamda ev yemekleri yiyip uyuyunca Canan'ın yüzüne renk gelmişti işte. Mutlu ve düzenli bir ev hayatına özenir de hani bazı kızların birden yapıverdikleri gibi benimle evleniverir diye bunu ona söyledim.

"Hasta oluyorum da ondan," dedi. "Yağmurda üşüttüm. Ateşim var benim."

Ne kadar da güzeldi o uzanmış tavana bakarken, ben yanına uzanmış yüzünün rengine hayran olurken, elimi bir doktor nesnelliğiyle mağrur alnına bastırıp orada tutmak. Elim benden kaçmayacağına emin olmak ister gibi orada kalakalmış. Çocukluk anılarımı gözden geçiriyordum, dokunuş tadının mekânları, yatakları, odaları, kokuları, sıradan şeyleri nasıl da tepeden tırnağa değiştirdiğini keşfediyordum. Başka hesaplar ve düşünceler de vardı aklımda. Yüzünü hafifçe çevirip, bana sorarak bakınca, elimi alnından çektim, gerçeği söyledim:

"Ateşin var."

Bir anda önümde hiç de hesapta olmayan bir yığın ihtimal belirdi. Gecenin ikisinde mutfağa indim. Korkunç görünüşlü tencereler ve hayaletler arasından, yarı karanlıkta karşıma çıkan iri bir cezvede bir kavanozdan bulup çıkardığım ıhlamuru kaynatırken, bir battaniyenin altına girip bir başkasına sarılmanın soğuk algınlıklarına karşı en iyi şey olduğunu Canan'a söylemeyi kuruyordum. Daha sonra, Canan'ın bana tarif ettiği yerdeki büfenin üstünde ilaç kutuları arasında aspirin ararken, ben de hastalanırsam günlerce odada kalabiliriz de, diye düşünüyordum. Bir perde kıpırdadı, terlikler şıpırdadı. Dr. Narin'in eşinin önce gölgesi sonra asabi kendisiyle karşılaştım. Hayır efendim, dedim, merak edilecek bir şey yok, yalnızca biraz üşütmüş efendim.

Beni üst kata çıkardı. Bir yüklüğün üzerinden kalın bir battaniye indirtti, ona bir nevresim geçirdi ve dedi ki: "Ah canım, o kız bir melek, üzme onu, dikkat et." Sonra bir daha aklımdan hiç çıkmayacak bir şey söyledi: Ne kadar da güzel bir boynu varmış benim karımın.

Odaya dönünce uzun uzun boynuna baktım. Daha önceden dikkat etmemiş miydim? Etmiştim, sevmiştim ama boynunun uzunluğu o kadar çarpıcı geliyordu ki, uzun bir süre başka hiçbir şey düşünemez oldum. Ağır ağır ıhlamurunu içişini, aspirini yutar yutmaz hemen "iyi" birşeyler olacağına inanan iyiniyetli çocuklar gibi battaniyesine sarılıp iyimserlikle bekleyişini seyrettim.

Uzun sessizlikler oldu. Ellerimi gözlerimin iki yanına dayayıp pencereden dışarı baktım. Dut ağacı belli belirsiz kıpırdanıyor. Canım, dut ağacımız hafif bir rüzgârda bile nasıl titriyor. Sessizlik. Canan titriyor, zaman ne çabuk geçiyor.

Böylece oda, odamız kısa bir süre içinde "hasta odası" denilen o özel iklim ve manzaralı yere dönüştü. Aşağı yukarı yürürken masanın, bardağın, sehpanın yavaş yavaş fazla tanıdık, fazla sokulgan şeylere dönüştüğünü hissediyordum. Saat dört oldu. Bana buraya oturur musun dedi, yatağın kenarına, yanıma. Battaniyenin üzerinden ayaklarını tuttum. Bana gülümsedi, ben çok şekermişim. Gözlerini kapayıp uyur gibi yaptı, hayır uyukladı, uyudu. Uyudu mu? Uyudu.

Kendimi yürürken bulmuşum. Saate bakarken, sürahiden su doldururken, Canan'a bakarken, bir karar veremezken. Laf olsun diye bir aspirin de ben yutarken. Gözlerini açınca elini alnına koyup ateşine bir daha bakarken.

Sanki saatlerin aksın diye zorladığı zaman bir ara durakladı, içine düşmekte olduğum yarı saydam zar yırtıldı ve Canan yatağında doğruldu: Birden ateşli ateşli otobüs muavinlerinden söz ettik. Biri, bir gün şoför mahallini ele geçirip hiç bilinmeyen bir ülkeyi keşfedeceğini söylemişti. Bir başkası, çenesini tutamayıp, şirketin siz değerli yolcularımıza hediyesi, ücretsizdir, lütfen buyrun çikletlerini, ağabey çok çiğnemeyin, çünkü afyonludur, yolcular mışıl mışıl uyusun da bunu otobüsün yaylarından, hiç sollamayan şoförün hünerinden, şirketimizin ve arabalarımızın üstünlüğünden sansınlar diye, demişti. Hani Canan, sonra bir başkası vardı, —ne de güzel gülüşüyorduk—, hatırladın mı, iki ayrı otobüste görmüştük de, demişti ki, ağabey ilk sefer senin bu kızı kaçırdığını anlamıştım, şimdiyse görüyorum, tebrik ediyorum, yenge, evlenmişsiniz.

Benimle evlenir misin? Bu sözlerin ışıltısıyla canlanan çok sahne görmüştük: Sarmaşdolaş sevgililer ağaçlar altında yürürken ve gece bir elektrik direğinin altında ve arabanın içinde, arkada da tabii, Boğaz Köprüsü görülürken ve yabancı filmlerin etkisiyle yağmur yağarken ve sevimli amcalarla iyiniyetli arkadaşlar kızla oğlanı birdenbire yalnız bıraktığında ve zengin oğlan fettan kıza bunu sorup cup havuza düşerken: Benimle evlenir misin? Güzel boyunlu kıza hasta odasında bu sorunun sorulduğu bir sahneyi görmediğim için, sözlerimin Canan'da filmlerde olduğu cinsten sihirli bir şeyler uyandırabileceğime inanamadım. Üstelik odadaki pervasız bir sivrisineğe takılmıştı aklım.

Saate baktım ve telaşa kapıldım. Ateşine baktım, endişelendim. Diline bakayım dedim, çıkardı, ucu sivri ve pembe. Üzerine uzanıp dilini ağzıma aldım. Öyle biraz kaldık biz, melek.

"Yapma canım," dedi sonra. "Çok tatlısın, ama yapmayalım."

Uyudu. Yatağın kenarına, yanına uzanıp soluk alıp verişlerini saydım. Çok sonra, ortalık aydınlanmak üzereyken şöyle şeyler düşünüyordum ve bir daha düşünüyordum: Ona derim ki, son bir kere daha düşün, Canan, senin için her şeyi yaparım, Canan, anlamıyor musun seni ne kadar çok sevdiğimi... Hep aynı mantığı tekrarlayan bunun gibi şeyler... Bir yalan atıp onu yeniden otobüslere sürükleyeyim, diye düşündüm bir ara, ama artık hem nereye gitmem gerektiğini üç aşağı beş yukarı biliyordum, hem de Dr. Narin'in acımasız saatlerini tanıdıktan ve Canan'la bu odada bir gece geçirdikten sonra ölümden korkmaya başladığımın da farkındaydım.

Melek, biliyorsun işte, zavallı çocuk, sevgilisinin yanına uzanıp gün ışığına kadar soluk alışverişlerini dinledi. Canan'ın düzgün ve kişilikli çenesini, Gülizar'ın verdiği gecelikten çıkan kollarını, saçlarının yastığa yayılışını ve dut ağacının yavaş yavaş aydınlanışını seyretti.

Sonra her şey hızlandı: Evin içinde tıkırtılar duydu, kapının önünden geçen ihtiyatlı ayak sesleri, yeniden başlayan rüzgârın çarptığı bir pencere, bir inek möö dedi, bir araba homurtusu, bir öksürük ve kapımızı vurdular. Elinde iri bir doktor çantası, her şeyden çok doktor olan orta yaşlı tıraşlı biri, dışardaki kızarmış ekmek kokusuyla birlikte içeri girdi. Dudakları az önce kan içmiş gibi kıpkızıldı ve kenarında çirkin bir çıban vardı. Ateşler içindeki Canan'ı arsızca soyacak ve titreyen boynunu ve sırtını bu dudaklarla öpecek diye düşünmüşüm. O nefretlik çantasından stetoskopunu çıkarırken, ben kaşla göz arasında Walther'imi sakladığım yerden alıp kapıdaki endişeli anaya aldırmadan odamdan ve evden çıktım.

Dr. Narin'in bana tanıttığı araziye kimseye görünmeden aceleyle daldım. Kimsenin beni görmeyeceğinden ve rüzgârın dedikodu taşımayacağından emin olduğum kavaklarla çevrili bir ıssızlıkta, tabancamı çekip üstüste ateş ettim. Böylece Dr. Narin'in hediyesi kurşunlarla pintice kısa ve hüzün verecek kadar beceriksiz bir atış talimi yapmış oldum. Hedef olarak seçtiğim kavak ağacına, dört adımdan ve üç kurşundan tek isabet bile yok. Biraz kararsız kaldığımı, kuzeyden gelen aceleci bulutlara bakarak düşüncelerimi çaresizlikle toparlamaya çalıştığımı hatırlıyorum. Genç Walther'in ıstırapları...

İleride bir yerde, Dr. Narin'in arazisinin bir kısmına hakim yüksekçe bir kayalık vardı. Oraya çıktım, oturdum, manzaranın genişliğine ve zenginliğine bakıp soylu düşüncelere dalacağıma, kendi hayatımın ne sefil yerlere varacağını düşündüm. Çok vakit geçti, ama böyle zor zamanlarda peygamberlerin, film yıldızlarının, azizlerin ve siyasi önderlerin yardımına koşan melekler, kitaplar, ilham perileri ve köy bilgeleri hiç mi hiç gözükmediler bana.

Çaresiz, konağa geri döndüm. Kızıl dudaklı çılgın doktor Cananım'ın kanını afiyetle emmiş, şimdi anneleriyle oturmuş gül kızların çayını içiyordu. Beni görünce nasihat etme zevkiyle gözleri ışıldadı.

"Delikanlı!" dedi bana. Karım üşütmüş, ağır bir grip geçiriyormuş; daha önemlisi yorgunluk, halsizlik, bakımsızlık yüzünden zafiyetin eşiğindeymiş. Ne yapıyor da onu bu kadar yoruyor, ne ediyor da onu o kadar hırpalıyormuşum? Kızlar, anneleri, yeni evli genç kocaya şüpheyle baktılar.

"Ona ağır ilaçlar verdim," dedi doktor. "Bir hafta kıpırdamadan yatacak."

Bir hafta! Doktor bozuntusu çayının üzerine iki de badem kurabiyesi tıkınıp, defolup giderken yedi günün bana fazla fazla yeteceğini düşündüm. Canan yatağında uyuyordu, odadan gerekli gördüğüm bir-iki ıvır-zıvırı, notlarımı, paralarımı aldım. Canan'ı boynundan öptüm. Vatan savunmasına koşan bir gönüllü asker gibi aceleyle odadan çıktım. Acele bir işim, vazgeçilmez bir sorumluluğum olduğunu söyledim sonra Gülizar ile annesine. Karım onlara emanetti. Ona kendi gelinleriymiş gibi bakacaklarını söylediler. Beş gün sonra dönmüş olacağımı özellikle belirttim ve arkamda bıraktığım cadılar, hayaletler ve haydutlar ülkesine ve içinde Dr. Narin'in oğlu niyetine Kayserili gencin yattığı mezarlığa geri dönüp hiç mi hiç bakmadan kasabaya, garajlara doğru uzaklaştım.

12

Gene yollara düşmüştüm işte! Ey eski garajlar, döküntü otobüsler, kederli yolcular merhaba! Hani olur ya; farketmeden alıştığımız, alıştığımızı da hiç bilmediğimiz sıradan bir tiryakiliğin törenlerinden ayrı kaldığımızda, hayatın eskisi gibi olmadığını hissetmenin hüznü sarar içimizi. Eski bir Magirus otobüs, Dr. Narin'in farkettirmeden hükmettiği Çatık kasabasından medeniyetin geri kalan kısmına beni taşırken bu hüzünden kurtulacağımı sanmıştım. Çünkü öksürüklü, aksırıklı da olsa, dağ yollarında bir ihtiyar gibi soluk soluğa inliyor da olsa, bir otobüsteydim işte en sonunda. Ama arkamda bıraktığım masal ülkesinin kalbinde, Canan ateşler içinde bir odada yatıyor, hakkından gelemediğim bir sivrisinek aynı odada sinsice geceyi bekliyordu. İşimi bir an önce bitirip, zaferle geri dönüp, yeni hayata başlayabilmek için planlarımı ve kağıtlarımı bir daha gözden geçirdim.

Geceyarısı, bir başka otobüsün titreyen camından uykuyla uyanıklık arasında başımı uzaklaştırıp gözlerimi açtığımda, belki burada ilk defa, seninle gözgöze gelebileceğimi düşündüm iyimserlikle, melek. Ama ruh saflığıyla, eşsiz anın sihrini birleştirecek ilham benden ne kadar da uzaktaydı. Otobüs pencerelerinden uzun bir süre seni göremeyeceğimi biliyordum. Karanlık düzlükler, korkunç uçurumlar, cıva rengi ırmaklar ve unutulmuş benzincilerle, harfleri çürüyüp dökülmüş sigara ve kolonya ilanları pencoremden akarken aklımda kötü hesaplar, bencil düşünceler, ölüm ve kitap vardı ve hayallerimi canlandıracak ne bir videonun nar rengi ışığını görüyordum, ne de mezbahadaki günlük katliamdan evine dönen huzursuz bir kasabın canhıraş horultusunu duyuyordum.

Otobüsün sabaha doğru beni bıraktığı dağlık Alacaelli kasabası, değil yaz sonunu, sonbaharı bile atlamış, alelacele kışı getirmişti. Resmi dairelerin açılmasını beklemek için girdiğim küçük bir kahvede, çayı demleyen, bardakları yıkayan ve saçları neredeyse kaşlarından başladığı için alnı hiç olmayan bir çırak, benim de şeyh efendiyi dinlemek için gelenlerden olup olmadığımı sordu. Vakit geçsin diye, evet dedim ona. Bana torpilli bir koyu çay verdi ve şeyhin hastaları iyileştirmek, kısır karıları çocuk sahibi yapmak dışındaki asıl marifetlerini, bir bakışta elindeki çatalı bükmek, parmağının ucuyla dokunup Pepsi Cola şişesi açmak gibi mucizelerini benimle paylaşmanın zevklerini yaşadı.

Kahveden çıktığımda kış gitmiş, sonbahar gene atlanmış, sıcak ve sinekli bir yaz günü çoktan başlamıştı. Sorunları bir anda üzerlerine giderek çözen o kararlı ve olgun kişilerin yapacağı gibi doğrudan postaneye gittim ve belli belirsiz bir heyecan duyarak masalarda gazete okuyan, bankolarda çay içen ve sigara tüttüren uykulu memur ve memureleri dikkatle gözden geçirdim. Ama aralarında yoktu o. Gözüme kestirdiğim, şefkatli abla görünüşlü bir memure ise tam bir cadaloz çıktı: Mehmet Buldum Bey'in az önce dağıtıma çıktığını bana söyleyene kadar o kadar uğraştırdı ki beni, —nesi oluyorum dediniz, burada beklesenin, ama iş vakti kardeşim sonra gelseniz– İstanbul'dan gelen ve PTT Genel Müdürlüğü'nde hatırı sayılır dostları olan bir askerlik arkadaşı olduğumu söylemem gerekti. Böylece, demin az önce, hemen şimdi, postaneden çıkan Mehmet Buldum, umutsuzca koşuşturduğum ve adlarını birbirine karıştırdığım sokaklar ve mahalleler içerisinde kaybolmak için vakit bulmuş oldu.

Gene de sora soruştura, –teyze postacı Mehmet buradan geçti mi?– ana mahallelerde, dar sokaklarda kaybolmayı başarıp durdum. Alacalı bulacalı bir kedi güneşte tembel tembel yalanıyordu. Belediyenin adamları bir elektrik direğine merdiven dayarken çarşafları, yastıkları balkona çıkaran genç ve güzelce bir teyze onlarla gözgöze geliyordu. Kara gözlü bir çocuk gördüm, yabancı olduğumu hemen anladı. "Ne var?" dedi bana bir horoz edasıyla. Canan yanımda olsaydı, hemen bu cingözle arkadaşlık kurar, zeki mi zeki bir sohbet başlatır ve güzel olduğu, dayanılmaz olduğu, esrarlı olduğu için değil, şu çocukla hemen böyle konuşabildiği için ona sımsıklam âşığım diye düşünürdüm.

Postanenin karşısındaki Zümrüt Kahvehanesi'nin kaldırımdaki masalarından birine, kestane ağacının altına ve Atatürk heykelinin karşısına oturdum. Bir süre sonra *Alacaelli Postası* gazetesini okurken buldum kendimi: Pınar Eczanesi İstanbul'dan Stlops marka kabız ilacını getirmiş, yeni sezona iddialı hazırlanan Alacaelli Kiremit Gençlik'in Boluspor'dan getirdiği antrenör şehrimize dün gelmişti. Demek ki, bir kiremit fabrikası var diyordum ki, Mehmet Buldum Bey'i, omuzunda koca bir posta çantası, oflaya puflaya belediyeye girerken gördüm hayal kırıklığıyla. Bu ağır ve yorgun Mehmet, Canan'ın aklından çıkaramadığı Mehmet'ten ne kadar da uzaktı. Burada işim bitmiş ve listemde beni bekleyen daha pek çok genç Mehmet olduğuna göre bu alçakgönüllü, huzurlu kasabayı kendi haline bırakıp hemen çekip gitmeliydim oradan. Ama şeytana uyup Mehmet Buldum'un belediye binasından çıkmasını bekledim.

Küçük ve çabuk postacı adımlarıyla gölgeli kaldırıma doğru yürürken adını söyleyerek yolunu kestim, şaşkın şaşkın bana bakarken onu kucaklayıp öptüm ve sevgili askerlik arkadaşını, beni hâlâ tanıyamadığı için onu kınadım. Suçluluk duygularıyla benimle kahvehane masasına oturdu, benim acımasız "bari adımı hatırla" oyunuma kapılıp umutsuz tahminler yapmaya başladı. Bir süre sonra onu sertçe susturdum, bir takma ad uydurdum ve PTT'de tanıdıklarım olduğunu açıkladım. İçten bir arkadaşmış, PTT ile ya da terfi imkânlarıyla fazla ilgilenmedi bile. Sıcaktan ve posta yükünden kan ter içinde olduğu için, garsonun hemen getirip açtığı Buz Gibi BUDAK gazozunun şişesine minnetle bakıyor, hiç hatırlamadığı bu askıntı askerlik arkadaşından da, verdiği mahcubiyetten de bir an önce kurtulmak istiyordu. Belki de uykusuzluktandır, ama başımı tatlı tatlı döndüren bir hınç duyduğumu açık seçik hissediyordum.

"Bir kitap okumuşsun!" dedim, çayımı yudumladım ciddiyetle. "Bir kitap okuyormuşsun? Bazan herkesin önünde de yapıyormuşsun bu işi."

Bir an yüzü kül gibi oldu. Konuyu çok iyi anlamıştı.

"O kitabı nereden buldun?"

Ama çabuk da toparlandı. İstanbul'a hastaneye giden bir akrabası varmış, adına kanıp, sağlık kitabı sanıp kaldırım satıcısından satın almış, atmaya kıyamadığı için de getirip ona vermiş.

Biraz sustuk. Bir serçe masadaki iki boş sandalyeden birine kondu, ötekine sıçradı.

Adı küçük ve itinalı harflerle yakasında yazan posta memurunu süzdüm. Benim yaşlarda, belki birkaç yaş büyüktü. Bütün hayatımı rayından çıkaran, dünyamı altüst eden kitap bu adamın da yoluna çıkmış, onu da tam bilemediğim –bilmeyi istemekle istememek arasında karar veremediğim– bir şekilde etkilemiş, sarsmıştı. İkimizi bir çeşit kurban ya da talihli yapan ortak bir yanımız vardı ve bu da sinirime dokunuyordu.

Konuyu küçümseyip, elindeki Budak marka gazozun kapağı gibi ilgisizlikle bir köşeye atamadığını da gördüğüm için kitabın onda da özel bir yeri olduğunu hissediyordum. Nasıl bir adamdı bu? Uzun parmaklı, düzgün, olağanüstü güzel elleri vardı. Neredeyse narin denilecek bir teni, duygulu bir yüzü ve biraz da artık öfkelendiğini, meraklandığını belli eden badem gözleri vardı. Onun da kitapla benim gibi avlandığı söylenebilir miydi? Onun da bütün dünyası değişmiş miydi? Onun da, kitabın verdiği yalnızlıkla kedere boğulduğu geceleri var mıydı?

"Neyse," dedim. "Arkadaşım, çok sevindim, ama benim otobüsüm kalkıyor."

Kabalığımı affet melek, çünkü o anda birden, hesapta hiç olmayan bir şeyi yapabileceğimi, bu adam bana ruhunu açsın, diye kendi ruhumun sefaletini ona bir yarayı teşhir eder gibi gösterebileceğimi hissettim. Sonu içki masalarında hüzün, gözyaşı ve pek de inandırıcı olmayan bir kardeşlik duygusallığıyla biten bu tür içtenlik törenlerinden nefret ettiğim için değil, —mahalle arkadaşlarıyla o işi izbe meyhanelerde yapmaya aslında bayılırım— o anda Canan'dan başka hiçbir şeyi düşünmek istemediğim için. Bir an önce yalnız kalmak ve Canan'la bir gün yaşayabileceğimiz mutlu aile hayatının hayalleriyle oyalanmak istiyordum. Masadan kalkmıştım ki:

"Bu şehirde, bu saatte herhangi bir yere kalkan bir otobüs yoktur hiç," dedi askerlik arkadaşım.

Ya! Zekiydi işte. Taşı gediğine yerleştirdiği için hayatından memnun, güzel elleriyle gazoz şişesini okşuyordu.

Tabancamı çekip narin tenini delik deşik etmekle, onun en iyi arkadaşı, sırdaşı, kaderdaşı olmak arasında bir kararsızlık geçirdim. Belki bir ara yol bulabilirdim; mesela, önce yalnızca omuzundan vurur, sonra pişman olur, hastaneye koşturur, gece de, o omuzu sarılıyken birlikte torbasındaki bütün mektupları tek tek açıp okuyarak çılgınlar gibi eğlenirdik.

"Farketmez," dedim en sonunda. Çay ve gazoz paralarını şık bir jestle masaya bıraktım. Dönüp yürüdüm. Bütün bu hareketi hangi filmden aparttığımı çıkartamıyordum, ama pek de fena olmamıştı hani.

Sürekli bir iş peşinde koşan, tuttuğunu koparan adamlar gibi hızlı hızlı yürüdüm; arkamdan bakıyor olmalıydı. Atatürk heykelinin yanından dar ve gölgeli kaldırıma çıkıp garajlara gittim. Garajlar, lafın gelişi: Sefil Alacaelli kasabasında –şehir demişti postacı dostum– geceyi geçirecek kadar bahtsız bir otobüs varsa eğer, onu kardan çamurdan koruyacak üstü örtülü bir kulübecik bile olacağını sanmıyordum. İki adımlık bir odada bir ömür boyu bilet satmaya mahkum mağrur bir adam, bana ilk otobüsün öğleden önce gelmeyeceğini memnuniyetle söyledi. Tabii ben de ona kafasının kabağının, arkasındaki takvimdeki Goodyear lastikleri güzelinin bacaklarıyla tıpatıp aynı kavuniçi renkte olduğunu söylemedim.

Çünkü, niye öfkeliyim, diye soruyordum, niye hırçın oldum, söyle bana, kim olduğunu, neyin nesi olduğunu çıkartamadığım melek söyle! En azından dikkat et bana, uyar beni de öfkenin hışmıyla yoldan çıkmadan, yuvasını korumak isteyen mutsuz bir aile babası gibi dünyadaki kötülükleri ve talihsizlikleri kendimce bir çekidüzene koyup ateşler içindeki Cananım'a bir an önce kavuşayım.

Ama içimdeki öfke, dur durak bilmiyordu. Acaba bir Walther taşımaya başlayan yirmiiki yaşındaki her gence böyle mi oluyordur?

Notlarıma bir göz attım, adı geçen sokağı ve dükkanı kolay buldum: Selamet Tuhafiye. Küçük vitrinde özenle sergilenmiş, el işi örtüler, eldivenler, çocuk ayakkabıları, danteller ve tesbihler Dr. Narin'in pek bayılacağı başka bir zamanın şiirine sabırla gönderme yapıyordu. İçeri giriyordum ki, tezgahta oturup *Alacaelli Postası*'nı okuyan adamı gördüm, şaşırdım, geri döndüm. Acaba bu kasabada herkes mi bu kadar kendinden emindi, yoksa bana mı öyle geliyordu?

Hafif bir bozgun havasıyla bir kahvede oturdum, bir Budak gazozu içip aklımın ordularını topladım. Gölgeli dar kaldırımdan geçerken tozlu vitrinde dikkatimi çeken kara bir gözlüğü Pınar Eczanesi'nden satın aldım. Çalışkan patron kabız ilacı ilanını gazeteden kesip çoktan vitrine yapıştırmıştı bile.

Kara gözlükleri takınca Selamet Tuhafiye'ye ben de kendinden emin o adamlardan biri olarak girebildim. Pesperdeden bir sesle eldivenleri görmek istediğimi bildirdim. Annem böyle yapardı işte: "Kendim için deri eldiven istiyorum," ya da "askerdeki oğlum için yedi numara yün eldiven," demez, "eldivenleri görmek istiyorum!" der, bu da dükkanda işine yarayacak bir telaş yaratırdı.

Ama buyruğum kendi kendisinin patronu ve tezgahtarı olduğu anlaşılan bu adama tatlı bir müzik gibi gelmiş olmalı. Titiz bir ev kadınının dikkatini hatırlatan bir zerafet ve kurmay olmaya azimli bir askerin sınıflama tutkusuna yaklaşan bir düzenle bütün mallarını çekmecelerden, el işi torbalardan ve vitrinden çıkarıp bana gösterdi. Altmış yaşlarında olmalıydı, yüzü tıraşsızdı ve sesi eldiven saplantısını hiç de belli etmeyecek kadar kesindi: Elde eğrilmiş yünden yapılmış, her parmağı üç değişik renkle şenlendirilmiş küçük kadın eldivenleri gösterdi bana, çobanların tercih ettiği, kaba yün eldivenlerin avuç kısmına gelen Maraş işi keçeyi göstermek için içlerini dışarı çıkardı, kendi topladığı yün ipliklerinden siparişi üzerine köylü kadınlara ördürdüğü eldivenlerde hiçbir yapay boya kullanılmamıştı. Yün eldivenlerin en kolay yıpranan yeri olan parmak uçlarına içerden astar koydurtmuştu. Nabzın üzerinde bir çiçek istiyorsam eğer, en saf ceviz boyasıyla renklendirilmiş ve bilekleri dantellenmiş şu çifti almalı, yok aklımda çok özel bir şey varsa

175

Sivas kangal köpeği derisinden yapılmış şu harikaya lütfen kara gözlüklerimi çıkarıp bir bakmalıydım.

Baktım. Gözlüklerimi yeniden taktım.

"Yetim Elli," dedim, –buydu çünkü Dr. Narin'e yolladığı ihbar mektuplarında kullandığı takma adı– "Beni Dr. Narin yolladı, hiç memnun değil senden."

"Niye öyle?" dedi soğukkanlılıkla. Sanki ben eldivenlerden birinin rengine itiraz etmiştim.

"Postacı Mehmet kendi halinde bir vatandaş... Onun kötülüğünü isteyip ihbar etmek neden?"

"Kendi halinde değil," dedi. Ve eldivenleri tek tek gösterirken konuştuğu sesle açıkladı: Kitabı okuyormuş ve bunu başkalarının dikkatini çekecek bir şekilde yapıyormuş. Aklında belli ki, bu kitapla ve kitabın saçacağı kötülüklerle ilgili çirkin, karanlık düşünceler varmış. Bir kere mektup bırakıyorum bahanesiyle, kapıyı bile vurmadan dul bir kadının evine girerken yakalamışlar onu. Bir başka seferinde bir ilkokul çocuğuyla bir kahvede dizdize, yanak yanağa oturup bir resimli romanı sözüm ona okurken görmüşler. Resimli roman tabii, haydutlar, ahlaksızlar, hırsızlarla, azizleri ve evliyaları aynı kefeye koyan cinstenmiş. "Yetişir mi?" diye sordu bana.

Biraz kararsız kalmış susuyordum.

"Bugün bu kasabada," –evet kasaba demişti– "bir lokma bir hırka demek ayıp sayılıyorsa ve ellerine kına yakan hanımlar küçümseniyorsa o postacının ve otobüslerin ve kahve televizyonlarının Amerika'dan getirdikleri yüzündendir. Hangi otobüsle geldin sen?"

Söyledim.

"Dr. Narin," dedi, "şüphesiz büyük bir insan. Onun bir emrini, bir tebliğini almak bana huzur verir, şükür. Ama delikanlı git sen söyle ona, bana bir daha çocukları yollamasın." Eldivenlerini topluyordu. "Şunu da söyle: O postacıyı ben Mustafa Paşa Camii'nin kenefinde otuzbir çekerken de gördüm."

"Hem de o güzel ellerle," dedim çıktım.

Dışarıda ferahlarım sanıyordum ama, güneşin altında tabak gibi yatan parke taşlı sokağa adımımı atar atmaz, bu kasabada daha geçirmem gereken ikibuçuk saatim olduğunu dehşetle hatırladım.

Midemde bardak bardak içtiğim ıhlamurlar, çaylar, Budak gazozları, ezberimde *Alacaelli Postası*'ndaki küçük "şehir haberleri", gözlerimin önünde belediye binasının kiremitleriyle Ziraat Bankası'nın pleksiglas panosunun serap gibi bir belirip bir kaybolan kırmızı ve mor renkleri, kulaklarımda kuş cıvıltıları, jeneratör vınlaması ve öksürükler, bir çeşit baygınlık, bir çeşit bitkinlik ve daha çok da uykusuzlukla bekledim. En sonunda fiyakalı bir şekilde park eden otobüsün kapısına sarılıp açtığımda, içeriden dışarı doğru bir itiş kakış oldu. Dışardakiler şükür Walther'imi yoklamadan– aşağı çektiler beni, ki otobüsten inen şeyh efendiye yol vereyim. Gül pembesi yüzünde nurdan bir ifade, biz batağa batmış olanlar için kederleniyormuş gibi vakur, ama hayatından ve ilgiden fazlasıyla memnun ağır ağır salınarak önümden geçti, gitti. Silahıma niye sarılacakmışım, dedim kendi kendime, silahımı kalçamın üzerinde hissederken. Hiçbirine metelik vermeden otobüse bindim.

Otobüs hiç kalkmayacakmış ve bütün dünya ile birlikte artık Canan da beni unutacakmış gibi beklerken otuz sekiz numaralı koltuktan şeyhi karşılayan kalabalığı seyretmek zorunda kaldım ve elini öpme sırası ona geldiğinde, ortalarda bir yerde alınsız kahveci çırağını gördüm. Şeyhin elini güzelce öpmüş, özene bezene alnına götürüyordu ki, otobüsümüz kıpırdadı. O zaman dalgalanan kalabalığın kafaları içinde kırık kalpli tuhafiyeciyi de farkettim. Kalabalık içinde bir siyasi önderi katletmeye kararlı bir katil gibi ilerliyordu ve otobüsümüz uzaklaşırken hissettim ki şeyhe değil, aslında bana doğru geliyordu.

Kasaba arkada kalınca, unut, dedim kendime, amansız bir güneş, her ağaçtan, her dönemeçten sonra becerikli bir hafiye gibi, beni koltuğumda enseleyip ensemi ve kolumu ekmek gibi pişirirken, unut gitsin. Ama evsiz, bacasız, ağaçsız, kayasız, sapsarı kıraç bir arazide tembel otobüs hım hım ilerlerken ve uykusuz gözlerim ışıktan kamaşırken, değil unutmak, içime işleyen başka bir şeyi daha derinden sezdim: Kırık kalpli tuhafiyecinin ihbar mektubunda postacı dostumun adı Mehmet diye geldiğim bu kasabada geçirdiğim beş saat, bundan sonra amatör bir dedektif ruhuyla gideceğim kasabalarda, göreceğim insanlarla, yaşayacağım sahnelerle olan ilişkimin –nasıl söylesem– rengini, ahengini şimdiden belirlemişti.

Mesela, Alacaelli'den ayrıldıktan tam otuz altı saat sonra gerçekliğin kendisinden çok hayallerden çıkmış gibi gözüken tozlu ve dumanlı bir köyden bozma kasabanın garajında bir geceyarısı otobüsümü bekler, bir türlü geçmeyen vakti öldürmek ve kazınan midemin ağrısını dindirmek için peynirli bir pideyi çiğnerken, kötü niyetli bir gölgenin bana yaklaşmakta olduğunu hissettim. Eldivensever tuhafiyecim miydi bu? Hayır. Onun ruhu! Hayır, kırık kalpli ve öfkeli bir bayi! Hayır. Seiko olmalı, diye ben düşünürken, birden çat, bir kenef kapısı vurdu, görüntü bütünüyle değişti ve yağmurluklu Seiko hayali, yağmurluklu kendi halinde bir amcaya dönüştü. Sonra ellerinde plastik torbalar, başörtülü yorgun bir yengeyle kızı da amcaya katılınca, Seiko'yu niye boz bir yağmurlukla hayal ettiğimi düşündüm. Kırık kalpli tuhafiyeci dostumu da garaj kalabalığında aynı renk bir yağmurlukla görmüştüm de ondan mı?

Bir başka seferinde ise, tehdit, yağmurluklu Seiko hayali olarak değil de, bütün bir fabrika olarak gözükmüştü. Mışıl mışıl uyuduğum sessiz bir otobüsten sonra, daha yaylı ve oturaklı bir başkasında deliksiz bir uyku çekmiş, sabah, çabucak bir sonuç almak için gittiğim bir un fabrikasında kırık kalpli bir baklava-börekçinin ihbar ettiği fabrikanın genç muhasebecisini bir an önce görebilmek için askerlik arkadaşı çıkageldi yalanını atmıştım. Peşine düştüğüm çeşitli Mehmetler, gerçek Mehmet gibi yirmi üç yirmi dört yaşlarında oldukları için her zaman'işe yarayan bu askerlik yalanı, undan bembeyaz kesilmiş bir işçiye o kadar gerçek gelmiş olmalı ki, o da bizimle aynı bölüktenmiş gibi, gözlerinde dostluk, kardeşlik ve hayret ışıltılarıyla içeriye, idareye gitti. Bir kenara çekildim ve nedense tuhaf bir tehditkâr hava hissettim. Fabrika denen salaş yerdeki elektrikli değirmenin motorundan hareket alan kocaman bir demir boru kabadayı-kabadayı diyerek tepemde dönüyor, loş bir ışıkta beyaz ve korkutucu işçi hayaletleri, ağızlarında pırıl pırıl sigaralar, ağır ağır kıpırdanıyorlardı. Hayaletlerin bana düşmanca baktıklarını, beni göstererek aralarında konuştuklarını farkettim, ama çekildiğim köşede aldırmaz gibi gözükmeye çalışıyordum. Daha sonra, un çuvallarından bir duvarın aralığından gördüğüm karanlık bir çarkın üzerime geldiğini hissetmiştim ki, çalışkan hayaletlerden biri bana sallana sallana sokuldu ve nerede zar attığımı sordu. Gürültüden beni işitmiyordu, bağıra bağıra, ona hiç zar filan atmadığımı söyledim. Hayır, dedi, hangi rüzgâr beni atmış. Aynı gürültüyle anlattım. Askerlik arkadaşımı çok severdim; Mehmet şakacı mı şakacı, dost mu dost güvenilir bir arkadaştı. Hayat ve kaza sigortası satmak için yaptığım Anadolu gezisinde onu hatırlamıştım. Undan hayalet bana sigortacılık mesleğini sordu: Hırsızlar, aşağılık üçkağıtçılar, masonlar, tabanca taşıyan ibneler ve gürültüden yanlış işittiğimi sandığım kötü niyetli diğer din ve memleket düşmanları da var mıydı bu işte? Çaresiz uzun uzun anlattım, dostane bir bakışla dinledi: Böylece her meslek böyledir işte, havasına girdik: Dürüst vatandaşlar da vardı bu dünyada, neyin peşinde koştuğu bilinmeyen sahtekar hinoğluhinler de. Derken, gene askerlik arkadaşım Mehmet'i sordum, nerede kalmıştı? "Bak canım," dedi bana hayalet. Pantolonunu sıyırıp tuhaf bir bacak gösterdi. "Mehmet Okur topal bacakla askere gidecek kerizlerden değil, tamam mı?" Ben kim oluyordum?

Çaresizlikten değil, şaşkınlıktan bir an bu sorunun cevabını ben de unutmuşum gibi yapmam kolay oldu. Aklım karıştığı gibi adresler ve adlar da karışmıştır, dedim hiç de inandırıcı olmadığını bilerek.

Dayak yemeden sıvıştıktan sonra, kasaba merkezinde kalbi kırık ihbarcımızın dükkanında ağızda dağılan nefis bir suböreği yerken, topal Mehmet'in kitabı okumuş birine hiç mi hiç benzemediğini düşünüyordum, ama deneylerim insan sarrafı ayaklarına yatmanın ne kadar yanlış olduğunu bana öğretti.

Mesela, bütün sokakları tütün kokan İncirpaşa kasabasında kitabı yalnız ihbar edilen genç itfaiyeci değil, belediyenin bütün itfaiye takımı şaşırtıcı bir ciddiyetle okumuştu. Kasabanın Yunan işgalinden kurtuluşunun yıldönümü hazırlıkları yüzünden dost itfaiyecilerin kafalarında demirden başlıklar, başlıkların üzerine mıhlanmış küçük gazocakları, itfaiye alanında başlarından alevler fışkırırken uygun adım koşarak "Ateşler, ateşler, ateşler içinde vatan," şarkısını kusursuzca söyleyişlerini çocuklarla ve uysal bir çomarla birlikte seyrettim. Arkasından hep birlikte sofraya oturduk, keçi eti kavurması yedik. Sarı kırmızı cıvıl cıvıl kısa kollu bir örnek gömlekleriyle bütünüyle mutlu gözüken itfaiyeci dostlar şaka olsun diye ya da bana selam olsun diye arada bir kitaptan bir iki kelime mırıldanıyorlardı. Kitap ise, daha sonra gösterdiler, tek itfaiye aracının şoför mahallinde Kuran saklar gibi tutuluyordu. Pırıl pırıl yaz gecelerinde meleklerin —meleğin değil— yıldızlar arasından bir süzülüp, kasabanın tütün kokusunu koklayıp, kederlilere ve dertlilere şöyle bir görünerek onlara mutluluk yolunu gösterdiğine inanan bu itfaiyeciler mi kitabı yanlış okumuşlardı, yoksa ben mi?

Bir kasabanın fotoğrafçısında resim çektirdim. Bir başkasında doktora ciğerlerimi dinlettim. Bir üçüncü şehrin kuyumcusunda denediğim yüzüğü almadım ve bu hüzünlü, tozlu ve döküntü yerlerden her çıkışımda bir gün Canan'la böyle yerlere birlikte mutluluk resimlerimizi çektirmek, onun güzelim ciğer salkımlarına sevgi göstermek ve bizi birbirimize ölüme kadar bağlayacak bir yüzük almak için gireceğimizi hayal ettim, fotoğrafçı Mehmet'in, Dr. Ahmet'in ve kuyumcu Rahmet'in gerçekten kim olduğunu, kitabı ne kadar tutkuyla okuduğunu anlamak için değil.

Sonra kasaba alanında bir dolanır, Atatürk heykeline sıçan güvercinleri ayıplar, saatime bakar, Walther'imi yoklar ve garajlara yollanırdım ki, işte tam bu sıralarda, o kötü adamların, yağmurluklu bayların, saat hayaletlerinin ve kararlı Seiko'nun peşimde oldukları duygusuna kapılırdım bazan. Adana otobüsüne tam binecekken beni görüp gerisin geri otobüsten inen uzun boylu golge MİT'den Movado muydu? Evet, o olmalıydı, oydu ve benim bir an önce yolumu değiştirmem gerekirdi. Değiştirir, leş kokulu bir kenefe gizlenir, son anda usulca bindiğim HEMEN VARAN'ın pencerelerinde umutsuzca meleği beklerken ensemi karıncalandıran bir çift gözün bakışını hisseder, döner ve bu sefer en arka sırada Serkisof'un hain hain beni dikizlemekte olduğuna hükmederdim. Böylece geceyarıları "mola" yerlerinin formika renkli lokantalarında çayımı yarıda bırakıp, otobüsüm kalkana kadar mısır tarlalarında kadife lacivverdi gökteki yıldızları seyrettim; şehir çarşısındaki bir dükkana bembeyaz elbiselerle ve güler yüzle girip, kırmızı bir gömlek, mor bir ceket ve kadife pantolon ve asık bir suratla çıktım, ve birkaç kere de, peşimde karanlık gölgeler, kasaba kalabalıkları içerisinde garajlara doğru haldır haldır koştururken buldum kendimi.

Bütün bu koşturmacadan sonra, peşimdeki silahlı hayaleti ektiğime inandığımda ya da Dr. Narin'in çılgın saatlerinin beni zımbalamaları için zaten hiçbir neden olmadığına karar verdiğimde, dışarıdan beni izleyen kötü gözlerin yerini, beni aralarında görmekten mutlu ve dost kasabalıların anlayışlı bakışları alırdı.

Bir keresinde, komşu daireye yerleşmiş, ama şimdi İstanbul'daki amcasına gitmiş bir Mehmet'in malum Mehmet olmadığından emin olmak için, karşı dairenin çenebaz teyzesine pazardan dönüşünde eşlik ettim. Birlikte taşıdığımız filelerden ve plastik torbalardan tombul patlıcanlar, şen domatesler ve sivri biberler pırıl pırıl bir güneşe uzanırken, teyze bana insanın askerlik arkadaşını aramasının ne hoş bir şey olduğunu söylüyor, evde beni bekleyen karımın hasta olmasına aldırmıyor ve hayatın ne kadar güzel güzel olduğunu anlatıyordu.

Belki de öyleydi. Karaçalı'da, iri bir çınar ağacının altındaki Bahçeli Nefaset Lokantası'nda beğendili ve kekik kokulu nefis bir döner yedim. Yaprakları bir tersine bir yüzüne çeviren çok hafif bir rüzgâr mutfaktan bana mutlu anılar kadar hoş bir hamur kokusu taşıyordu. Afyon yakınlarında adını unuttuğum huzursuz bir kasabada, sık sık kendi sezgileriyle yön seçen bacaklarımın beni kendiliğinden götürdüğü bir şekerci dükkanında, içleri gül kurusu ve mandalina kabuğu rengindeki şekerlerle dolu kavanozları ve pırıl pırıl kavanozlar kadar yuvarlak ve düzgün bir anneyi görünce bir an durakladım, kasaya döndüm, sarsıldım. Annenin onaltı yaşlarındaki küçük ve solgun bir minyatürü, küçük elli, küçük ağızlı, çıkık elmacık kemikli, hafifçe çekik gözlü eşsiz bir minyatür güzeli, başını okuduğu foto-romandan kaldırmış, inanılmaz bir şey ama, Amerikan filmlerindeki o özgür ve şeytani kadınlar gibi bana açıkça gülümseyerek bakıyordu.

Bir gece, İstanbul'daki şık ve zengin bir evin huzurlu ve sessiz oturma odası gibi, yumuşacık ışıklarla aydınlatılmış bir garajda otobüsümüzü beklerken tanıştığım üç yedeksubay arkadaşla, onların aralarında keşfedip geliştirdikleri kağıt oyunu Şah Şaşırdı'yı oynadım. Her biri Yenice sigarasının karton kapağından kesilmiş oyun kağıtlarının üzerine şahlar, ejderhalar, sultanlar, cinler, âşıklar ve melekler çizilmişti ve arkadaşların birbirlerine dostça takılmalarına bakılırsa, yol ve şefkat gösteren birer dişi joker rolündeki meleklerin her biri, ya mahallelerindeki sevgiliyi temsil ediyordu, ya gençliklerinin tek ve büyük aşkını ya da aralarında en şakacıya olduğu gibi, ancak otuzbir hayallerinde birlikte olabildikleri bir yerli film ve gazino yıldızını. Dördüncü meleği de bana bıraktılar ve akıllı anlayışlı dostların bile pek seyrek yapacağı gibi, hayallerimde onu kimin yerine koyduğumu bana sormamak inceliğini gösterdiler.

Kırık kalpli ihbarcıların palavralarını dinlerken ve her biri kendi ücra köşeleri içinde, kapıları kapalı, bahçe duvarları dikenli ve sarmaşıklı ve yolları da oldukça dolambaçlı olan çeşitli Mehmet'lerden benim için gerekli olanı ararken ve garajlarda, şehir meydanlarında, otobüs duraklarının lokantalarında peşimdeki gerçek yağmurluklularla, hayali kötü saatlerden kaçmak için koşturup dururken tanık olduğum mutluluk manzaraları içerisinde bir tanesi beni iyice hırpaladı.

Yollara düşmemin beşinci günüydü. *Çorum Hürses* gazetesinin sahibinin, okuduğu şiirlerini daha iyi anlayayım diye bana çay bardaklarıyla ikram ettiği rakıyı içmiş, gazetecinin kitaptan bazı parçaları "ev ve aile" köşesinde yayımlamayacağını, çünkü bunun artık ne demiryol davasına ne de Çorum'a Amasya'dan bir demiryolu çekilmesine yarayacağını anlamış, ondan sonraki kasabada iz ve adres peşinde altı saat dolandıktan sonra, kırık kalpli ihbarcının sırf Dr. Narin'den para sızdırabilmek için varolmayan bir kitap okurunu ihbar edip, onu varolmayan bir sokağa yerleştirdiğini öfkeyle keşfetmiş ve iki yanındaki kayalı, uçurumlu dağlar yüzünden akşamın erken indiği Amasya'ya kapağı atmıştım. Listemdeki Mehmetler hiçbir sonuç vermeden yarılandığı ve hâlâ ateşler içinde yatakta yattığını hayal ettiğim Canan'ın görüntüsü bacaklarımda telaşlı bir karıncalanma yarattığı için bu şehirde gerekli adrese gidip, askerlik arkadaşımı sorup onun malum Mehmet olmadığını öğrenir öğrenmez beni Karadeniz kıyısına bırakacak bir otobüse hemen binmeyi tasarlıyordum.

Hiç de yeşil olmayan bulanık bir suyu —Yeşilırmak'mış bu— aşan bir köprüden dağdaki kayalara oyulmuş mezarların hemen altına düşen bir mahalleye girdim. Buradaki eski ve gösterişli konaklar bir tarihlerde güngörmüş kişilerin —kimbilir hangi paşaların ya da toprak ağalarının— bu tozlu mahallede yaşadığına işaret ediyordu. Bu konaklardan birinin kapısını çaldım, askerlik arkadaşımı sordum, arabasıyla yolda olduğunu söyleyip beni içeri aldılar ve ışıl ışıl mutlu bir aile hayatından bana pırıl pırıl sahneler sundular:

1. Yoksulların davalarını parasız alan avukat baba kapıdan uğurladığı kederli müvekkilinin dertleri için içlenirken, muhteşem bir kütüphaneden çıkardığı içtihat cildini inceledi. 2. Davadan haberli anne, beni dalgın babaya, cin bakışlı kızkardeşe, hipermetrop gözlüklü babaanneye ve pul kolleksiyonunu —Memleket serisi— inceleyen küçük oğlana tanıtınca hepsi, Batılı seyyahların kitaplarında anlatılan o gerçek misafirperverlik duygusu ve heyecanıyla mutlu oldular. 3. Anne ile cin kız, Süveyde Hala'nın fırında pişirdiği mis kokulu böreğin kızarmasını beklerken önce beni kibarca sorguya çektiler, sonra da Andre Maurois'in *İklimler* adlı romanı hakkında tartıştılar. 4. Bütün gününü elma bahçelerinde geçiren çalışkan oğul Mehmet, beni askerlik günlerinden hiç çıkaramadığını dürüstçe söyledi ve iyiniyetle ortak konuşma konuları aradı, buldu ve böylece demiryol siyasetinin bırakılmasının ve köylerde kooperatifçiliğin teşvik edilmemesinin memleketimiz için ne kadar zararlı olduğunu tartışmak fırsatımız oldu.

Bu insanlar herhalde hiç düzüşmezler, diye düşünüyordum mutlu konaktan çıktıktan sonra sokakların karanlığında boğulurken. Kapıyı çalıp da, onları görür görmez anlamıştım malum Mehmet'in bu evde yaşamadığını. O zaman, niye orada kaldım ve kredili mesken ilanlarındaki mutluluk resimleriyle büyülendim? Walther yüzünden, dedim tabancamı kalçamın üstünde hissederken. Çıktığım mutlu konağın huzur rengi pencerelerine dönüp 9 milimetrelik kurşunlarımı boşaltsam mı, diye düşündüm, ama biliyordum, düşünmek değildi de bir çeşit fısıldamaktı bu: Aklımdaki karanlık ormanın kalbindeki kara kurt uyusun diye. Uyu, kara kurt uyu! Ah, evet uyuyalım. Bir dükkan, bir vitrin, bir ilan: Ayaklarım, kurttan korkan kuzu gibi uysal ayaklarım beni bir yerlere götürüyordu işte. Nereye? Safa Sineması, Bahar Eczanesi, Ölüm Kuruyemişçisi. Elinde bir sigara yemişçinin çırağı bana niye bakıyor öyle? Yemişçiden sonra bir bakkal ve bir pastaneye derken genişçe bir vitrinde ARÇELİK buzdolaplarına, AYGAZ ocaklarına, ekmek kutuları, koltuklar, divanlar, emaye şeyler ve lambalara ve MODERN sobalara ve bol tüylü ve mutlu bir köpeğe, yani ARÇELİK radyonun üstüne tünemiş bibloya bakarken artık kendimi tutamadığımı biliyordum.

Böylece iki dağ arasına sıkışmış Amasya şehrinde, bir gece yarısı bir vitrinin önünde hüngür hüngür ağlamaya başladım, melek. Hani çocuklara sorarlar ya, niye ağlıyorsun yavrum diye; derin bir yara içinde bir yerde kanadığı için ağlar, ama soruyu soran amcaya der ya, mavi kalemtıraşımı kaybettim diye, işte öyle kederleniyordum ben de, vitrindeki bütün şeylere. Pisi pisine katil olacaktım ve ömrümün sonuna kadar ruhumda bu acıyla yaşayacaktım. Kuruyemişçiden çekirdek aldığımda, bakkalın vitrin aynasında kendime baktığımda ve buzdolapları ve sobalar arasındaki mutlu hayatta gövdemi gördüğümde içimdeki lanet ve sinsi ses, bak gene dişlerini gösteren hain kara kurt, seslenecekti bana, sen suçlusun diye.

Oysa melek, ben bir zamanlar nasıl da inanmıştım hayata ve hayatta iyi olmak gerektiğine. Şimdiyse inanamadığım bir Canan'la, inanırsam öldüreceğim bir Mehmet arasında, dolambaçlı mı dolambaçlı, sinsi mi sinsi bir hesap kitabın vaadettiği sisler içindeki bir mutluluk hayalinden ve Walther'imden başka tutunacak hiçbir dalım yoktu. Gözlerimin önünden buzdolapları, portakal sıkma makineleri ve taksitli koltuklar duyulmayan bir ağıtın eşliğinde salına salına akıp geçtiler.

Bu gibi durumlarda, yerli filmlerdeki burun çeken küçük çocukların ve gözüyaşlı güzel kadınların derdine derman olan amca, o ara ben kart horoza yetişti ve dedi ki: "Oğlum," dedi. "Niye ağlıyorsun, bir derdin mi var evladım?.. Ağlama."

Bu akıllı ve sakallı amca ya camiye gidiyordu ya da birisini boğazlamaya. Dedim ki:

"Amca, dün babam öldü."

Şüphelenmiş olmalı. "Sen kimlerdensin oğlum?" dedi. "Buralı değilsin belli."

"Üvey babam bizi burada hiç istemedi," dedim ve acaba şunu da mı deseydim diye düşündüm. "Amca Mekke'ye hacı olmaya gidiyordum, ama otobüs kaçtı, borç para versene!"

Kederden ölüyormuş gibi yaparak yürüdüm karanlığa kederden ölerek.

Gene de, durup dururken bir iki yalan atmak iyi gelmişti. Sonra, her zaman güvendiğim GÜVENLİ VARAN'ın televizyon ekranında çıtı-pıtı bir hanımın arabasını kötü adamlar kalabalığının üzerine acımasız bir kararlılıkla sürdüğünü görmek iyice ferahlattı beni. Sabah Karadeniz kıyısındaki Karadeniz Bakkaliyesi'nden İstanbul'a anneme telefon ettim ve işlerimi halledip melek geliniyle eve dönmek üzere olduğunu söyledim. Ağlayacaksa, mutluluktan ağlamalı. Eski çarşıda bir pastanede oturup notlarımı açtım ve bir an önce işi bitirmek için bir hesap kitap yaptım.

Kitabın Samsun'daki okuru, Sosyal Sigortalar Hastanesi'nde staj yapan genç bir doktordu. Onun malum Mehmet olmadığını görür görmez tertemiz tıraşından mı, bakımlı, kendine güvenli halinden mi, neden bilinmez bir anda şunu anladım: Kitabı benim gibi hayatı kaymışların yaptığı gibi değil, adamakıllı sağlam bir başka yolla sindirim sistemine katıp onunla birlikte huzur ve tutkuyla yaşayabiliyordu bu adam. Hemen nefret ettim ondan. Benim bütün dünyamı değiştiren, feleğimi şaşırtan kitap bu adama nasıl vitamin hapı etkisi yapmıştı? Meraktan yanıp tutuşacağımı anladığım için, geniş omuzlu yakışıklı doktora, iri gözlü, sert hatlı ve Kim Novak'ın üçüncü sınıf kopyası esmer bir hemşire göz süzerken, masanın üzerindeki ilaç katalogları arasında, ilaç katalogları gibi sahte bir masumiyetle duran kitabı işaret edip konuyu açtım.

"Ah doktor bey çok sever okumayı!" diye kıkırdadı güçlü, kararlı Kim Novak.

· Hemşire çıkınca doktor kapıyı kilitledi. Olgun adamlar gibi sandalyesine törenle oturdu. Erkek erkeğe birer sigara içerken her şeyi açıkladı.

Ailesinin etkisiyle bir zamanlar dine inanır, ilk gençliğinde cumaları camiye gider, Ramazan'da oruç tutarmış. Sonra bir kıza âşık olmuş, derken inancını kaybetmiş, arkasından da Marksist de olmuş. Bu fırtınalar iz bırakıp çekip gittikten sonra, ruhunda bir boşluk hissetmiş. Bir arkadaşının kütüphanesinden görüp aldığı bu kitabı okuyunca her şey "yerli yerine" oturmuş. Ölümün hayatımız içindeki yerini biliyormuş artık: Onun varlığını bahçedeki vazgeçilmez bir ağaç, sokaktaki bir arkadaş gibi kabul etmiş, isyanı bırakmış. Çocukluğunun önemini anlamış. Geçmişinde kalmış küçük eşyaları, çikletleri, resimli romanları hatırlayıp sevmeyi de böyle öğrenmiş, ilk kitapların, ilk aşklar gibi hayatındaki yerini de. Çılgın ve kederli otobüsleri de, vahşi ülkesini de zaten çocukluğundan beri severmiş. Meleğe gelince, en önemlisi, bu mucizevi meleğin varlığını da akılla anlayıp kalple inanmış ona. Bütün bu bireşimden sonra, meleğin bir gün gelip kendisini bulacağını ve birlikte yeni bir hayata yükseleceklerini, mesela Almanya'da iş bulabileceğini biliyormuş artık.

Bir mutluluk reçetesi yazmış da, benim nasıl şifa bulacağımı anlatır gibi söylemişti bunları. Reçetesinin anlaşıldığından emin olan doktor bey ayağa kalkınca iflah olmaz hastaya da, kapıya yönelmek düşüyordu. Çıkıyordum ki hapların yemekten sonra alınmasını söyler gibi dedi ki:

"Kitapları hep altını çizerek okurum ben, siz de öyle yapın."

İlk otobüsle güneye gittim, melek, kaçar gibi güneye. Karadeniz kıyısına bir daha uğramam artık, diyordum ve sanki mutluluk tasarılarım içerisinde böylesine renkli ve kesin bir hayal varmış gibi Canan'la biz Karadeniz'de zaten hiç mi hiç mutlu olamazdık diye ekliyordum. Penceremin karanlık aynasından karanlık köyler geçti, karanlık ağıllar, ölümsüz ağaçlar, kederli benzinciler, boş lokantalar, sessiz dağlar, telaşlı tavşanlar. Buna benzer bir şeyi daha önceden de görmüştüm, dedim kendi kendime, otobüsün ekranındaki filmde iyi kalpli, iyi niyetli oğlan çok fena aldatıldığını anladıktan çok sonra, kötü adamlardan önce hesap sorup sonra kurşunları üzerlerine boşaltmaya başladığında. Her birini öldürmeden önce bir sorguya çekiyor, yalvartıyor, pişman ediyor, bir kalleşlik etmesine fırsat verecek kadar kararsızlık geçirip affedecek gibi oluyor ve kalleşlikle birlikte biz seyirciler de, adamın gebertilmesi gereken herifin teki olduğuna karar verdiğimizde, şoförümüzün az yukarısındaki ekrandan kararlı silah sesleri geliyordu. O zaman kan ve cinayet zevksizliğinden hoşlanmayan biri gibi, pencereden dışarı baktım, melek ve yakışıklı doktora, bana kitabın reçetesini verdiği zaman ,senin kim olduğunu neden sormadığımı düşünüp silah sesleri, motor homurtusu ve tekerlek gürültüsü arasında tuhaf bir şarkının bestesini duyar gibi oldum. Güfte de şöyle başlıyordu:

Melek kim? diye sorunca genç hasta, Melek mi diyordu doktor ve kendiyle dopdolu adamların güveniyle bir harita çıkarıp masaya yayıyordu ve zavallı hastanın röntgen filminde umutsuz iç organlarını gösterir gibi şurası Anlam Tepesi, şurası, Eşsiz An Şehri, şurası Saflık Vadisi, burası da Kaza Noktası oluyorsa, bakın bu da Ölüm, diyordu o zaman.

Melekle karşılaştığı gibi, doktor, ölümle de aşkla mı karşılaşmalı insan?

Elimdeki notlara göre İkizler kasabasında kitabı okuyan gazete bayiini görmeliydim: Otobüsten indikten on dakika sonra çarşının orta yerindeki dükkanında, Canan'ın sevgilisine hiç benzemeyen kısa, iri ve şişman gövdesini gömleğinin üzerinden keyifle kaşırken onu gördüm ve ben kararlı ve hızlı dedektif, on dakika sonraki ilk otobüsle terkettim bu şehri. İki otobüs ve dört saat sonraki vilayet merkezindeki şüpheli şahsım ise bir öncekinden bile daha az uğraştırdı beni: Çünkü garajların hemen karşısındaki berber dükkanında çalışkan patron birisini tıraş ederken, o bir elinde faraş, diğer elinde tertemiz pırıl pırıl bir önlük otobüsten inen biz mutlu yolculara derin bir hüzünle bakıyordu. "Gel kardeşim otobüslere, senle gidelim en bilinmeyen ülkeye!" demek geldiyse de içimden, bir vezin yakalamıştım ve ilham perisi beni terketmeden sonuna kadar gitmek istiyordum. Böylece ondan bir saat sonraki kasabada şüpheli işsizi iyice şüpheli bir şüpheli gördüğüm için aradığım kırık kalpli ihbarcının, evinin arka bahçesindeki kör kuyuya sarkıttığı eski kafesleri, cep fenerlerini, makasları, gül ağacından ağızlıkları, şaşılacak şey ama, eldivenleri, şemsiyeleri, yelpazeleri ve Browning bir tabancayı incelemek zorunda kaldım. Kırık kalpli ve kırık dişli bayi Dr. Narin'e olan hürmet ve hayranlığının naçiz ifadesi olarak bir Serkisof saat hediye etti. Kurtuluş günü için, nasıl üç arkadaşıyla birlikte, cuma namazlarından sonra, pastanenin arkasındaki odada buluştuklarını anlatırken, birden yalnız akşamın değil, sonbaharın da kaşla göz arasında geliverdiğini düşündüm. Karanlık ve alçak bulutlar aklıma çökerken, yandaki evin bir odasında bir lamba yandı ve bir anda sonbahar yaprakları arasından yarı çıplak bir kadının yapılı ve bal rengi omuzları pencerede bir ürperti gibi bir belirip yok oldu. Ondan sonra gökte koşturan kara atlar gördüm, melek, sabırsız canavarlar, benzinci pompaları, mutluluk hayalleri, kapanmış sinemalar, başka otobüsler, başka insanlar, başka kasabalar.

Aynı gün, çok sonra malum Mehmet olmadığını anlayınca nedense bana hayal kırıklığından çok umut veren bir kaset satıcısıyla, sattığı şeylerin verdiği neşeden, yağmurların gelip geçtiğinden ve daha yeni geldiğim kasabadaki hüzünden daldan dala atlayarak söz ediyorduk ki, kederli bir tren düdüğü duydum ve telaşlandım: Adı bile aklımda kalmayan bu unutulmuş kasabayı bir an önce terk edip bir otobüsün beni götüreceği sevgili kadife geceme dönmeliydim ben.

Tren düdüğünün geldiği yöne ve garajlara doğru yürürken önce parkedilmiş pırıl pırıl bir bisikletin dikiz aynasında kaldırımda yürüyen beni gördüm: Tabancam gizli; yeni alınmış mor ceketim, cebinde Dr. Narin'e hediye Serkisof, bacaklarımda blucinim, beceriksiz ellerim, gelip geçti işte adımlarım, derken dükkanlar ve vitrinler gerileye gerileye çekilip gittiler ve gecenin içinde bir alanda bir sirk çadırı, kapısının üstünde de bir melek resmi gördüm. Melek, Fars minyatürleriyle, yerli film yıldızlarının bir kırmasıydı, ama yüreğim hopladı. Dersi kıran öğrenci, hem sigara içiyor efendim, hem de bakın nasıl sirke giriyor, gizlice.

Bilet aldım, çadıra girdim, oturdum, bir küf, ter ve toprak kokusu içinde her şeyi unutma kararlılığıyla beklemeye başladım. Hâlâ bölüğüne dönmemiş çılgın erler, vakit öldüren erkekler, yaşlı ve hüzünlüler, belki bir-iki tane de çocukla yanlış yere gelmiş aileler. Çünkü ne televizyonlarda gördüğüm harika trapezciler vardı, ne bisiklete binen ayılar, ne de yerli hokkabazlar. Bir adam kirli ve kurşuni bir örtünün altından hop, bir radyo çıkardı, sonra radyo uçup müzik oldu. Bir alaturka şarkı duyduk, derken o şarkıyı söyleyerek içeriden gelen genç kadın kederli sesiyle bir ikinciyi söyledi, gitti. Biletlerimiz numaralıymış, numaralar bir piyango yapıyormuş, sabırla beklemeliymişiz, böyle dediler bize.

Demin şarkı söyleyen kadın gene belirdi, şimdi bir melek olmuştu, gözlerini çekik gösteren çizgiler çekmişti kenarlarına. Üzerinde annemin Süreyya Plajı'na giydiği o iyice kapalı bikinilerden biri vardı. Tuhaf bir elbise parçası, bir atkı ya da acaip bir şal sandığım şeyin de, boynuna dolayıp narin omuzlarının iki yanından sarkıttığı bir yılan olduğunu gördüm. Hiç görmediğim bir tuhaf ışık mı görüyordum, yoksa bu ışığı bekliyor muydum, öyle sanıyordum belki de. Orada, o çadırın içinde, melek ve yılanı ve öteki yirmi-yirmibeş kişiyle birlikte olmaktan öyle bir mutluluk duydum ki, gözlerimden yaşlar fışkıracak sandım.

Daha sonra kadın yılanla konuşurken aklıma bir şey geldi. İnsan unutulup gitmiş uzak bir anıyı bazan ansızın hatırlar, bunu neden şimdi hatırladım diye kendine sorar ve aklı iyice karışır ya, öyle bir şey hissettim, ama akıl karışıklığından çok bir huzur duydum. Bir keresinde, babamla ona gidişlerimizin birinde Rıfkı Amca demişti ki: "Dünyanın öbür ucu da olsa trenlerin uğradığı herhangi bir yerde yaşayabilirim ben," demişti. "Çünkü uykudan önce insanın bir trenin düdüğünü duyamayacağı bir hayatı hayal bile edemiyorum." O sırada bu kasabada, bu insanlar arasında hayatımın sonuna kadar yaşayabileceğimi çok iyi hayal edebiliyordum. Hiçbir şey, her şeyi unutabilmenin verdiği huzurdan değerli olamaz. Yılanla tatlı tatlı konuşan meleğe bakarak düşünüyordum bunları.

Bir an ışıklar zayıfladı, Melek sahneden çekilip gitti. Ortalık aydınlanınca on dakika ara diye duyurdular. Ben de bütün ömrümü birlikte geçireceğim hemşehrilerimle kaynaşmak için dışarı çıkayım dedim.

Ahşap kahve sandalyeleri arasından çıkarken, sahne denilen toprak yükseltiden üç dört sıra geride, oturmuş *Viranbağ Postası*'nı okuyan birini gördüm, kalbim küt küt attı. Malum Mehmet'ti, Canan'ın sevgilisi, Dr. Narin'in ölü oğlu, bacak bacak üstüne atmış, dünyayı unutmuş, benim aradığım huzurla gazetesini okuyordu işte.

13

Dışarı çıkar çıkmaz hafif bir rüzgâr ensemden girip, bütün gövdemi dolaşıp, tüylerimi ürpertti. Gelecekteki hemşehrilerim şüpheci düşmanlara dönüştüler. Kalbim küt kütlere devam ederken tabancanın ağırlığını kalçamın üstünde hissediyor, sigaramla birlikte bütün dünyayı tüttürüyordum.

Bir zil çaldı, baktım içeriye, gazetesini hâlâ okuyor. Kalabalıkla birlikte çadıra döndüm. Üç sıra arkasına oturdum, "program" başladı, başım döndü. Ne gördüğümü, ne görmediğimi, ne işittiğimi, ne dinlediğimi hatırlamıyorum. Bir ense vardı aklımda. İyi bir insanın, düzgünce tıraş edilmiş, alçakgönüllü ensesi.

Çok sonra mor bir torbadan piyangonun çekilişini seyrettim; kazanan numarayı duyurdular. Dişleri dökülmüş yaşlı bir adam sevinçle sahneye fırladı. Melek, üzerinde aynı bikiniyle, gelin tülü, onu kutladı. Derken çadırın kapısında bilet kesen adam, elinde kocaman bir avizeyle peydahlandı.

"Allahım Yedi Kandilli Süreyya bu!" diye haykırdı dişsiz ihtiyar.

Arkalardan bazı seyircilerin bağırması üzerine, piyangonun

hep bu adama çıktığını, avizenin de her akşam gelip giden, plastik örtüler içindeki aynı avize olduğunu anladım.

Melek elinde ucu kordonsuz ve sesi büyütmeyen bir mikrofon ya da mikrofon taklidi bir şey, dedi ki: "Neler hissediyorsunuz, talihli olmak nasıl bir şey, heyecanlı mısınız?"

"Çok heyecanlıyım, çok mutluyum. Allah sizden razı olsun!" dedi ihtiyar mikrofona doğru. "Hayat güzel bir şey. Bütün dertlere bütün kedere rağmen, mutlu olmaktan ne korkuyorum, ne de utanıyorum."

Birkaç kişi onu alkışladılar.

"Avizenizi nereye asmayı düşünüyorsunuz?" diye sordu Melek.

"Bu iyi bir rastlantı oldu," dedi ihtiyar. Sanki çalışıyormuş gibi mikrofona dikkatle eğildi. "Ben âşığım, nişanlım da beni çok seviyor. Yakında evleneceğiz, yeni bir evimiz olacak. Oraya asacağız, bu yedi kollu şeyi."

Alkışlar oldu. Sonra "öp, öp" sesleri işittim.

Melek iki yanağından ihtiyarı hafifçe öpünce herkes sustu. Sessizlikte ihtiyar, elinde avize, sıvıştı.

"Bize hiç çıkmıyor ama," dedi arkalardan öfkeli bir ses.

"Susun," dedi Melek. "Beni dinleyin şimdi." Öpüş sırasındaki aynı tuhaf sessizlik başladı. "Bir gün sizin de talihiniz gülecek, unutmayın, sizin de mutluluk saatiniz gelecek," dedi Melek. "Sabırsızlanmayın, hayata küsmeyin, kimseyi kıskanmadan bekleyin! Hayatı severek yaşamasını öğrenirseniz, mutlu olmak için ne yapacağınızı da anlarsınız. O zaman, yolunuz kaybolsun kaybolmasın, beni görürsünüz." Çapkın bir kaş işareti yaptı. "Çünkü her akşam Arzu Meleği burada, şirin Viranbağ kasabasında."

Üzerindeki sihirli ışık söndü. Çıplak bir ampul yandı. Hedefimle araya uzaklık koyarak kalabalıkla birlikte kapıdan çıktım. Rüzgâr kuvvetlenmişti. Sağıma soluma baktım, bir an önde bir birikme olduğu için onun iki adım arkasında buldum kendimi.

"Nasıldı Osman Bey, sevdin mi?" dedi fötr şapkalı bir adam.

"Eh, işte," dedi o. Koltuğunun altında gazete, hızlanarak yürüdü, Nahit olmaktan kaçtığı gibi Mehmet'likten de istifa edeceğini takma ad olarak bu adı alabileceğini niye hiç aklıma getirmemiştim? Aklıma hiç getirebilir miydim ki aklıma getirmemiştim? Düşünemedim bile. Arkada kaldım, biraz daha uzaklaşmasını bekledim. Hafifçe öne doğru eğilen, ince gövdesine bakıyordum dikkatle. Buydu işte Cananım'ın delicesine âşık olduğu herif. Peşine düştüm.

Viranbağ kasabası gördüğüm onca kasaba içerisinde sokakları en ağaçlıklı olanıydı. Hedefim hızlı hızlı yürürken bir sokak lambasının altına girince, sanki soluk bir sahne ışığıyla aydınlanıyor, sonra kestane ve ıhlamur ağaçlarından birine yaklaştığında tir tir titreyen, yapraklı ve rüzgârlı bir karanlığın telaşı içerisinde kayboluyordu. Kasaba meydanından Yeni Dünya Sineması'nın önünden hedefimin beyaz gömleğine hafif bir sarı, sonra turuncumsu, sonra mavi ve kızılımsı bir renk veren pastane, postane, eczane, çayhane dizisinin soluk neon lambalarının ışığından geçip, bir ara sokağa girdik. Üç katlı birörnek evlerin, sokak lambaları ve hışır hışır ağaçların sunduğu kusursuz bir perspektifi farkedince, bütün o Serkisof'ların, Zenith'lerin, Seiko'ların aldığını sandığım bir takip etme zevkiyle ürperdim ve işimi bitirmek için hedefimin kişiliksiz beyaz gömleğine doğru hızla yaklaşmaya başladım.

Ne olduysa oldu, bir gürültü koptu; bir an o saatlerin birinin de benim peşimde olduğunu düşünüp telaşlanıp bir köşeye sindim. Rüzgârla bir pencere çarpmış, camı şangırtıyla kırılmış, karanlıktaki hedefim bir an geriye dönüp duraklamış, beni görmeden yoluna devam ediyor sanırken ben, birden, daha ben Walther'imin emniyetini bile çözemeden, o anahtarını çekip bir kapıyı açıp, bir örnek beton yapıların birinde kayboluvermişti. İkinci katta bir pencerenin ışığı yanana kadar bekledim.

Sonra bir an baktım, katiller ve katil adayları gibi dünyada yapayalnız buldum kendimi. Bir sokak ötede, kurulu perspektif düzenine saygıyla boyun eğen Emniyet Oteli'nin rüzgârda ileri geri sallanan alçakgönüllü neon harfleri bana biraz sabır, biraz akıl, biraz huzur, bir yatak ve bütün hayatımı ve katil olma kararımı ve Cananım'ı yeniden düşünmek için uzun bir gece vaadediyordu. Çaresiz gittim ve katip sordu diye de televizyonlu bir oda istedim.

Odaya girer girmez düğmeye bastım, siyah beyaz görüntüleri görünce, iyi karar vermişim, dedim kendime. Geceyi azılı bir katilin yalnızlığıyla değil, bu işi hiç önemsemeden ve sık sık yapan siyah beyaz dostlarımın neşeli cıvıltılarıyla geçirecektim. Sesi biraz açtım. Bir süre sonra eli tabancalı adamlar birbirlerine bağırmaya, Amerikan arabaları hızlı hızlı gidip kayar gibi virajları almaya başlayınca rahatladım ve pencerenin dışındaki dünyaya, öfkeli kestane ağaçlarına huzurla baktım.

Hiçbir yerdeydim ve her yerdeydim ve bu yüzden de, bana öyle geliyordu ki dünyanın varolmayan merkezindeydim. Bu merkezdeki şirin mi şirin, ölü mü ölü otel odamın penceresinden, öldürmek istediğim adamın odasının ışıkları gözüküyordu. Kendisini görmüyordum, ama onun şimdilik orada, benim de bu gecelik burada olmamdan memnundum ve üstelik televizyondaki dostlarım da birbirlerine kurşunları boşaltmaya başlamışlardı bile. Hedefimin ışığı söndükten az sonra, hayatın, aşkın ve kitabın anlamı üzerine düşünmeden uyuyakalmışım silah seslerini dinleyerek.

Sabah kalktım, yıkandım, tıraş oldum ve bütün ülkede yağmur yağacağını söyleyen televizyonu kapatmadan otelden çıktım. Ne Walther'imi yoklamıştım, ne de aşk ve kitap cinayeti işlemeye hazırlanan bir genç gibi odamdaki aynaya ve dünyaya bakıp sinirlenmiştim. Üzerimdeki mor ceketimle, yaz tatillerinde, şehir şehir gezip Cumhuriyet ve Ünlüler Ansiklopedileri'ni pazarlamaya çalışan iyimser bir üniversite öğrencisine benziyor olmalıydım. İyimser üniversiteli genç taşrada adını duyduğu bir kitap meraklısının kapısını çalarken edebiyattan ve hayattan uzun uzun çene çalmayı ummaz mı? Onu hemen öldüremeyeceğimi çoktan biliyordum. Bir kat merdiven çıktım, zırr zili çaldım, diyecektim, ama zil zırıltısı çıkmadı da, cik cik cik yaptı kanaryayı taklit eden elektrikli şey. En son yenilikler Viranbağ kasabasına bile ulaşıyor ve katil de kurbanını cehennemin öbür ucunda bile olsa buluyor. Böyle durumlarda filmlerdeki kurbanlar da her şeyi bildiklerini sezdiren bir havaya bürünüp, "biliyordum geleceğini," derler. Öyle olmadı.

Şaşırdı. Ama şaşkınlığına şaşmadı da sıradan bir şey gibi yaşadı onu. Yüzü aklımda kalan ve hayalimde yakıştırdığım derin anlamdan biraz uzak da olsa biçimli ve evet, peki, yakışıklıydı.

"Osman Bey, ben geldim," demiştim ve bir sessizlik olmuştu.

Derken ikimiz de bir toparlandık. Beni içeriye almaya niyeti yokmuş gibi bana ve kapıya mahçup mahçup bir an baktı ve dedi ki:

"Gel birlikte çıkalım."

Kurşun geçirir bir boz ceket giydi üzerine ve birlikte dışarı çıkıp sokak taklidi yapan sokaklarda yürüdük. Kaldırımlarda kuşkulu bir köpek bizi süzdü, bir kestane ağacının tepesindeki yusufçuklar sustu. Bak Canan, bak nasıl arkadaş olduk biz onunla. Boyunun hafifçe benden kısa olduğuna karar veriyordum ve benim gibi heriflerin en belirgin kişisel özelliği olan yürüyüş üslubunda —nasıl söylesem, hani omuzların inip kalkışıyla adımların atılışındaki atılganlık arasındaki o ahenkde– bana yakın bir şeyler olduğuna hükmediyordum ki, bana sordu: Kahvaltı niyetine birşeyler yemiş miydim, yer miydim, istasyonda bir kahve vardı, çay içer miydim?

Fırından sıcak sıcak iki açma aldı, bir bakkala uğrayıp yüz gram kaşar peynirini dilim dilim kestirip yağlı kağıda sardırttı. Derken, sirkin oradaki afişten melek bize el etti. Bir kahvenin ön kapısından girdik, iki çay söyledi, arka kapıdan istasyona bakan bir bahçeye çıkıp oturduk. Kestane ağacına mı, dama mı tünemiş yusufçuk kuşları bize aldırmadan iç çekiyorlardı. Tatlı yumuşak bir sabah serinliği, bir sessizlik ve uzakta bir radyoda belli belirsiz bir müzik vardı.

"Her sabah çalışmaya başlamadan önce evden çıkar bir kahvede çayımı içerim," dedi peynir paketini açarken. "Burası baharlarda iyi olur. Bir de kar yağdığı zamanlar. Sabahları istasyonda, karın üzerinde kargaların yürüyüşünü, karlı ağaçları seyretmeyi severim. Bir de meydandaki o büyük Yurt Kahvehanesi iyidir, sobası büyüktür, iyi yanar. Orada da gazetemi okur, bazan açık radyoyu dinler, bazan da hiçbir şey yapmadan otururum."

"Yeni hayatım düzenli, disiplinli, dakiktir... Dokuza doğru her sabah kahveden kalkar eve, masama dönerim. Dokuz oldu mu, masama oturmuş, kahvemi hazırlamış, yazmaya başlamışımdır. Yaptığım iş basit gözükür insana, ama dikkat ister: Tek bir virgül atlamadan, tek bir harfin, noktanın yerini şaşırmadan Kitap'ı yeniden yeniden yazarım. Her şey noktasına virgülüne kadar aynı olsun isterim. Ve bu da aynı ilham ve istekle yapılabilir ancak. Başkaları işime kitabı kopya etmek de diyebilir, ama basit bir kopya işinden ötedir benim işim. Hissederek, anlayarak ve her seferinde her cümle, her kelime, her harf benim buluşummuş gibi yazarım. Böyle böyle sabah dokuzdan öğleyin bire kadar istekle çalışırım, başka hiçbir şey yapmam, hiçbir şey de işimden alıkoyamaz beni. Sabahları genellikle daha iyi iş çıkarırım."

"Sonra öğle yemeğini yemek için dışarı çıkarım. Bu kasabada iki lokanta vardır. Asım'ın yeri kalabalıktır. Demiryol Lokantası ağırdır ve içkilidir. Bazan birine, bazan ötekine giderim. Bir kahvede peynir-ekmek yediğim de olur, hiç evden çıkmadığım zamanlar da. Öğleleri hiç içmem. Bazan biraz kestiririm, o kadar. Önemli olan, saat ikibuçuk oldu mu, yeniden masama oturmamdır. Akşam altıbuçuk yediye kadar düzenli çalışırım. İyi yazıyorsam daha da devam ettiğim olur. Yazdığını beğeniyorsa, hayatından memnunsa insan fırsatı kaçırmamalı, yazabildiğince de yazmalı. Hayat kısa, böyledir işler, biliyorsun işte. Çayını soğutma."

"Bütün gün çalıştıktan sonra, yazabildiğim kadarına keyifle bir bakar sonra gene sokağa çıkarım. Çünkü akşam gazeteleri karıştırırken, televizyona bakarken yanımda çene çalabileceğim bir-iki kişi olsun isterim. Yalnız yaşadığım, yalnız kalmaya kararlı olduğum için buna mecburum. İnsanları görmek, onlarla lak-lak etmek, biraz içmek, bir-iki hikâye dinleyip, belki de bir tane de anlatmak, bütün bunlar hoşuma gider. Sonra bazan sinemaya giderim, bazan televizyondaki bir programı seyrederim, kahvede kağıt oynadığım geceler de olur, elimde gazeteler eve erken döndüğüm zamanlar da."

"Dün de çadır tiyatrosuna gittin," dedim.

"Bunlar kasabaya bir ay önce geldiler ve kaldılar. Hâlâ akşamları gidenler oluyor."

"Oradaki kadın," dedim. "Sanki biraz meleğe benziyordu."

"Melek filan değil," dedi. "Kasabanın kalantorlarıyla, parayı bastıran erlerle yatar. Anladın mı?"

Bir sessizlik oldu. O "anladın mı?" sözü günlerdir oradan oraya sürüklenirken bir sarhoşun keyfiyle tadını çıkardığım alaycı öfkenin rahat koltuğundan beni alıp istasyona bakan bahçedeki sert, rahatsız bir tahta sandalyenin vıdı-vıdı huzursuzluğuna bıraktı.

"Kitapta yazan şeyler," dedi, "benim için artık çok gerilerde kaldı!"

"Ama bütün gün de o kitabı yazıyorsun," diye bir cevap yetiştirebildim gene de.

"Para için yazıyorum," dedi.

Ne bir zafer duygusuyla, ne de bir utançla, daha çok, sanki açıklamak zorunda kaldığı için özür diler gibi anlattı. Bildiğim temiz okul defterlerine kitabı elyazısıyla yeniden yazıyormuş. Her gün ortalama sekiz-on saat çalıştığı, saatte de ortalama üç sayfa tutturabildiği için üçyüz sayfalık kitabın bir elyazması nüshasını on günde rahatlıkla bitirirmiş. Burada bu tür şeylere "makul" bir para veren insanlar varmış. Şehrin ileri gelenleri, geleneklerine bağlı kişiler, onu sevenler, çabasını, inancını, bağlılığını, sabrını takdir edenler, birbirlerinden görüp özenenler, iğneyle kuyu kazan bir kişinin aralarında huzurla yaşıyor olmasından bir çeşit mutluluk duyanlar... Hatta, böyle alçakgönüllü çabaya bütün hayatını veriyor olması –çekine çekine söyledi bunu– istemediği halde çevresinde bir çeşit "yumuşak bir efsane" yaratmış; ona saygı duyuyorlar, yaptığı işte –o da benim gibi "nasıl söylesem" dedi– kutsal bir yan buluyorlarmış...

Bütün bunları, benim zorlamamla, benim kurcalayıcı sorularım yüzünden anlatıyordu; yoksa kendinden söz etmekten hoşlanır gibi değildi hiç. Müşterilerinden, kitabın elyazması kopyalarını alan meraklıların iyiniyetinden, kendisine gösterdikleri saygıdan şükranla söz ettikten sonra:

"Neyse," dedi. "Ben onlara bir hizmet veriyorum. Hakiki bir şey sunuyorum onlara. İnançla, kanla, canla her kelimesi de bu yüzden elle yazılmış bir kitap. Onlar da dürüst emeğimin karşılığını bana az çok veriyorlar. Herkesin hayatı da bunun gibidir sonunda."

Sustuk. Taze açmaları kaşar peynir dilimleriyle birlikte yerken onun hayatının çoktan yerine oturduğunu, kitabın dediği gibi, "rayına girdiğini" görebiliyordum. O da benim gibi kitaptan yola çıkmış, ölüm, aşk ve felaketlerle karşılaştığı arayışlar, yolculuklar ve serüvenlerden sonra ama, benim yapamadığım şeyi başarmış, herşeyin yıllarca aynı kalacağı bir dengeyi, bir iç huzurunu bulmuştu. Peynir dilimlerini dikkatli dikkatli ısırırken, bardağının dibindeki bir parmak kalınlığındaki son bir yudum çayı tadını çıkararak içerken onun bu küçük el, parmak, ağız, çene ve baş hareketlerini her gün tekrarladığını hissettim. Bulduğu dengenin huzuru ona hiç bitmeyecek sonsuz bir zaman bağışlamıştı. Ben ise meraklı, mutsuz, masanın altında bacaklarımı sallıyordum.

Bir an içimde bir kıskançlık yükseldi; bir kötülük etme isteği. Ama daha berbat olan şeyi de farkettim. Tabancamı çıkarıp şimdi onu gözünün ortasından vursam, yaza yaza sonsuzluk zamanının huzuruna kavuşmuş olan bu adama hiçbir şey yapmış olamayacaktım. Aynı kıpırtısız zamanın içinde, biraz başka türlü de olsa, yoluna devam edecekti. Benim dur durak tanımayan huzursuz ruhum ise, nereden nereye gittiğini unutmuş o otobüs şoförleri gibi bir yerlere varmak için çırpınıp duruyordu.

Pek çok şey sordum ona. Bana "evet", "hayır", "tabii" gibi öylesine kısacık cevaplar verdi ki, sorularımın cevaplarını önceden kendimin de bildiğimi her seferinde anladım: Hayatından memnundu. Hayattan başka bir şey beklemiyordu. Kitabı hâlâ seviyordu ve ona inanıyordu. Kimseye kızmıyordu. Hayatın ne demek olduğunu anlamıştı. Ama bunun ne olduğunu anlatamazdı. Beni karşısında görünce tabii şaşırmıştı. Kimseye bir şey öğretebileceğini sanmıyordu. Herkesin kendine göre bir hayatı vardı ve bütün hayatlar ona göre aslında birbirine eşitti. Yalnızlıktan hoşlanıyordu, ama bu da çok önemli bir şey değildi. Çünkü insanlardan da hoşlanıyordu. Canan'dan da çok hoşlanmıştı. Evet. Ona âşık da olmuştu. Ama sonra kaçmayı başarmıştı. Benim onu bulmama şaşmamıştı. Canan'a çok selam söylüyordu. Yazmak hayatının tek işiydi, ama tek mutluluğu değil. Herkes gibi bir işi olması gerektiğini biliyordu. Başka işlerden de hoşlanabilirdi. Evet, o işler, ekmek parası getirseydi onları da yapabilirdi. Sözgelimi dünyaya bakmak, gerçek anlamıyla görerek bakmak da çok zevkli bir şeydi.

İstasyonda bir lokomotif manevra yapıyordu, baktık. Puf puf iri dumanlar salarak ve yaşlı, yorgun ama hâlâ dinç çın çın bir belediye orkestrası gibi tencere, demir ve inilti sesleri çıkararak önümüzden geçerken, başlarımız lokomotifi izledi.

Kitabı yeniden yeniden yazarak bulduğu huzuru bir ihtimal ben Canan'la bulabilirim diye, az sonra tabancamla kalbini delmeyi düşündüğüm adamın gözlerinde, lokomotif badem ağaçlarının ortasında kaybolunca bir keder belirdi. Bir an bir kardeşlik duygusuyla bu gözlerdeki çocuksuluğa ve hüzne bakarken Canan'ın bu adamı neden o kadar çok sevmiş olduğunu anladım. Anladığım şey o kadar gerçek ve doğru geldi ki bana, aşkından dolayı Canan'a saygı duydum; ama bir an sonra bana fazlasıyla ağır gelen bu saygı yerini bir kuyuya yuvarlanıverir gibi içine düştüğüm bir kıskançlığa bıraktı.

Katil kurbanına, bu ücra kasabada unutulup gitmeye karar verdiğinde takma ad olarak niye Osman'ı, kendi adını seçtiğini sordu.

"Bilmiyorum," dedi sahte Osman hakiki Osman'ın gözlerindeki kıskançlık bulutlarını görmeden. Sonra tatlı tatlı gülümseyerek ekledi. "Seni gördüğümde sevmiştim, belki de ondandır."

Badem ağaçlarının arkasından ve başka bir hattan geri dönen lokomotifi saygıya yaklaşan bir dikkatle izledi. Katil, gözleri lokomotifin güneş altında pırıl pırıl ışıltısına dalan kurbanının, o an bütün dünyayı unuttuğuna yemin edebilirdi. Ama öyle değilmiş. Sabah serinliğinin yerini güneşli bir günün ağırlığı alırken:

"Saat dokuzu çok geçti," dedi hasmım. "Benim masada olma saatim... Senin yolun nereye?"

Ne yaptığımın fazlasıyla bilincinde olarak, telaşla ve çaresizlikle, ama düşüncesizlikle değil, hayatımda ilk defa birine bütün içtenliğimle yalvardım: Ne olur biraz daha oturalım, biraz daha konuşalım, biraz daha anlaşalım.

Şaşırdı, biraz da endişelendi galiba, ama anladı: Cebimdeki tabancayı değil, susuzluğumu. Bana hoşgörüyle öyle bir gülümsedi ki, ancak Walther'in varlığını kalçamın üzerinde hissederek aramızda kurabildiğim eşitlik duygusu da tuzla buz oldu. Böylece gide gide hayatın kalbine değil, ancak kendi sefaletinin sınırlarına varabilen talihsiz yolcu, bu sınırda rastladığı bilge şeyhe hayatın, kitabın, zamanın, yazının, meleğin, her şeyin anlamını sorma telaşına kapıldı.

Ona bütün bunların anlamının ne olduğunu soruyordum, o da "bütün bunlar"dan neyi kastettiğimi soruyordu. O zaman ona her şeyin başlangıcı olabilecek sorunun ne olduğunu soruyordum ki, o soruyu ona sorabileyim. Bana, bulacağım şeyin başlangıcı ve sonu olmayan bir yer olması gerektiğini söylüyordu. Demek ki bir soru bile yoktu belki ona sorabileceğim. Yoktu. Ne vardı peki? Ne olduğu insanın nasıl baktığına bağlıydı. Bazan bir sessizlik olurdu, insan ondan bir şeyler koparmaya çalışırdı. Bazan da, şimdi burada ikimizin yaptığı gibi, sabah bir kahvede, çay içer tatlı tatlı konuşur, lokomotifleri, trenleri seyreder, yusufçukların makara çekişlerini dinlerdi insan. Bunlar da her şey değildi belki, ama hiçbir şey de değildi. Peki ötede bir yerde, onca yolculuktan sonra gördüğü yeni bir ülke yok muydu? Ötede bir yer varsa, yazının içindeydi bu, ama yazıda bulduğunu yazının dışında, hayatta aramanın boşuna olduğuna karar vermişti. Çünkü dünya da, en azından yazı kadar sınırsız, kusurlu ve eksikti.

O zaman ona ikimizin de kitaptan neden böylesine etkilenmiş olabileceğimizi sordum. O da bana bu soruyu ancak kitabı hiç mi hiç etkileyici bulmayan birinin sorabileceğini söyledi. Bu insanlardan çok vardı dünyada, ama ben öyle biri miydim? Nasıl biri olduğumu unutmuştum. Canan'a kendimi sevdirmek ve kitaptaki ülkeyi ve hasmımı bulmak ve daha sonra onu öldürmek için aştığım yollarda çünkü, kendi ruhumun merkezini savurup kaybetmiştim. Bunu ona sormadım, melek, senin kim olduğunu sordum.

"Kitabın yazdığı melekle karşılaşmadım hiç," dedi bana. "İnsan ölürken belki bir otobüsün penceresinden görebilir."

Ne güzel de gülümsüyordu, acımasızca. Onu öldürecektim. Ama hemen değil. Daha konuşmalıydık. Ruhumun kaybolup gitmiş odak noktasını bulabilmek için ağzından laf almalıydım. Ama içine düştüğüm sefalet gerekli ve doğru soruları hiç mi hiç sordurmuyordu bana. Radyonun yağmurlu olacağını ilan ettiği, parçalı bulutlu, sıradan bir Doğu Anadolu sabahı, huzurlu istasyonun pırıl pırıl aydınlığı, peronun bir ucunda dalgın dalgın eşelenen iki tavuk, bir el arabasından istasyon büfesine Budak gazozu kasalarını konuşa konuşa taşıyan iki mutlu delikanlı, sigara içen kalkış şefi, ilerlemekte olan günün varlığını içime bütünüyle yerleştirmiş, darmadağınık aklımda hayat ve kitap konusunda iyi bir soru için hiçbir güç bırakmamıştı.

Uzun bir süre sustuk. Ben ona hangi soruyu nasıl soracağımı kurdum durdum. O da belki sorularımdan ve benden nasıl sıyrılacağını kurdu durdu. Daha da durduk. Derken felaket anı geldi çattı. Çay paralarını ödedi. Bana sarılıp yanaklarımdan öptü. Ne kadar da memnun olmuştu beni görmekten! Ne kadar da nefret ediyordum ondan! Hayır, peki seviyordum. Hayır, niye sevecekmişim? Öldürecektim.

Ama şimdi değil. Düzene ve huzura boyun eğmiş perspektif sokağındaki sıçan yuvasına, o deli saçması işini görmek için dönerken yolu çadır tiyatrosunun oradan geçecekti. Demiryolu boyunca yürüyecek, ona kestirmeden yetişecek, küçük gördüğü Arzu Meleği'nin bakışları altında onu öldürecektim.

Bıraktım gitsin bu kendini beğenmiş adam. Onu sevebildiği için Canan'a öfke duyuyordum. Ama Canan'ın haklı olduğunu anlamam için kırılgan ve hüzünlü gölgesine uzaktan bir bakış atmam yetti: Ne de kararsızdı bu okuduğunuz kitabın kahramanı Osman... Ne de zavallı... Nefret etmeye çalıştığı adamın "haklı" olduğunu derinden derine biliyordu. Onu hemen öldüremeyeceğini de. Kahvenin kırık dökük sandalyesinde iki saate yakın bacaklarını sallayıp kös kös oturarak Rıfkı Amca'nın yeni hayatımda bana daha ne tuzaklar hazırlamış olabileceğini düşündüm.

Öğleye doğru süklüm püklüm bir katil adayı gibi Emniyet Oteli'ne süklüm püklüm döndüm. Katip İstanbullu müşterisinin bir gece daha kalmasına pek sevindi, ona çay ikram etti. Böylece odadaki yalnızlıktan korktuğum için uzun uzun onun askerlik hatıralarını dinledim, konu bana gelince de, "görülecek bir hesabım" olduğunu, "ama daha işi bitiremediğimi" belirtmekle yetindim.

Odaya çıkar çıkmaz kapatılmış televizyonu açtım: Ekranda eli silahlı bir gölge, siyah beyaz bir duvar boyunca yürüyordu, köşeye varır varmaz kurşunları hedefinin üzerine boşalttı. Bu sahnenin renklisini Canan'la bir otobüste seyretmiş miydik, dedim kendime. Yatağın kenarına oturdum, ondan sonraki öldürme sahnesini sabırla beklemeye başladım. Derken kendimi pencereden, onun penceresine doğru bakarken buldum. Orada yazıyordu, o gölge, o muydu gördüğüm, çıkaramıyordum. Ama, orada beni kahretmek için huzurla yazdığını düşündüm. Bir süre oturmuş televizyona dalmışım, ama ayağa kalktığımda ne seyrettiğimi unutmuştum. Bir ara gene pencereden dışarı onun penceresine bakarken buldum kendimi. O yolculuğun sonunda vardığı huzur noktasındaydı, ben de birbirlerine ateş eden siyah beyaz gölgeler arasında. O biliyordu, öte tarafa geçmişti, yeni hayatın benden sakladığı bilgisi vardı onda, bende ise Canan'ı elde etmenin belli belirsiz umudundan başka hiçbir şey yoktu.

Niye otel odalarında kendi zavallılıklarına batmış acıklı katillerin hüznünü bize hiç göstermez bu filmler? Ben yönetmen olsaydım, filmimde örtüsü dağılmış yatağı, pencerenin boyası dökülmüş doğramalarını, leş gibi perdeleri, katil adayının kirli ve buruşuk gömleğini, mor ceketinin karıştırıp durduğu ceplerinin içini, yatağının kenarında kamburunu çıkarıp oturuşunu, vakit geçsin diye otuzbir çekip çekmemeyi nasıl düşündüğünü gösterirdim.

Uzun bir süre de aklımın içindeki seslerle şu konularda açık oturumlar düzenledim: Neden güzel ve duyarlı kadınlar hayatı kaymış kırık erkeklere âşık olurlar? Katil olursam ve izleri ömür boyu gözlerimden okunursa, bu acaba bana sefil bir erkek görüntüsü mü verir yoksa hüzünlü bir erkek mi? Canan beni gerçekten sevebilir mi, az sonra öldüreceğim adamı sevdiğinin yarısı kadar bile olsa. Ben de Nahit Mehmet Osman gibi yapabilir, bütün ömrümü demiryolcu Rıfkı Amca'nın kitabını yeniden yeniden defterlere yazmaya verebilir miydim?

Güneş perspektif sokağının ardından kaybolduktan ve sokaklarda uzun gölgelerle birlikte hafif bir serinlik sinsi bir kedi gibi dolaşmaya başladıktan sonra penceremden penceresine hiç durmamacasına bakmaya başladım. Göremiyordum onu, gördüğümü sanıyor, sokaktan tek tük geçenlere bile bir an olsun dikkat etmeden pencereyi, pencerenin arkasındaki odayı seyrediyor, orada birisini gördüğüme inanmak istiyordum.

Bu ne kadar sürdü bilmiyorum. Hava daha kararmamış, odasında bir ışık yanmamıştı ki, kendimi sokakta penceresinin altında ona seslenirken buldum. Gölgeli camda biri belirdi ve beni görür görmez kayboldu. Eve girdim, merdivenleri hırsla çıktım, kapı cik cik sesine gerek kalmadan açıldı, ama bir an onu orada göremedim.

İçeri, daireye girdim. Bir masanın üzerine yeşil bir çuha serilmişti. Üzerinde açık bir defterle kitabı gördüm. Kalemler, silgiler, sigara paketi, tütün döküntüleri, küllüğün yanında kol saati, kibrit, bir fincan soğumuş kahve. Bütün hayatı boyunca yazı yazmaya mahkum bir zavallının mutluluk araçları bunlardı işte.

İçeriden çıkıp geldi. Yüzüne bakmaktan korktuğum için olsa gerek deftere yazdıklarını okumaya başladım. "Bazan, bir virgülü atlıyorum," dedi. "Bir kelimeyi bir harfi yanlış yazıyorum... O zaman hissetmeden, inanmadan yazdığımı anlar işi bırakırım. Tekrar aynı yoğunlukla yazıya dönebilmem bazan saatler, günler alır. Hissetmediğim, gücünü içimde duymadığım tek bir kelime yazmak istemediğim için ilhamı sabırla beklerim."

"Dinle beni," dedim kendimden değil bir başkasından söz eder gibi soğukkanlılıkla. "Kendim olamıyorum. Hiçbir şey olamıyorum. Yardım et bana. Yardım et ki, senin yazdığını, bu odayı, kitabı aklımdan çıkarayım, eski hayatıma huzurla dönebileyim."

Hayatın ve dünyanın kalbine bir göz atabilmiş olgun herifler gibi, beni anladığını söyledi. Her şeyi anladığına inanıyordu herhalde. Niye oracıkta vurmadım onu. Çünkü demişti ki:

"Demiryol Lokantası'na gidip oturalım, konuşalım."

Lokantaya oturduğumuzda bana saat dokuza çeyrek kala tren olduğunu söyledi. Beni yolcu ettikten sonra sinemaya gidecekti. Beni sepetlemeyi çoktan aklına koymuştu demek.

"Canan'la tanıştığımda kitabı başkalarına anlatmaktan, kitabı yaymaktan vazgeçmiştim artık," dedi. "Herkesinki gibi bir hayatım olsun istiyordum. Herkesinkinden fazla bir de kitabım olacaktı. Kitabın açtığı dünyaya ulaşmak için yaşadıklarım da fazla fazla yanımda kâr kalacaktı. Ama Canan beni alevlendirdi. Beni hayata açacağını söyledi. Daha arkada bir yerde, benden ötede, benim bildiğim, ama ona söylemediğim bir bahçe varmış, bunu ondan saklıyormuşum. O bahçenin anahtarını öyle bir inançla istedi ki benden, ona kitaptan söz etmek, daha sonra da kitabı vermek zorunda kaldım. Kitabı okudu, yeniden okudu, yeniden okudu. Kitaba bağlılığına, orada gördüğü dünyayı şiddetle istemesine kandım. Bir dönem, böylece kitabın sessizliğini, orada yazılan şeyin –nasıl söylesem– kendi iç müziğini, unuttum. Tıpkı kitabı ilk okuduğum günlerdeki gibi bu müziği sokaklarda, uzak yerlerde, her neresiyse bir yerde işitebilme umuduna budalaca kapıldım. Kitabı başkalarına vermek o sırada onun fikriydi. Senin kitabı okuman, ona hemen inanıvermen de beni korkuttu. Kitabın ne demek olduğunu unutuyordum, ki şükür vurdular beni."

Tabii ki kitabın ne demek olduğunu sordum ona.

"İyi bir kitap bize bütün dünyayı hatırlatan bir şeydir," dedi. "Belki her kitap öyledir, öyle olmalıdır." Biraz sustu. "Kitabın kendi içinde olmayan, ama varlığını ve sürekliliğini kitabın anlattıklarıyla hissettiğim bir şeyin parçasıdır kitap," dedi, ama sözlerinden memnun olmadığını anlıyordum. "Dünyanın sessizliğinden ya da gürültüsünden çıkarılmış bir şey belki, ama o suskunluğun da gürültünün de kendisi değil." Daha sonra saçmaladığını düşünebileceğim için son bir kere daha anlatmaya çalışacağını belirtti: "İyi bir kitap, olmayan şeylerin, bir çeşit yokluğun, bir çeşit ölümün anlatıldığı bir yazı parçasıdır... Ama kelimelerin ötesinde yeralan ülkeyi yazının ve kitabın dışında aramak boşuna." Bunu kitabı yeniden yeniden yazarken farkettiğini, öğrendiğini, iyice öğrendiğini söyledi. Yeni hayatı ve ülkeyi yazının ötesinde aramak boşunaydı. Bunu yaptığı için cezalandırılmayı haketmişti. "Ama katilim beceriksiz çıktı, beni yalnızca omuzumdan yaralayabildi."

Minibüs duraklarının orada vurulduğu zaman, onu Taşkışla'nın bir penceresinden seyrettiğimi söyledim.

"Uzun araştırmalarım, gezilerim, otobüs yolculuklarım kitaba karşı bir kumpasın oluştuğunu bana öğretti," dedi. "Bir zırdeli kitapla ciddi bir şekilde ilgilenen herkesi öldürtmek istiyor. Kim bu, neden yapıyor, bilmiyorum. Ama kitabı başkalarına açmamam konusundaki kararımı sanki kuvvetlendirmek için yapıyor bunu. Kimsenin başını belaya sokmak, kimsenin hayatını kaydırmak istemiyorum. Canan'dan kaçtım. İstediği ülkeyi bulamayacağımızı bildiğim gibi, kitaptan fışkıran ölümün ışığına benimle birlikte onun da yakalanabileceğini çok iyi anlamıştım."

Bir an onu şaşırtmak, bir baskınla bana vermediği, benden sakladığı bir bilgiyi alabilmek için demiryolcu Rıfkı Amca'nın sözünü ettim. Kitabın yazarının bu adam olabileceğini söyledim. Çocukluğumda onu tanıdığımı, yazıp çizdiği resimli romanları deli gibi okuduğumu anlattım. Kitabı okuduktan sonra bu resimli romanları, sözgelimi *Pertev ile Peter*'i bir daha dikkatle gözden geçirdiğimi ve pek çok konunun önce orada ele alındığını gördüğümü söyledim.

"Bu senin için hayal kırıklığı oldu mu?"

"Hayır," dedim. "Bana onunla buluşmanı anlat."

Anlattıkları Serkisof'un raporlarında verdiği bilgileri mantıklı bir şekilde tamamlıyordu. Kitabı binlerce kere okuduktan sonra bir keresinde çocukluğunda okuduğu resimli romanları hatırlar gibi olmuş. Kütüphanelere gidip bu dergileri çıkarıp bazı şaşırtıcı benzerlikleri belirlemiş ve yazarın kimliğini çıkarmış. İlk gidişinde karısının engellemeleri yüzünden Rıfkı Bey ile pek az görüşebilmişti. Kapı eşiğinde yapılan bu görüşme sırasında Rıfkı Bey karşısındaki yabancı gencin kitapla ilgilendiğini görür görmez konuyu kapatmak istemiş, Mehmet'in ısrarları üzerine artık bu konuyla hiç ilişkisi kalmadığını söylemiş. Orada kapı önünde genç hayranla ihtiyar yazar arasında dokunaklı bir sahne belki de tam gelişmek üzereyken, Rıfkı Bey'in karısı —Ratibe Teyze diye araya girdim ben— araya benim gibi girerek kocasını içeri çekmiş, kapıyı da davetsiz misafir-hayranın yüzüne kapatmıştı.

"Öyle bir hayal kırıklığına kapıldım ki inanamadım bile," dedi Nahit mi, Mehmet mi, Osman mı demekte bir türlü karar veremediğim hasmım. "Bir süre mahalleye gidip onu uzaktan dikizledim. Sonra bir başka seferinde cesaretimi toplayıp gene kapıyı çaldım."

Rıfkı Bey bu sefer onu daha anlayışla karşılamış. Kitapla ilgisi kalmadığını, ama ısrarcı delikanlı ile bir kahve içebileceğini söylemiş. Ona yıllarca önce yazılmış bu kitabı nereden bulup okuduğunu sormuş, insanın okuyabileceği nice güzel kitaplar varken neden bunu seçtiğini öğrenmek istemiş; acaba gencimiz hangi üniversitede tahsil görüyormuş, ileride hayatta ne yapmak istiyormuş vesaire. "Birkaç kere bana kitabın sırlarını vermesini söylediysem de ciddiye bile almadı sözlerimi," dedi bir zamanların Mehmet'i. "Haklıydı da. Bana vereceği hiçbir sırrı olmadığını şimdi biliyorum."

O zamanlar bunu bilmediği için ısrar etmiş. İhtiyar adam da kitap yüzünden başının belaya girdiğini, polislerin, savcıların kendisini sıkıştırdığını söylemiş. "Çocukları oyaladığım, eğlendirdiğim gibi, belki birkaç yetişkini de oyalar eğlendirebilirim, diye yazdığım bir kitap yüzünden hepsi" demiş. Bu yetmiyormuş gibi şöyle de demiş Demiryolcu Rıfkı Amca: "Kendimi eğlendirmek için yazdığım bir kitap yüzünden bütün hayatımın mahvolmasına tabii ki razı olamazdım." Savcıya kitabın yeni bir baskısını yapmayacağına, kitabı reddettiğine, bir daha böyle şeyler yazmayacağına dair söz verdiğini söylerken ihtiyarın nasıl da hüzünlendiğini öfkeli Nahit o zaman farkedememiş, ama şimdi Nahit değil Mehmet değil de Osman iken bu kederi o kadar iyi anlıyormuş ki, daha sonra yaptığı densizliği her hatırlayışında utanç duyuyormuş.

Bir kitaba inançla bağlanmış her sıradan genç gibi ihtiyar yazarı sorumsuzluk, döneklik, hainlik, korkaklıkla suçlamış. "Ona öfkeyle, titreyerek bağırıp çağırıyordum, o ise beni anlıyordu ve kızmıyordu bile." Bir an Rıfkı Amca ayağa kalkmış ve "bir gün anlarsınız, ama o gün de zaten bir işe yaramayacak kadar yaşlanmış olursunuz," demiş. "Anladım. Ama bir işe yarayıp yaramadığını bilmiyorum," dedi Canan'ın delicesine sevdiği adam. "Ayrıca o kitabı okuyan herkesi öldürten zırdelinin adamlarının da, beni takip ettikten sonra ihtiyarı öldürdüklerini düşünüyorum."

Katil adayı, maktul adayına, birisinin ölümüne yol açmanın kendisine bir ömür boyu taşınmayacak kadar ağır bir yük olup olmadığını sordu. Maktul adayı sustu, ama katil adayı onun gözlerindeki kederi görüp kendi geleceğinden korktu. Ağır ağır, efendi efendi rakı içiyorlardı ve duvarlardaki tren resimleri, yurt manzaraları, artist fotoğrafları arasındaki çerçeveli fotoğrafından Atatürk kendini içkiye vermiş meyhane kalabalığına Cumhuriyet'i emanet etmiş olmanın güveniyle gülümsüyordu.

Saatime baktım. Beni yerleştirip postalamayı düşündüğü trenin kalkışına daha bir saat bir çeyrek vardı ve aramızda her şeyi fazla fazla konuşmuş olduğumuza, hani kitapların dediği gibi, "söylenecek sözlerin söylendiğine" ilişkin bir hava vardı. Aralarında oluşan sessizlikleri anlamsız bulup telaşa kapılmayan eski ve gerçek arkadaşlar gibi uzun bir süre sustuk ve bana kalırsa bu suskunluğun en anlamlı gevezelik olduğunu düşündük.

Gene de ama, ona hayran olup yaptığını taklit etmekle, onun işini bitirip Canan'ı ele geçirmenin dumanları arasında kararsız olan ben, bir ara ona kitabı okuyan herkesi öldürten zırdelinin babası Dr. Narin olduğunu söylemeyi kurdum. Canını yakmak için, can sıkıntısından, öyle işte. Ama söyleyemedim. Peki, peki, tabii, ne olur ne olmaz diye düşünüyordum; dengeyi fazla sarsmamalı.

Düşüncelerimi, en azından onların bir yankısını verecek kadar belli belirsiz okuyor olacak ki, babasının peşine taktığı adamlardan kurtulmasına yol açan otobüs kazasını anlattı.

İlk defa gülümseyerek. Mürekkepten simsiyah otobüsün içinde yanındaki gencin, kazada derhal ölmüş olduğunu anlıyor. Mehmet adlı bu gencin kimliğini cebinden çıkarıp alıyor. Otobüs cayır cayır yanmaya başlayınca, dışarı çıkıyor. Yangından sonra aklına bu parlak fikir geliyor. Kendi kimliğini yanmış cesedinin ceket cebine bırakıyor. Cesedi kendi koltuğuna yerleştirip yeni hayata koşuyor. Bunları anlatırken gözleri çocuk neşesiyle ışıldıyor. Babasının onun için kurduğu müzedeki çocukluk fotoğraflarında da bu neşeli yüzü gördüğümü, tabii, kendime sakladım.

Bir sessizlik, bir sessizlik, bir sessizlik; garson bize patlıcan dolması ver.

Vakit geçsin diye, hani, öyle, laf olsun diye bir ara durumumuzu, yani hayatımızı, şöyle bir gözden geçirelim dedik de, onun gözü arada bir saatinde, benim gözüm onun gözünde, şöyle şeyler dedik karşılıklı birbirimize: İşte böyleydi hayat. Aslında her şey çok basitti. Demiryolu dergisine yazan, otobüslerden ve otobüs kazalarından nefret eden ve bağnaz bir demiryolcu olan ihtiyarın teki, kendi yazdığı çocuk kitaplarından ilhamla öylesine bir kitap yazıyordu. Sonra, yani yıllar sonra, çocukluklarında bu resimli romanları okumuş biz iyiniyetli gençler o kitabı okuyor ve hayatımızın tepeden tırnağa değiştiğine inanıyor ve hayatlarımızı kaydırıyorduk. Ne sihir olmalıydı bu kitapta, ne keramet hayatta! Nasıl olmuştu bu iş acaba?

Ona Demiryolcu Rıfkı Amca'yı çocukluğumda tanıdığımı bir daha söyledim.

"Bunu işitmek nedense bir tuhaf geliyor," dedi.

Ama biliyorduk hiçbir şey tuhaf değildi. Her şey öyleydi, öyleydi işte her şey.

"Viranbağ kasabasında daha da öyle, öyle," dedi sevgili dostum.

Bu da bana bir şey hatırlatmış olacak ki, üzerinde dikkatle

durarak, söylerken yüzüne bakarak, hecelerin tek tek hakkını vererek dedim ki: "Biliyor musun, pek çok kereler kitabın beni anlattığını, hikâyenin benim hikâyem olduğunu düşündüm."

Sessizlik. Can çekişen bir ruhun, bir meyhanenin, bir kasabanın, bir dünyanın son iç sesleri. Çatal bıçak gürültüleri. Televizyonda haberler. Yirmibeş dakika var.

"Biliyor musun," dedim bir daha. "Anadolu'da gezilerimde pek çok yerde Yeni Hayat marka karamelalarla karşılaştım. İstanbul'da yıllar önce satılırmış, ama ücra yerlerde, kavanozların, kutuların dibinde hâlâ var."

"Her şeyin aslına, İlk Neden'ine, kökenine varmak istiyorsun değil mi?" dedi öte hayattan nice manzaralar seyredebilmiş hasmım. "Saf olana, bozulmamış olana, sahih şeye ulaşmak istiyorsun. Ama yok öyle bir başlangıç. Hepimizin taklidi olduğu bir asıl, bir anahtar, bir söz, bir köken aramak boşuna."

Böylece, melek, Canan'ı elde edebilmek için değil, sana inanmadığı için onu istasyon yolunda zımbalayacağımı düşündüm.

Kırık dökük sessizlikleri bozmak için şuna benzer şeyler de söylüyordu ama nedense can kulağıyla bile dinleyemiyordum bu hüzünlü ve yakışıklı adamı:

"Çocukken, okumak bana, ilerde günün birinde, bütün öbür mesleklere birer birer başladığı sırada, insanın üzerine alacağı bir meslek gibi görünürdü."

"Nota kopyacılığı yapan Rousseau da, başkalarının yarattıklarını yeniden, yeniden yazmanın ne demek olduğunu bilirdi."

Derken yalnız sessizlikler değil, her şey kırık dökük bir havaya büründü. Birisi televizyonu kapatmış, radyodaki yanık mı yanık aşk ve ayrılık türküsünü açmıştı. Hayatta insan kaç kere karşılıklı sessizlikten bu kadar zevk alır? Garsondan hesabı istemişti ki, orta yaşlı davetsiz bir misafir masamıza çöktü ve beni şöyle bir süzdü. Osman Bey'in askerlik arkadaşı Osman Bey olduğumu öğrenince, "Biz burada Osman Bey'i ne de çok severiz; demek adaşınızla askerde birlikteydiniz!" muhabbeti yaptı. Sonra ona bir sır verir gibi dikkatle, kitabın elyazması için çıkan bir müşteriden söz etti. Bu tür aracılara komisyon verdiğini farkedince akıllı dostuma son bir kere daha içtenlikle sevgi duyma hakkı tanıdım kendime.

Ayrılış sahnesi, Walther'imin patırtısı dışında, aşağı yukarı *Pertev ile Peter* dizisinin sonundaki gibi olacak sanıyordum, yanılmışım. O son macerada, aynı amaç için birlikte nice savaşlar veren ve nice serüvenler yaşayan canciğer iki arkadaş aynı ülküye bağlı aynı kızı sevdiklerini anlayınca, bir masaya oturup sorunu dostça çözerler. Daha duyarlı, daha içe kapanık olan Pertev, kızın onunla daha mutlu olacağını bildiği için hayata daha açık ve daha iyimser olan Peter'e kızı sessizce bırakır ve benim gibi gözüyaşlı okurların iç çekmeleri arasında kahramanlar, bir zamanlar kahramanca savundukları tren istasyonunda birbirlerinden ayrılır. Oysa bizim aramızda her türden aşırı duyarlılık ve öfke gösterisine metelik vermeyecek komisyoncu vardı.

Üçümüz istasyona sessizce yürüdük. Bilet aldım. Kendime sabahki açmalardan iki tane seçtim. Pertev benim için Viranbağ'ın meşhur çavuş üzümünden bir kilo tarttırdı. Ben mizah dergileri seçerken o üzümü yıkamak için kenefe gitti. Komisyoncuyla bakıştık. Tren iki günde İstanbul'a varırmış. Pertev döndüğünde kalkış şefi, babamı hatırlatan kararlı ve zarif bir hareketle işareti verdi. Öpüştük, ayrıldık.

Bundan sonrası Rıfkı Amca'nın resimli romanlarından çok, Canan'ın otobüs videolarında bayılarak seyrettiği gerilim filmlerine daha uygun düşüyor: Aşk için katil olmaya kararlı gözü dönmüş genç, ıslak üzümle dolu plastik torbayı ve dergileri kompartımanın bir köşesine savuruyor ve tren daha fazla hızlanmadan peronun taa ucundan vagondan atlıyor.

Görülmediğine emin olduktan sonra, kurbanını ve komisyoncusunu uzaktan dikkatle izliyor. İkisi bir süre konuştuktan, boş ve hüzünlü sokaklarda sallandıktan sonra postanenin önünde birbirlerinden ayrılıyorlar. Katil kurbanının Yeni Dünya Sineması'na girdiğini görüyor ve bir sigara yakıyor. Bu tür filmlerde katil adayının sigarayı içerken ne düşündüğünü bilmeyiz hiç, yalnızca biten sigarasının izmaritini benim yaptığım gibi yere atıp üstüne bastığını, emin gözüken adımlarla *Sonsuz Geceler* filmine bir bilet alıp içeri girdiğini ve salona girmeden önce çıkış ve kaçış yolunu sağlama bağlamak için helaya bir girip çıkışını seyrederiz.

Sonrası geceye eşlik eden sessizlikler gibi kırık döküktü. Walther'imi çıkardım, emniyetini çözdüm, film oynayan salona girdim. İçerisi nemli ve sıcaktı, tavan alçak. Eli silahlı kara gölgem sinema perdesine düştü ve gömleğimin ve mor ceketimin üzerinde renkli bir film oynamaya başladı. Projeksiyonun ışığı gözümün içine giriyordu, ama sıralar iyice boş olduğu için hemen kurbanımı buldum.

Galiba şaşırmıştı, galiba anlamamıştı, galiba tanıyamamıştı, galiba bekliyordu, çünkü yerinden hiç kıpırdamamıştı.

"Bulursunuz benim gibi birilerini, ona bir kitap verir okutur, sonra hayatını kaydırırsınız," dedim, ama kendi kendime.

Onu vurduğuma iyice emin olmak için yakından göğsüne ve göremediğim yüzüne üç el ateş ettim. Walther'in patırtısından sonra karanlıktaki seyirciye dedim ki:

"Ben adam öldürdüm."

Perdedeki gölgemi ve çevresindeki *Sonsuz Geceler*'i seyrederek salondan dışarı çıkarken, "Makinist!" diye bağırdı biri, "Makinist, makinist."

Garajlardan hemen bindiğim ilk otobüste, caniyane pek çok soruyla birlikte, trenleri harekete geçiren kişi ile filmleri harekete geçiren kişinin ülkemizde neden aynı Frenkçe kelimeyle çağrıldığını kendime sormuşumdur.

14

İki otobüs değiştirdim, uykusuz bir katil gecesi geçirdim, bir mola yerinin helasındaki çatlak aynada kendimi seyrettim: Aynada gördüğüm kişiyi katilden çok maktulün hayaletine benzettiğimi söylesem kimse inanmaz bana. Ama maktulün yaza yaza bulduğu iç huzuru o helada ve daha sonra huzursuz otobüs tekerleklerinin üzerinde benden ne kadar da uzaktaydı!

Dr. Narin'in konağına dönmeden önce kasabada sabah erkenden bir berbere gittim, saç sakal tıraşı oldum ki, Canını'ın karşısına mutlu bir aile yuvası kurabilmek için ölümle gözgöze gelmiş ve nice serüvenlerden başarıyla geçmiş pervasız ve iyimser bir delikanlı gibi çıkabileyim. Dr. Narin'in arazisine girdiğimde ve konağın pencerelerine bakarak Canan'ın sıcak yatağında beni beklediğini düşündüğümde kalbim, iki ölçü küt küt attı ve bir çınar ağacından bir serçe ona cik cik diye nazire yaptı.

Kapıyı Gülizar açtı. Yarım gün önce ağabeyini bir filmin ortasında zımbaladığım için, belki de, yüzündeki hayrete bakamamıştım. Bu yüzden belki, kuşkulu kaşlarının havalanışını farkedememiş, sözlerini yarım kulak dinlemiş, babamın evine girer gibi içeri girip, Canan'ı hasta yatağında terkettiğim odaya, odamıza doğru gitmiştim. Sevgilimi şaşırtmak için kapıyı tıklatmadan açtım. Kapının açıldığı odanın ve köşedeki yatağın boş, bomboş olduğunu görür görmez Gülizar'ın ben kapıdan girer girmez söylediklerini, hâlâ söylemekte olduklarını anladım.

Canan üç gün ateşler içinde yatmış, sonra toparlanmıştı. Ayağa kalktıktan sonra kasabaya inip İstanbul'a bir telefon etmiş, annesiyle konuşmuş, o günlerde benden hiç ses çıkmayınca da ani bir kararla geri dönmüştü.

Boş odanın penceresinden arka bahçedeki sabah güneşinde ışıl ışıl gözüken dut ağacına bakan gözlerim aradabir dönüp üzeri özenle örtülmüş yatağa takılıyordu. Buraya gelirken arabada yelpaze niyetine kullandığı *Güdül Postası* boş yatağın üzerinde duruyordu. İçimden bir ses Canan'ın benim rezil bir katil olduğumu çoktan bildiğini, bu yüzden onu hiç mi hiç göremeyeceğimi, bu durumda yapılacak tek şeyin, kapıyı kapayıp hâlâ Canan'ın kokusunu taşıyan yatağa uzanıp ağlaya ağlaya uyumak olduğunu söyledi. İçimden başka bir ses karşı çıktı ona, katiller katil gibi davranmalıydı, soğukkanlı olmalıydı, telaşa kapılmamalıydı: Canan annesiyle babasının evinde, Nişantaşı'nda beni bekliyordu mutlaka. Odadan çıkmadan önce, evet en sonunda o hain sivrisineği, camın kenarında gördüm ve bir darbeyle avucumun içiyle ezdim. Sivrisineğin karnından, avucumun içindeki aşk çizgisine bulaşan kanın, Canan'ın tatlı kanı olduğuna emindim.

Büyük Karşı Kumpas'ın kalbindeki konaktan sıvışmadan ve Canan'ıma İstanbul'da kavuşmadan önce Dr. Narin'i görmemin geleceğim, geleceğimiz için iyi olacağını düşünmüştüm. Dr. Narin dut ağacının az ötesine yerleştirilmiş bir masada oturuyor, bir yandan iştahla üzüm yiyor, bir yandan da elinde bir kitap birlikte gezindiğimiz tepelere bakarak

217

yorgun gözlerini dinlendiriyordu.

Onunla, hayatın acımasızlığından, doğanın insan kaderine aslında nasıl gizlice hükmettiğinden, zaman denen sıkışmış şeyin insan ruhuna nasıl bir sükun ve sessizlik telkin ettiğinden, büyük bir irade ve kararlılık olmayınca insanın şu dolgun üzüm tanelerinin bile tadına varamayacağından, hiçbir taklit izi taşımayan gerçek hayatın özüne ulaşmak için gerekli yüksek şuur ve arzudan ve yanımızdan hışır hışır geçip giden alçakgönüllü bir kirpinin hangi büyük düzenin ve hangi asimetrik rastlantının şakacı bir cilvesi olduğundan, vakitleri olan geniş insanların huzuruyla söz ettik. Adam öldürmek insanı olgunlaştırıyor olmalı ki, ona şaşkınlıkla duymaya devam ettiğim hayranlığı, ruhumun derinliklerinden, birden gizli bir hastalık gibi çıkıp gelen bir anlayış ve hoşgörüyle birleştirebildim. Bu yüzden, öğleden sonra oğlunun mezarına yapacağı ziyarete katılmamı önerdiğinde, Dr. Narin'i kırmadan, ama kararlılıkla geri çevirebildim: Dolu geçirdiğim şu yorucu son bir hafta beni iyice hırpalamıştı; bir an önce evime, karımın yanına dönüp dinlenmeli, bana önerdiği büyük sorumluluk konusunda bir karara varmak için aklımı başıma toplamalıydım.

Dr. Narin, bana verdiği hediyeyi deneme fırsatım olup olmadığını sorduğunda Walther'i denediğimi ve çok memnun kaldığımı söyledim ve cebimde iki gündür taşıdığım Sarkisof saati hatırlayıp çıkardım. Bunun kırık kalpli ve kırık dişli bir bayinin ona duyduğu hürmet ve hayranlığın ifadesi olduğunu söyleyerek saati altın renkli üzüm kâsesinin yanına bıraktım.

"Bütün bu kırık kalpli mutsuzlar, zavallılar, zayıflar," dedi Dr. Narin, saate gözucuyla şöyle bir baktı. "Kendi alıştıkları hayatlarını alıştıkları sevgili eşyaları ile yaşayabilsinler diye, benim gibi birisi onlara adil bir dünya umudu verirse, nasıl da bir tutkuyla bağlanıveriyorlar ona. Hayatlarımızı, anılarımızı mahvetmek isteyen dış güçler ne kadar da acımasızmış! İstanbul'a döndüğünde, kararını vermeden önce, bu insanların kırık hayatları için yapabileceklerini düşün."

İstanbul'da Canan'ı hemen bulup, kandırıp, buraya konağa getirip, Büyük Karşı Kumpas'ın kalbinde yıllarca, onlar ermiş muradına, biz çıkalım kerevetine yaşayabileceğimizi düşündüm bir an...

"Sevimli karınıza dönmeden önce," dedi Dr. Narin, hayattan çok çeviri Fransız romanlarını taklit eden bir dille, "seni bir kahramandan çok bir katile benzeten şu mor ceketinden kurtul e mi?"

Hemen otobüsle İstanbul'a döndüm. Sabah ezanı okunurken bana kapıyı açan anneme ne Altın Ülke'nin peşinden koştuğumu söyledim, ne de melek gelininden söz ettim.

"Bir daha anneni öyle bırakıp gitme!" dedi, havagazı ocağını yakıp banyoyu sıcak suyla doldururken.

Ana oğul eski günlerimizdeki gibi sessiz sessiz kahvaltı ettik. Oğulları politikaya, dinci akımlara bulaşmış pek çok anne gibi annemin, benim ülkenin karanlıkları içerisindeki bir odağın çekimine kapıldığımı düşündüğünü ve sorarsa ve ben sorduklarını cevaplarsam işiteceklerinden dehşete kapılacağı için sustuğunu anladım. Annemin çabuk, hafif ve hareketli eli kızılcık reçelinin yanında bir an durunca üzerindeki benleri gördüm ve eski hayatıma dönmüş olduğumu düşündüm. Her şeyin hiçbir şey olmamış gibi sürmesi mümkün müydü?

Kahvaltı ettikten sonra masama oturdum ve bıraktığım yerde hâlâ açık duran kitaba uzun uzun baktım. Ama okumak denemezdi yaptığıma, bir çeşit hatırlamak, bir çeşit acı çekmek...

Canan'ı bulmak için evden çıkıyordum ki annem yolumu kesti:

"Akşam eve döneceğine yemin et."

Ettim. İki ay boyunca her sabah kapıdan çıkarken yemin ettim, ama Canan hiçbir yerde yoktu. Nişantaşı'na gittim, sokaklarda gezdim, kapılarının önünde bekledim, zillerini çaldım, köprülerden geçtim, vapurlara bindim, sinemalara gittim, telefonlar ettim, hiçbir bilgi alamadım. Ekim sonunda dersler başlayınca Taşkışla koridorlarında görünür diye kendimi kandırdım, ama gelmedi. Bütün gün Taşkışla'nın koridorlarında geziniyor, bazan ona benzer bir gölge koridora bakan camların önünden geçti diye kendimi sınıftan atıp koşmaya başlıyor, bazan da park ve minibüs duraklarına bakan boş sınıflardan birine girip yoldan ve kaldırımlardan gelip geçenleri dalgın dalgın seyrediyordum.

Sobaların, kaloriferlerin yakılmaya başlandığı günlerden birinde, zekice tasarladığımı sandığım bir senaryoyla kayıp sınıf arkadaşımın annesinin babasının kapısını çalıp inceden inceye hazırlamış olduğum palavraları attım ve rezil oldum. Bana Canan'ın nerede olabileceğine ilişkin hiçbir bilgi vermedikleri gibi, nereden bilgi edinebileceğim konusunda da hiçbir ipucu vermediler. Gene de, bir pazar öğleden sonra televizyon huzurlu bir futbol maçının renkleriyle cıvıl cıvılken, evlerine yaptığım bu ikinci ziyarette, merakımın kaynaklarını kurcalayıp onların benden bilgi almaya kalkışmamalarından bildikleri pek çok şey olduğunu anladım. Telefon rehberinden belirleyebildiğim akrabalarından bu bilgiyi sızdırma çabalarım da sonuç vermedi. Bütün o aksi amcalar, meraklı yengeler, ihtiyatlı hizmetçiler ve alaycı yeğenlerle yaptığım telefon konuşmalarından çıkartılacak sonuç Canan'ın Taşkışla'da mimarlık okuduğuydu.

Mimarlıktaki sınıf arkadaşları ise Canan kadar, aylar önce minibüs duraklarının orada vurulduğundan haberdar oldukları Mehmet konusunda da, kendi uydurdukları efsanelere kanıp gitmişlerdi. Mehmet'in, çalıştığı oteldeki eroin tacirlerinin iç hesaplaşmaları sonucu vurulduğunu söyleyeni de işittim, gözü dönmüş şeriatçıların kurbanı olduğunu fısıldayarak söyleyeni de. İyi ailelerin karanlık bir çocuğa tutulan kızlarına yapıldığı gibi, Canan'ın Avrupa'ya bir yere okumaya yollandığını söyleyenler de vardı, ama kayıt bürosunda yaptığım küçük bir dedektiflik bunun doğru olmadığını bana göstermişti.

Aylar, yıllar boyunca yaptığım diğer dedektifliklerimin dahiyane ayrıntılarından, bir katile yakışacak soğukkanlı hesaplamalarından, bir umutsuzun düşlerini hatırlatan renklerinden iyisi mi hiç söz etmeyeyim. Canan yoktu işte, ondan hiçbir haber alamıyordum, hiçbir izine rastlayamıyordum. Kaçırdığım yarı yılın derslerine girdim, ondan sonraki yarı yılı da bitirdim. Ne ben onları aradım, ne de Dr. Narin ve adamları beni. Cinayetlerine devam edip etmediklerini bilmiyordum. Canan'ın yokluğuyla birlikte hayallerimden ve korkulu düşlerimden çekip gitmişlerdi. Yaz geldi, sonbaharda yeni bir ders yılı başladı, onu da bitirdim. Ondan sonrakini de. Sonra doğru askere gittim.

Askerliğimin bitmesine iki ay kala annemin öldüğü haberi geldi. İzin aldım, İstanbul'a cenazeye yetiştim, annemi gömdük. Arkadaşlarımla geçirdiğim bir geceden sonra eve döndüm ve odaların boşluğunu ve sessizliğini farkedince korktum. Mutfak duvarına asılı tavalara ve cezvelere bakarken, buzdolabının o çok bildiğim tanıdık sesiyle kederli kederli inlediğini, hüzünle iç geçirdiğini işittim. Hayatta yapayalnız kalmıştım. Annemin yatağına yatıp biraz ağladım, televizyonu açtım, annem gibi karşısına oturup tevekkülle ve bir çeşit varolma mutluluğuyla uzun uzun seyrettim. Uyumadan önce kitabı sakladığım yerden çıkardım, masanın üzerine koydum ve ilk okuduğum günkü gibi etkilenmeyi umarak okumaya başladım. Gerçi yüzüme bir ışığın fışkırdığını ya da oturduğum masadan ve sandalyeden gövdemin kopup uzaklaştığını sanmadım, ama bir iç huzuru duydum.

Kitabı yeniden, yeniden okumaya böyle başladım. Ama her okuyuşta, nereden geldiği belli olmayan güçlü bir rüzgârla hayatımın bilinmeyen bir ülkeye doğru savrulup gittiğini düşünmüyordum artık. Çoktan kapanmış bir hesabın, bir hikâyenin gizli geometrisini, püf noktalarını, onu yaşarken duyamadığım iç seslerini duymaya çalışıyordum. Anlıyorsunuz değil mi, daha askerliğimi bitirmeden yaşlı bir adama dönmüştüm ben.

Kendimi başka kitaplara da böyle verdim işte: Akşamüstleri içimde çöreklenen başka bir ruha sahip olma isteğini ve dünyanın hiç mi hiç görülmeyen öteki yüzündeki gizli şenliğe mutlulukla katılabilme coşkusunu körüklemek ya da ne bileyim, bir yerinde Canan'a rastlayabileceğim yeni bir hayata koşabilmek için değil, yaşadığım şeyleri ve derinden derine hissettiğim Canan'ın eksikliğini bilgelikle, ağırbaşlılıkla, efendi gibi karşılamak için okuyordum. Arzu Meleği'nin bana teselli için verebileceği ve Canan'la evimize asabileceğimiz yedi kollu bir avize umudum bile kalmamıştı. Geceyarıları bir tür ruhsal denge ve hoşnutluk duygusuyla okuduğum kitapların birinden başımı kaldırınca mahallenin derin sessizliğini hisseder ve birden o bitip tükenmeyecek sandığım otobüs yolculuklarının birinde Canan'ın yanıbaşımda uyuyuşu canlanırdı gözlerimin önünde.

Her hatırlayışımda cennet düşleri gibi gözümün önünde rengarenk canlanan o otobüs yolculuklarının birinde, otobüsün beklenmedik bir şekilde ısınan kaloriferi yüzünden Canan'ın alnının ve şakaklarının ter içinde kaldığını, saçlarının birbirine yapıştığını görmüş, Kütahya'dan aldığım çini desenli bir mendille alnındaki ter damlacıklarına dikkatle dokunurken, rüyalar alemindeki sevgilimin yüzünde, –bir benzincinin bir an üzerimize düşen eflatun ışıklarının da yardımıyla– yoğun bir mutluluk ve şaşkınlık ifadesi farketmiştim. Daha sonra, bir lokantada durduğumuzda, terden sırılsıklam olmuş Sümerbank basmasından elbisesi içinde bardak bardak çay içerken, Canan neşelenmiş ve rüyasında babasının kendisini alnından öptüğünü, ama bir süre sonra o adamın babası değil, ışıktan yapılmış ülkenin postacısı olduğunu anladığını gülümseyerek söylemişti. Gülümsedikten sonra, çoğu gülümseyişinden sonra, Canan yumuşak bir el hareketiyle saçlarını kulaklarının arkasında toplar ve her seferinde benim aklımdan, benim kalbimden, benim ruhumdan bir parça erir, karanlık gecede kaybolur giderdi.

O gecelerden sonra ruhumdan, aklımdan, kalbimden geriye kalanlarla idare etmeye çalıştığımı anlayan bazı okurlarımın kaşlarını çatarak kederlendiğini görür gibi oluyorum. Sabırlı okur, anlayışlı okur, duyarlı okur, ağla benim halime, ağlayabilirsen eğer, ama gözyaşı döktüğün kişinin de bir katil olduğunu sakın unutma. Yok eğer, sıradan katiller için de, tıpkı ceza kanunundaki indirimlerin gerekçeleri gibi bir şefkat, bir anlayış, bir sevgi duyabilmek için bazı nedenler sayılabilir deniliyorsa, artık içine iyice karışmış olduğum bu kitaba onlar da eklensin isterim:

Daha sonra, evlenmeme rağmen, hayatımın çok uzak olmadığını sandığım sonuna kadar yapacağım her şeyin uzaktan ya da yakından Canan ile ilgili olacağını biliyordum artık. Evlenmeden önce ve babadan kalmış ve annemden boşalmış "daireye" gelin kolayca yerleştikten ta yıllar sonra bile, Canan'a rastlarım umuduyla uzun otobüs yolculuklarına çıktım. Otobüslerin ağır ağır daha irileştiğini ve içlerini antiseptik bir kokunun sardığını, kapılarının otomatik ve hidrolik sistemlerle donatıldığı için bir düğmeye dokunmakla sessizce açılıp kapandığını, şoförlerin kendi soluk ceketlerinden, terli gömleklerinden sıyrılıp omuzları apoletli pilot kıyafetlerine büründüğünü, kabadayı muavinlerin artık her gün tıraş olduklarını ve kibarlaştıklarını, mola yerlerinin daha ışıklı daha şenlikli, ama birörnek mekânlara dönüştüğünü, asfaltlanan yolların genişlediğini yıllar boyunca bu yolculuklarda saptıyordum, ama Canan'ın değil kendisine, bir izine bile rastlayamıyordum. Kendisinden, izinden vazgeçtim, onunla birlikte otobüslerde geçirdiğim o harika

223

gecelerden çıkıp gelmiş bir eşya ile, bir garajda elimizde çay bardakları sohbet ettiğimiz bir teyze ile, hatta onun yüzüne vurduğundan, onun yüzünden benim yüzüme yansıdığından emin olduğum bir parça ışık ile karşılaşabilmek için, o ışığın gücüyle bir an onu yanımda hissedebilmek için neler vermezdim! Ama üzeri asfaltla kaplanarak çocukluk anıları karartılan ve çevreleri trafik işaretleri, yanıp sönen ışıklar ve acımasız reklam panolarıyla sarılan o yeni yollar gibi, her şey anılardan, anılarımızdan acele ve telaşla kurtulmakla meşgulmüş gibi geliyordu bana.

Canan'ın evlendiği ve ülkeyi terkettiği haberini içimi karartan bu yolculukların birinden bir süre sonra aldım. Evli, çocuklu, iyi aile babası ve katil kahramanınız, belediye imar müdürlüğündeki işinden akşam vakti evine dönerken ve elinde çanta, çantanın içinde çocuk için Çokomel, yüreğinde kasvet bulutları, yüzünde donuk yorgunluk bakışı Kadıköy vapurunda kalabalıkla dikilirken, birden üniversiteden çaçeron bir sınıf arkadaşıyla karşılaşmıştı. "Canan da," demişti çaçeron kadın, sınıf arkadaşı kızların yaptığı evlilikleri bir bir saydıktan sonra, "Samsunlu bir doktorla evlenip Almanya'ya yerleşmiş". Daha da kötü haberler vermesin diye gözlerimi kadından kaçırıp vapurun pencerelerinden dışarı çevirince, akşamüstleri İstanbul'a ve Boğaz'a pek seyrek yerleşen bir sis gördüm dışarıda. Ve "bu sis mi?" dedi katil, kendi kendine, "yoksa mutsuz ruhumun sessizliği mi?"

Canan'ın kocasının Samsun Sosyal Sigortalar Hastanesi'nde çalışan ve kitabı okuduktan sonra onu herkesin yaptığından bambaşka ve sapasağlam bir yolla sindirim sistemine katıp huzur ve mutlulukla yaşayabilen geniş omuzlu yakışıklı doktor olduğunu öğrenmem için fazla bir soruşturma yapmama gerek kalmadı. Doktorla yıllar önce hastanedeki odasında hayatın ve kitabın anlamı üzerine erkek erkeğe yaptığımız konuşmanın üzücü ayrıntılarını acımasız hafızam durup durup hatırlatmasın diye, bir dönem kendimi içkiye verdiysem de bunun da sonuçları pek parlak olmadı.

Evde el ayak çekildikten, günlük hayatın hırgüründen geriye kızımın, tekerleklerinin ikisi kopmuş bir itfaiye arabasıyla, amuda kalkıp kapalı televizyona tersinden bakan mavi ayısı kaldığı zamanlar, mutfakta titizce hazırladığım rakı kadehim elimde, ayının yanına kibarca oturur, televizyonu açıp sesini kısar ve çok fazla saldırgan, çok fazla bayağı olmayan bir dizi görüntüde karar kılınca, dumanlı kafayla televizyona bakıp kafamın içindeki dumanların renklerini seçmeye çalışırdım.

Kendi kendine acıma. Kendi kişiliğinin ve varlığının aslında ne kadar da biricik olduğuna inanma. Duyduğu aşkın gücünün anlaşılmamasından yakınma. Biliyor musunuz, ben bir zamanlar bir kitap okumuştum, bir kıza âşık olmuştum, derin bir şeyler yaşamıştım. Beni anlamadılar, kayboldular, acaba ne yapıyorlar? Canan Almanya'da, Bahnhofstrasse, nasıldır acaba, doktor koca, düşünme. Kitapları hep altını çizerek okuyormuş keriz ve yakışıklı doktor, düşünme. Akşam eve gelir, Canan karşılar, güzel evleri, yeni arabaları, bir de iki çocukları, düşünme, keriz koca. Belediye tetkik heyeti beni Almanya'ya yolluyor, bir akşam konsoloslukta karşılaşıyoruz, merhaba, mutlu musun, seni çok sevmiştim. Şimdi? Şimdi de çok seviyorum, seviyorum seni, her şeyi bırakırım, Almanya'da kalabilirim, seni çok seviyorum, senin yüzünden katil oldum, hayır söyleme, ne kadar güzelsin, düşünme. Kimse benim kadar sevemez. Hatırlıyor musun, bir keresinde, otobüsümüzün lastiği patladığında, gecenin ortasında sarhoş bir düğün kalabalığıyla karşılaşmıştık da, düşünme...

Bazan içe içe sızar, saatler sonra uyandığım zaman, divana oturduğumda başaşağı duran mavi ayıcığın televizyonun karşısında düzgün oturduğunu görür şaşardım: Ayıyı acaba hangi kırılganlık anında koltuğuna düz oturttum? Bazan da ekrandaki bir yabancı şarkının klibine, sonra bir ötekine dalgın dalgın bakarken Canan'la otobüs koltuklarında, gövdelerimizin hafifçe birbirine yaslanışını ve omuzumda onun kırılgan omuzlarının sıcaklığını hissederken bu şarkılardan birini birlikte dinlemiş olduğumuzu hatırlardım: Bak, bak nasıl da ağlıyorum burada ben, bir zamanlar birlikte dinlediğimiz o müzik televizyonda rengarenk olurken. Bir keresinde de, içeride odada çocuğun öksürdüğünü nasılsa annesinden önce duymuş, uyanan kızı kucaklayıp oturma odasına götürmüş ve o ekrandaki renklere bakarken ben, yetişkin bir insan elinin kusursuz bir küçük kopyası olan ellerinin, parmaklarının ve tırnaklarının şaşılacak kadar küçük ama ayrıntılı kıvrımlarını hayranlıkla inceleyip hayat denilen kitap üzerine düşünmeye dalmıştım ki...

"Adam paf oldu," dedi kızım.

Sıkı bir dayaktan sonra kanlar içinde yere düşüp hayatı paf olmuş talihsiz adamın umutsuz yüzüne merakla bakmıştık.

Maceralarımı izleyen duyarlı okurlarım, benim de hayatımın çoktan "paf" olduğuna ve geceyarıları kendimi içkiye verişime bakıp da kendimi koyverdiğimi sanmasınlar sakın. Dünyanın bu ucundaki erkeklerin çoğu gibi ben de, daha otuzbeşime varmadan kırık bir adam olmuştum, ama gene de kendimi toparlamayı, okuyarak kafama bir çekidüzen vermeyi başardım.

Çok okudum, yalnız bütün hayatımı değiştiren kitabı değil başka kitapları da. Okurken ama, kırık hayatıma derin bir anlam vermeye, bir teselli aramaya, hatta hüznün güzel ve saygıdeğer yanını aramaya kalkışmadım hiç. Çehov'a, o yetenekli, veremli ve alçakgönüllü Rus'a sevgi ve hayranlıktan başka ne duyabilir insan. Ama boşa gitmiş kırık ve kederli hayatlarını Çehovcu denen bir duyarlılıkla estetikleştiren, hayatlarının sefaletinden böbürlene böbürlene bir güzellik, bir yücelik duygusu alan okurlar için üzülür, bu okurların teselli ihtiyacını karşılamayı bir kariyere dönüştüren işbilir yazarlardan da nefret ederim. Bu yüzden pek çok çağdaş romanı ve hikâyeyi bitiremeden yarıda bıraktım. Ah, atıyla konuşarak yalnızlıktan kurtulmaya çalışan kederli adam. Vah, sevgisini durup durup suladığı saksıdaki çiçeklere veren içi geçmiş beyzade. Vay, eski eşyalar arasında hiçbir zaman gelmeyecek, ne bileyim bir mektubu, eski bir sevgiliyi ya da anlayışsız kızını bekleyen hassas adam. Bize durmadan yaralarını ve acılarını teşhir eden bu kahramanları Çehov'dan kabalaştırarak araklayıp başka coğrafyalar ve iklimlerde bize sunan yazarlar da aslında ağız birliğiyle şunu demek isterler: Bakın, bize, acılarımıza ve yaralarımıza bakın; biz ne kadar hassas, ne kadar ince, ne kadar da özeliz! Acılar bizi sizlerden çok daha ince ve duyarlı kıldı. Siz de bizim gibi olmak, sefaletinizi bir zafere, hatta bir üstünlük duygusuna çevirmek istiyorsunuz değil mi? Öyleyse inanın bize, bizim acılarımızın hayatın sıradan hazlarından daha zevkli olduğuna inanın yeter.

Okur, işte bu yüzden, senden hiç de fazla hassas olmayan bana değil, anlattığım hikâyenin şiddetine, benim acılarıma değil de dünyanın acımasızlığına inan! Hem zaten, roman denen modern oyuncak, Batı medeniyetinin bu en büyük buluşu, bizim işimiz değil. Bu sayfaların içinde okurun benim sesimi kart kart duyması da, artık kitaplarla kirlenmiş, iri düşüncelerle bayağılaşmış bir düzlemden konuştuğum için değil, bu yabancı oyuncağın içinde nasıl gezineceğimi hâlâ bir türlü çıkaramadığım için.

Şunu demek istiyorum: Canan'ı unutmak, başıma gelenleri anlamak, ulaşamadığım yeni hayatın renklerini düşleyebilmek ve hoşça ve biraz daha akıllıca —her zaman da akıllıca sayılmaz ya— vakit geçirmek için, okuya okuya sonunda bir çeşit kitap kurdu oldum ben, ama aydınca özentilere de kapılmadım. Daha da önemlisi, bu özentilere kapılanları da küçümsemedim. Kitapları okumayı, tıpkı sinemalara gitmeyi, gazeteleri, dergileri karıştırmayı sevdiğim gibi seviyordum. Bunları bir yarar, bir sonuç beklediğim için, ne bileyim, kendimi başkalarından daha üstün, daha bilgili, daha derin sanmak için de yapmıyordum. Hatta diyebilirim ki, kitap kurtluğu bir alçakgönüllülük de öğretmişti bana. Kitapları okumayı seviyordum, ama daha sonra Rıfkı Amca'nın da yaptığını öğrendiğim gibi, kimseye okuduğum kitaplardan söz etmekten hoşlanmıyordum da. Kitaplar, bende bir konuşma dürtüsü uyandırıyorlarsa, daha çok kafamın içinde kendi aralarında yapıyorlardı bu işi. Bazan, o sıralarda üstüste okuduğum kitapların aralarında bir fısıltı tutturduklarını, kafamın içinin de böylece, her köşesinde bir müzik aletinin mırıldandığı bir orkestra çukuruna dönüştüğünü hisseder ve hayata kafamın içindeki bu müzik yüzünden katlandığımı farkederdim.

Bakın mesela, bir akşam evde karımla kızım uyuduktan sonra başlayan o çekici ve acı verici sessizlikte, Canan'ı, beni onunla karşılaştıran kitabı, yani hayatı, meleği, kazayı, zamanı, televizyonun kalaydoskop renklerine dalgınlık ve hayranlıkla bakarak düşünürken, bu müziğin aşk hakkında bana fısıldamış olduklarından bir güldeste yapabileceğim aklıma geldi. Genç yaşta, bütün hayatım aşk yüzünden –görüyorsun okur, kitap yüzünden demeyecek kadar aklım başımda– kaydığı için bu konuda gazetelerin, kitapların, dergilerin, radyonun, televizyonun, reklamların, köşe yazarlarının, magazin köşelerinin ve romanların dedikleri aklımda hiç çıkmayacak bir şekilde kalmış.

Aşk Nedir?

Aşk teslim olmaktır. Aşk, aşkın sebebidir. Aşk anlamaktır. Aşk bir müziktir. Aşk ve soylu yürek aynı şeydir. Aşk hüznün şiiridir. Aşk kırılgan ruhun aynaya bakmasıdır. Aşk geçicidir. Aşk hiçbir zaman pişmanım dememektir. Aşk bir kristalleşmedir. Aşk vermektir. Aşk bir çikleti paylaşmaktır. Aşk hiç belli olmaz. Aşk boş bir laftır. Aşk Allah'a kavuşmaktır. Aşk bir acıdır. Aşk melekle gözgöze gelmektir. Aşk gözyaşlarıdır. Aşk telefon çalacak diye beklemektir. Aşk bütün bir dünyadır. Aşk sinemada elele tutuşmaktır. Aşk bir sarhoşluktur. Aşk bir canavardır. Aşk körlüktür. Aşk yüreğin sesini dinlemektir. Aşk kutsal bir sessizliktir. Aşk şarkılarda konu edilir. Aşk cilde iyi gelir.

Kendimi büsbütün koyuverip inanmadan, ama ruhumu da yersiz yurtsuz bırakacak bir alaycılığa da büsbütün kapılmadan, yani tıpkı televizyondaki görüntülere bakar gibi kanarken kandırıldığımı bilerek, kanmazken kandırılmak isteyerek edindim bu incileri. Kendi sınırlı, ama yoğun deneyimimden kalkarak, bu konudaki düşüncelerimi ekliyorum:

Aşk birisine şiddetle sarılma, onunla aynı yerde olma özlemidir. Onu kucaklayarak, bütün dünyayı dışarda bırakma arzusudur. İnsanın ruhuna güvenli bir sığınak bulma özlemidir.

Gördünüz ya, yeni hiçbir şey söyleyemedim. Ama gene de bir şey söyledim ya! Aldırmıyorum artık onun yeni olup olmamasına. Bazı özentili budalaların sandığının tam tersine, bir-iki kelime bile sessizlikten iyidir. Bütün acımasızlığıyla ağır ağır yol alan bir tren gibi, hayat ruhumuzu ve gövdemizi ufalayarak geçerken sessiz durmak, ağzını açıp tek söz söylememek, neye yarar, Allahaşkına? Bir adam tanımıştım, benim yaşlarımdaydı, böyle bir sessizlik, üzerimize üzerimize gelip bizi delik deşik eden bütün o şiddetle, kötülükle savaşmaktan daha iyidir demeye getiriyordu. Demeye getiriyordu diyorum, çünkü bunu da demiyordu da, sabahtan akşama kadar bir masada oturup bir başkasının kelimelerini bir deftere uslu uslu ve sessizce yazıyordu. Bazan onun ölmediğini, hâlâ yazmakta olduğunu düşünür ve onun sessizliğinin içimde büyüyerek tüyler ürpertici bir dehşet şeklini almasından korkardım.

Yüzüne ve göğsüne kurşunları boşaltmıştım, ama onu gerçekten öldürebilmiş miydim acaba? Sıktığım da yalnızca üç kurşundu, üstelik bir sinemanın karanlığında ve projeksiyon makinesinden gözüme vuran ışıkta çevremi iyi seçemezken. Ölmediğine inandığım zaman, kitabı odasında kopya etmekte olduğunu hayal ederdim. Ne kadar da dayanılmaz gelirdi bu düşünce bana! Ben, iyiniyetli karım, şeker kızım, televizyonum, gazetelerim, kitaplarım, belediyedeki iş ve oda arkadaşlarım, dedikodularım, kahvelerim ve sigaralarımla kendime anlaşılabilir bir teselli dünyası yaratmaya kalkar, elle dokunulabilir şeylerle kendimi çevreleyerek korunurken, o bütün bütüne bir sessizliğe kendini kararlılıkla teslim edebiliyordu. Geceyarıları onun inandığı ve kendini alçakgönüllülükle verdiği sessizliği düşününce, kitabı yeniden yazışını gözlerimin önünde canlandırınca, kafamda en büyük mucize gerçekleşir, orada, onun masasının başında, o sabırla hep aynı şeyi yaparken sessizliğin onunla konuşmaya başladığını hissederdim. Benim erişemediğim, ama umutlarımın ve aşkımın gördüğü şeylerin sırları o sessizliğin ve karanlığın içindeydi ve Canan'ın sevdiği adam yazdıkça, benim gibi birinin hiç mi hiç ulaşamayacağı derin gecenin gerçek fısıltısı dile gelir, diye düşünürdüm.

15

Bir gece bu fısıltıyı işitme isteğine öyle bir kaptırdım ki kendimi, televizyonu kapattım, erkenden uyuyan karımı uyandırmadan kitabı yatağımın başucundan sessizce aldım ve her akşam televizyona bakarak yemek yediğimiz masaya oturarak yeni bir şevkle okumaya başladım. Şimdi, kızımın uyuduğu odada, yıllar önce kitabı ilk okuyuşumu böyle hatırladım. Aynı ışığın kitaptan fışkırıp yüzüme vurması için oyle yoğun bir istek duydum ki, yeni dünyanın hayali bir an içimde kıpırdandı. Bir hareket, bir sabırsızlık hissettim, beni kitabın kalbine götürecek fısıltının sırrını verecek bir kıpırtı...

Kitabı ilk okuduğum günün gecesinde yaptığım gibi mahallemin sokaklarında yürürken buldum kendimi. Sonbahar akşamında karanlık sokaklar ıslaktı, kaldırımlarda evlerine dönen tek tük birkaç kişi vardı. Erenköy İstasyonu meydanına geldiğimde tanıdık bakkalların vitrinlerini, köhne kamyonları, manavın kaldırımdaki portakal ve elma sandıklarını örtmek için serdiği eski muşambayı, kasabın vitrininden sızan mavi ışığı, eczanenin eski ve büyük sobasını, her şeyi yerli yerinde gördüm. Üniversite yıllarındayken mahalle arkadaşlarımı görmek için gittiğim kahvede televizyonun renklerine bakan bir-iki genç vardı. Sokaklarda yürüdükçe, hâlâ uykuya yatmamış ailelerin oturma odalarının yarı açık perdeleri arasından, aynı televizyon programının çınar ağaçlarına, ıslak elektrik direklerine, balkon korkuluklarının demirlerine vuran ve bazan mavi, bazan yeşil, sonra kırmızılaşan ışıklarını görebiliyordum.

Yarı çekik perdeler arasından sızan televizyon ışıklarını gözleyerek ilerlerken, Rıfkı Amca'ların evinin önünde durdum ve ikinci kat pencerelerine uzun uzun baktım. Bir an, sanki Canan'la gelişigüzel bindiğimiz otobüslerden birinden gelişigüzel inmişiz gibi, bir özgürlük ve rastlantı duygusu hissettim. Perdeler arasından içerdeki televizyonun aydınlattığı odayı görebiliyordum, ama koltuğunda oturuş biçimini hayal edebildiğim Rıfkı Amca'nın dul karısını değil. Televizyon ekranındaki görüntüye göre oda bazan cırlak pembemsi, bazan da ölüm sarısı bir ışıkla aydınlanıyordu. Kitabın ve hayatımın sırrının orada, o odada yattığı düşüncesine kapıldım.

Bir kararlılıkla apartman bahçesini kaldırımdan ayıran duvara çıktım. Ratibe Teyze'nin başını ve baktığı televizyonu gördüm. Rahmetli kocasının boş koltuğuna kırkbeş derece dönük oturmuş televizyonu seyrederken, tıpkı annemin yaptığı gibi, başını omuzlarının arasına çekmişti, ama annem gibi örgü öreceğine fosur fosur sigara içiyordu. Uzun uzun onu seyrederken, bu duvara çıkıp evin içini dikizleyen benden önceki iki kişiyi hatırladım.

Apartmanın giriş kapısındaki düğmelerden birine bastım: Rıfkı Hat. Az sonra açılan ikinci kat penceresinden kadın aşağıya seslendi:

"Kim o?"

"Benim Ratibe Teyze," dedim beni iyice görsün diye birkaç adım geriye, sokak lambasının aydınlığına doğru yürürken. "Ben, demiryolcu Akif Bey'in oğlu Osman."

"Aa Osman!" dedi içeri girdi. Düğmeye bastı, sokak kapısı açıldı.

Beni dairenin kapısında gülümseyerek karşıladı. Yanaklarımdan öptü. "Başını da ver bakalım," dedi. Ben eğilince, çocukluğumda yaptığı gibi, abartılı bir şekilde saçlarımı koklayarak başımdan da öptü.

Bu hareket bana, önce, Rıfkı Amca'yla bütün hayatları boyunca paylaştıkları kederi, çocuklarının olmadığını hatırlattı; sonra da annemin ölümünden beri, yedi yıldır kimsenin bana çocukmuşum gibi davranmadığını. Birden öyle rahat hissettim ki kendimi, içeri girerken o sormadan ben ona birşeyler söyleyeyim dedim.

"Ratibe Teyze, sokaktan geçiyordum, ışığını gördüm, gecenin bu saati, ama bir merhaba diyeyim dedim."

"Aman ne iyi ettin!" dedi. "Otur şöyle televizyonun karşısına. Benim de geceleri gözümü uyku tutmuyor da bunları seyrediyorum. Bak makinenin başındaki kadın tam bir yılan. Olanlar bizim çocuğa oluyor, şu polise. Bunlar bütün şehri havaya uçuracaklar... Çay vereyim mi?"

Ama hemen çay hazırlamaya gitmedi. Bir süre birlikte televizyonu seyrettik. "Şuna bak, şu utanmaza..." dedi bir ara ekrandaki kırmızılı bir Amerikan güzelini göstererek. Güzel elbiselerini biraz çıkardı, bir adamla önce uzun uzun öpüştü, Ratibe Teyze'nin ve benim sigara dumanlarımız arasında sevişti. Derken, ekranda görülen pek çok arabalar, köprüler, tabancalar, geceler, polisler ve güzeller gibi o da yok olup gitti. Canan'la birlikte bu filmi seyrettiğimizi hiç mi hiç hatırlamıyordum, ama Canan'la birlikte oturup seyrettiğimiz filmlerin hatıralarının bana acılar vererek içimde hızla kıpırdandıklarını hissediyordum.

Ratibe Teyze çay için içeri gittiğinde bu acılardan kurtulmak, beni kırık bir adam yapan hayatın, kitabın sırrını çözüp hiç olmazsa biraz olsun rahatlayabilmek için burada, bu evde birşeyler bulmak zorunda olduğumu anladım. Bir köşedeki kafesinde uyuklayan kanarya, çocukluğumda Rıfkı Amca beni bu odada eğlendirirken bir aşağı bir yukarı sabırsızlanan kuş muydu, yoksa onun ve ondan sonrakilerin ölümü üzerine alınıp kafeslenmiş bir yenisi mi? Özenle çerçevelenip duvara asılmış vagon ve lokomotif resimleri de eski yerlerindeydiler, ama onları çocukluğumda hep mutlu bir gün ışığı içinde ve Rıfkı Amca'nın şakalarını dinler, bulmacalarını cevaplamaya çalışırken gördüğüm için, artık çoğu hizmetten kalkmış bu yorgun araçların televizyonun ışığı altında unutulup tozlandıklarını görmek üzdü beni. Vitrinli büfenin bir yarısında likör takımları ve yarım bir şişe ahududu likörü vardı. Yanlarında Rıfkı Amca'nın, çocukluğumda, babamla ona gittiğimiz zamanlarda çıkarıp bana oynayayım diye verdiği bir kontrolör zımbası, demiryol hizmet madalyalarıyla, lokomotif şeklindeki bir çakmağın arasında duruyordu. Minyatür vagonların, kristal taklidi bir küllüğün ve yirmibeş yıllık tren tarifelerinin arkalarındaki aynada yansıdığı büfenin öbür gözünde, yirmibeş-otuz tane kitap gördüm ve yüreğim küt küt attı.

Rıfkı Amca'nın *Yeni Hayat*'ı yazdığı yıllarda okuduğu kitaplar olmalıydı bunlar. Onca yolculuktan, onca yıldan sonra Canan'ın elle dokunabilir bir izine rastlamışım gibi bir heyecan dalgası sardı her yerimi.

Çaylarımızı içerken, televizyona bakarken Ratibe Teyze, önce çocuğumun nasıl olduğunu sordu, sonra karımın nasıl biri olduğunu. Onu düğünüme çağırmamış olmanın suçluluk duygusuyla birşeyler mırıldanıyor, karımın aslında bizim sokakta oturan bir ailenin kızı olduğunu söylüyordum ki, sonradan karım olacak kişiyi hayatta ilk defa, kitabı ilk okuduğum saatlerde gördüğümü hatırladım. Hangisi daha esaslı ve daha şaşırtıcı rastlantıydı şimdi bunların? Bizim evin karşısındaki boş daireye yerleşen ve o akşam çıplak ve güçlü bir ampulün ışığında açık televizyonun karşısında hep birlikte yemek yiyen ailenin kızını, yıllar sonra evleneceğim o kederli kızı, kitabı ilk defa okuduğum gün ilk görmem mi, yoksa bu ilk rastlantıyı, evlendikten yıllar sonra hayatımın gizli geometrisini bulup çıkarmak için, Rıfkı Amca'nın koltuğunda otururken hatırlayıp farketmem mi? Kızın saçları kumraldı diye düşündüğümü hatırladım, televizyon ekranı da yeşil.

Böylece hafıza, rastlantı ve hayat üzerine tatlı bir akıl karışıklığıyla ben kendimden geçerken, Ratibe Teyze'yle mahalle dedikodularından, yeni açılan kasap dükkanından, benim berberden, eski sinemalardan, babasının ayakkabı dükkanını büyütüp bir imalathane açıp zengin olduktan sonra mahalleyi terkeden bir arkadaştan sözettik. Suskunluklarla kesilen bizim kırık dökük sohbetimiz, "hayat ne kadar da kırık dökük," derken, tabanca sesleri, ateşli sevişmeler, bağırıp çağırışlar, düşen uçaklar, patlayan benzin tankerleriyle kaynaşan televizyon, "ama gene de kırıp dökmek lazım!" diyordu, ama biz üzerimize alınmıyorduk.

İyice geç bir saatte televizyondaki inlemeler, sayıklamalar ve ölüm çığlıkları yerlerini Hint Okyanusu'ndaki Christmas adasındaki kırmızı kara yengeçlerinin hayatı üzerine eğitici bir filme bıraktığında, ben zehir hafiye, ekrandaki duyarlı yengeç gibi konuya yan yan yaklaşıp:

"Eskiden ne kadar da güzeldi her şey," demek cüretini gösterdim.

"Gençsen güzeldir hayat," dedi Ratibe Teyze. Ama kocasıyla geçirdikleri gençlik yılları üzerine –belki de çocuk hikâyelerini, demiryolculuk ruhunu, Rıfkı Amca'nın yazılarını, resimli romanlarını sorduğum için– mutlu bir şey söyleyemedi.

"Rıfkı Amcan o yazı çizi merakıyla ikimizin de gençliğini zehir etti."

Aslında, ilk yıllarda kocasının Demiryol dergisine yazmasını, dergiyle uğraşmasını iyi karşılamıştı. Çünkü bu bahaneyle Rıfkı Amca demiryol müfettişlerinin o uzun yolculuklarından biraz olsun kurtuluyor, Ratibe Teyze de, evde yalnız, gözü yollarda günlerce kocasını beklemek zorunda kalmıyordu. Derken, demiryolcuların çocukları da dergiyi okusunlar, bu memleketi kurtaracak demiryol davasına inansınlar diye derginin son sayfalarına resimli romanlar çizmeye karar vermişti. "Bazı çocuklar bunları çok sevmiş, değil mi?" dedi Ratibe Teyze ilk defa gülümseyerek ve ben de maceraları nasıl da bayılarak okuduğumu, hele *Pertev ile Peter* dizisini ezbere bildiğimi anlattım.

"Ama onu orada bırakacaktı, bu kadar ciddiye almayacaktı," diye sözümü kesti. Ona göre kocasının yanlışı, resimli romanların başarılı olması üzerine Babıali'den kurt bir yayıncının teklifine kanıp bunları ayrı bir dergi yapmaya karar vermesiydi. "Artık gecesi gündüzü kalmadı, teftiş seyahatinden, müdürlükten yorgun argın gelir, doğru masasına oturur, sabahlara kadar çalışırdı."

Bu dergiler bir dönem okunmuşlar, ama ilk parlayışlarından kısa bir süre sonra tarihi resimli romanlar, bütün o Kaan'lar, Karaoğlan'lar, Hakan'lar, yani Bizanslılarla savaşan Türk cengaverleri moda olunca kısa bir sürede gözden düşmüşlerdi. "O ara *Pertev ile Peter* biraz tuttu da para da kazandık, ama asıl parayı, tabii, haydut yayıncı kazandı," dedi Ratibe Teyze. Haydut yayıncı, Rıfkı Amca'ya, Amerika'da kovboyculuk ve demiryolculuk oynayan Türk çocuklarının hikâyelerini bir kenara bırakmasını, o günlerde çok tutulan Karaoğlan'lar, Kaan'lar, Adil Kılıç'lar gibi şeyler çizip getirmesini istemiş. "İçinde en azından bir kere bir tren gözükmeyen resimli roman çizmem ben," demiş Rıfkı Amca. Vefasız yayıncıyla ilişkisi böyle bitmiş. Bir süre, resimli romanlarını kendi kendine evde çizmiş, başka yayıncılar aramış, bir süre sonra da ilgisizlik üzerine küsmüş.

"O yayımlanmamış maceralar nerede şimdi?" dedim ben odada gözlerimi gezdirerek.

Cevap vermedi. Karnındaki döllenmiş yumurtaları denizin yükseldiği uygun bir an yumurtlayabilmek için bütün bir adayı baştan aşağı geçen çilekeş dişi kara yengecinin zor yolculuğunu seyretti bir süre.

"Hepsini attım onların," dedi. "Dolaplar dolusu resim, dergi, kovboy maceraları, Amerikalılar ve kovboylar üzerine kitaplar, kıyafetlerini kopya ettiği film kitapları, efendim bütün o *Pertev ile Peter*'ler, bilmem neler... Beni değil onları seviyordu."

"Rıfkı Amca çocukları çok severdi."

"Severdi, severdi," dedi. "İyi insandı, herkesi severdi. Böyle insan var mı şimdi?"

Belki de rahmetli kocasının arkasından bir iki acı söz söylemenin suçluluk duygularıyla biraz gözyaşı döktü. Sert dalgaların ve martıların kurbanı olmadan karaya ulaşabilen birkaç talihli yengeç yavrusuna bakarken, kaşla göz arasında nereden çıkardığına şaştığım bir mendille gözlerini kuruladı, burnunu sildi.

"Bir de," dedi dikkatli hafiye işte tam o anda. "Rıfkı Amca yetişkinler için *Yeni Hayat* diye bir kitap yazmış da başka bir adla galiba yayımlamış."

"Nerden duydun sen onu?" diye sözümü kesti. "Yok öyle bir şey."

Öyle bir baktı ki bana ve öyle bir hışımla sigara yakıp dumanını sertçe üfleyip öyle öfkeli bir sessizliğe büründü ki, zehir hafiyeye susmak düştü.

Bir süre hiç mi hiç konuşmadık. Ama gene de kalkıp gidemedim de bir şey olmasını dileyerek, hayatın görünmez simetrisinin artık belirmesini umarak bekledim.

Televizyondaki öğretici film bittiğinde, yengeç olmanın insan olmaktan da beter olduğunu düşünerek bir teselli arıyordum ki, Ratibe Teyze sert ve kararlı hareketlerle yerinden kalktı, beni kolumdan tutup büfeye doğru çekti. "Bak," dedi. Başı eğilmiş ayaklı bir lambayı yakınca duvardaki çerçeveli bir fotoğraf aydınlandı.

Haydarpaşa Garı'nın önündeki merdivenlerde, aynı ceketleri, aynı kravatları, aynı pantolonları giyen ve çoğu aynı bıyığı bırakmış otuzbeş-kırk adam kameraya bakarak gülümsemişlerdi. "Demiryol müfettişleri," dedi Ratibe Teyze. "Onlar bu memleketin demiryollarıyla kalkınacağına inanmışlardı." Parmağıyla birini işaret etti. "Rıfkı."

Onu çocukluğumda tanıdığım, yıllardır hayal ettiğim gibiydi. Ortadan uzunca boylu. İnce. Biraz yakışıklı, biraz kederli. Ötekilerle birlikte olmaktan, onlara benzemekten mutlu. Hafifçe gülümsüyor.

"Bak benim kimsem yok," dedi Ratibe Teyze. "Düğününe gelemedim, hiç olmazsa bunu al!" Büfenin gözünden çıkardığı gümüş şekerliği elime tutuşturdu. "Geçende istasyonda karınla kızını gördüm. Ne güzel kadın! Kıymetini biliyor musun?"

Elimdeki şekerliğe bakıyordum, suçluluk ve yetersizlik duygusuyla kıvranıyordum, demeyeyim, okur belki de inanmayacaktır. Hatırlıyordum, diyeyim neyi hatırladığımı bilemeden. Gümüş şekerliğin aynasında bütün oda ve ben ve Ratibe Teyze küçülüp yuvarlanıp yassılaşıp yansıdık. Ne kadar da sihirlidir, değil mi, bir an dünyayı, gözlerimiz denen anahtar deliklerinden değil de, başka bir mantığın merceğinden görmek. Akıllı çocuklar bunu anlar, akıllı büyükler buna gülümser. Aklımın bir yarısı başka bir yerdeydi okur, diğer yarısı başka bir şeye takılmıştı. Size de hiç olur mu: Bir şey hatırlayacaktınız da, hatırlamayı, neden çıkaramadan bir başka zamana bıraktınız.

"Ratibe Teyze," dedim teşekkür etmeyi bile unutarak. Büfenin öbür gözündeki kitapları işaret ettim. "Bu kitapları alabilir miyim?"

"Ne yapacaksın sen onları?"

"Okuyacağım," dedim. "Katil olduğum için beni de geceleri uyku tutmuyor" demedim. "Geceleri okuyorum," dedim.

"Televizyon gözlerimi yoruyor, bakamıyorum."

"E al peki," dedi şüpheyle. "Ama okuyup bitirince geri getir. Büfenin orası boş kalmasın. Rahmetli hep onları okurdu."

Böylece; melekler şehri Los Angeles'deki kötü adamları, kokainman zenginleri, bize orospuluğa meyyal gibi gözüken talihsiz yıldız adaylarını, gayretkeş polisleri ve birbirleriyle ne kadar da suçsuz günahsız bir çocuksu cennet mutluluğuyla hemen sevişiveren ve sonra birbirlerinin arkalarından, ne kadar da ayıp, kötü sözler söyleyen güzel ve yakışıklı insanları gösteren bir filmi Ratibe Teyze ile seyrettikten sonra, gecenin çok geç bir vakti, bir elimde kitaplarla dolu koskoca bir plastik torba, torbanın üstünde dünyayı, kitapları, sokak lambalarını, yaprakları dökülen kavak ağaçlarını, karanlık göğü, kederli geceyi, ıslak asfaltı ve torbayı taşıyan elimi, kolumu, inip kalkan bacaklarımı yansıtan gümüş şekerlikle eve döndüm.

Annem sağken arka odada duran ve üzerinde yıllarca okul ve üniversite ödevlerini yapıp *Yeni Hayat*'ı da ilk defa oku-duğum salondaki masamın üzerine kitapları özenle dizdim. Gümüş şekerliğin kapağı sıkışmıştı, açılmıyordu, onu da kitapların yanına koydum ve bir sigara yakıp zevkle hepsini seyrettim. Kitaplar otuzüç taneydiler. Aralarında *Tasavvuf'un İlkeleri, Çocuk Psikolojisi, Kısa Dünya Tarihi, Büyük Filozoflar ve Büyük Muzdaripler, Resimli ve Açıklamalı Rüya Tabirleri* gibi el kitapları, Milli Eğitim Bakanlığı'nca yayımlanan ve bazan bakanlıklara, genel müdürlüklere bedava dağıtılan klasikler dizisinden Dante'nin, İbni Arabi'nin, Rilke'nin çevirileri, *En Güzel Aşk Şiirleri, Vatan Hikâyeleri* gibi güldesteler, rengarenk kapaklı Jules Verne, Sherlock Holmes ve Mark Twain çevirileri, ve *Kon-Tiki, Dahiler de Çocuktu, Son İstasyon, Ev Kuşları, Bana Bir Sır Söyle, Bin Bir Bilmece* gibi şeyler vardı.

Kitapları hemen o gece okumaya başladım. Ve o geceden başlayarak, *Yeni Hayat*'taki bazı sahnelerin, bazı ifadelerin, bazı hayallerin ya bu kitaplardan ilhamla yazıldığını, ya da doğrudan onlardan alındığını gördüm. Rıfkı Amca, *Tommiks,* *Pekos Bill* ve *Yalnız Şerif* dergilerindeki malzemeyi ve resimleri çizdiği çocuk kitaplarına aldığı rahatlık ve alışkanlıkla *Yeni Hayat*'ı yazarken de bu kitaplardan yararlanmıştı.

Birkaç örnek vereyim:

"Melekler insan denen halifenin yaratılışındaki sırra eremediler."

İbni Arabi, *Fususü'l Hikem*

"Biz can yoldaşı, yol arkadaşlarıydık, biz birbirimize koşulsuz destektik."

Neşati Akkalem, *Dahiler de Çocuktu*

"Böylece odamın yalnızlığına döndüm ve o zarif kızı düşünmeye başladım. Onu düşünürken uyuyakaldım ve gözlerimin önünde bir hayal harikası belirdi."

Dante, *Yeni Hayat*

"Belki de şöyle şeyler demek için biz bu dünyadayız: Ev köprü, çeşme, kapı, testi, meyva ağacı, pencere,– Bir de belki: Sütun, kule... Ama demek için, unutma, ah, öyle bir demek için ki, bu şeylerin kendileri bile hiçbir zaman hayal bile edememişlerdi böylesine yoğun bir varolmayı."

Rilke, *Duino Ağıtları*

"Ama bu yörede hiç ev yoktu, yıkıntılardan başka bir şey görülmüyordu. Bu harabeler zamandan değil de birtakım felaketler yüzünden oluşmuş gibi görünüyordu."

Jules Verne, *İsimsiz Aile*

"Elime bir kitap geçti. Okursan ciltli bir kitap gibi görünüyordu, okumazsan da yeşil ipekten bir top kumaş şekline giriyordu... Derken kitabın rakkamlarına, harflerine bakarken buldum kendimi ve elyazısından Haleb Kadısı Şeyh Abdurrahman'ın oğlunun yazdığını anladım. Kendime geldiğimde ise şimdi okumakta olduğunuz faslı yazarken buldum kendimi. Ve birden anladım ki şeyhin oğlunun yazdığı ve rüyamda okuduğum fasılla, şimdi benim yazmakta olduğum kitaptaki fasıl birbirinin aynıdır."

İbni Arabi, *Fütuhâtü'l Mekkiyye*

"Aşk'ın etkisi öyleydi ki üzerimde, bütünüyle onun buyruğuna giren gövdem çoğunlukla ağır ve cansız bir nesne gibi hareket ederdi."

Dante, *Yeni Hayat*

"Geri dönmek isteyenin ötesine geçmemesi gereken bölgesine ayak bastım hayatın."

Dante, *Yeni Hayat*

16

Kitabımızın şerh kısmına geldiğimiz anlaşılmıştır sanıyorum. Masamın üzerinde duran otuzüç kitabı aylar boyunca yeniden yeniden okudum. Sararmış sayfalardaki kelimelerin, cümlelerin altını çizdim, defterlere kâğıt parçalarına notlar aldım, hademelerin okuyuculara "ne işin var burada!" diye baktıkları kütüphanelere gittim.

Hayat denilen o çalkantıya bir dönem kendini hevesle atmış ve umduğunu bulamamış nice kırık adam gibi, okuduklarımdan, birbirleriyle karşılaştırdığım bazı hayallerden, ifadelerden yazıların kendi aralarındaki gizli fısıldaşmaları keşfediyor, bunlardan sırlar çıkarıyor, bu sırları sıralıyor, aralarında yeni ilişkiler kuruyor ve iğneyle kuyu kazar gibi sabırla oluşturduğum bu ilişkiler ağının karmaşıklığıyla övünerek hayatta ıskaladığım şeylerin intikamını almaya çalışıyordum. Müslüman şehirlerindeki kütüphane raflarının başka kitaplara yazılmış elyazması yorumlar ve şerhlerle nasıl da tıkış tıkış dolu olduğunu görenler, şaşacaklarına sokaklardaki o kırık adam kalabalıklarına bir göz atsınlar yeter.

Bütün bu çabam boyunca, ne zaman Rıfkı Amca'nın bu

küçük kitapçığına başka bir kitaptan sızmış yeni bir cümleyle, bir imgeyle, bir fikirle karşılaşsam, hayallerindeki melek kızın hiç de öyle saf olmadığını öğrenen hayalperest delikanlı gibi, önce bir hayal kırıklığına uğrar, sonra gerçek bir aşk kurbanı gibi, ilk bakışta saf gözükmeyen şeyin aslında daha derinlerde yatan büyüleyici bir sırrın, benzersiz bir hikmetin işareti olduğuna inanmak isterdim.

Her şeyi meleğin yardımıyla çözebileceğime öteki kitaplarla birlikte *Duino Ağıtları*'nı yeniden yeniden okurken karar verdim. Belki de, ağıtlardaki meleğin Rıfkı Amca'nın kitapta sözünü ettiği meleği hatırlatmasından çok, Canan'la geçirdiğimiz geceleri özlediğim, onun melekten sözedişini hatırladığım için. Gece yarılarından çok sonra, tak-takları bitmek bilmeyen o uzun yük trenleri Doğu'ya doğru geçip gittikten sonra mahallenin büründüğü sessizlikte, bir ışığın, bir kıpırtının, anısını hatırlamaktan hoşlandığım bir hayatın çağrısını duymak ister ve kâğıtlar, defterlerle karmakarışık masada oturan beni, sigara içişimi, açık duran televizyonu yansıtan şekerliğe sırtımı dönüp pencereye gider, perdelerin arasından karanlık gecenin içine bakardım: Sokak lambalarından, ya da karşı apartman dairelerinden vuran soluk bir ışık bir an pencerenin camındaki su taneciklerinde yansırdı.

Kimdi bu melek, sessizliğin kalbinden bana seslensin istediğim kimdi? Rıfkı Amca gibi Türkçe'den başka bir dil bilmiyordum, ama ücra bir dilde geçici heyecanların rastlantılarıyla aralanan kötü ve gelişigüzel çevirilerle sarılı olmama aldırmadım. Üniversitelere gittim, beni amatör bulup tersleyen aksi profesörlere, çevirmenlere sorular sordum, Almanya'da adresler bulup mektuplar yazdım ve nazik ve ince kişilerden cevaplar alınca bir sırrın merkezine doğru yol aldığıma kendimi inandırmak istedim.

Polonyalı çevirmenine yazdığı ünlü bir mektupta Rilke, *Duino Ağıtları*'ndaki meleğin Hıristiyan meleğinden çok, İslamiyet'in meleklerine yakın olduğunu söylemiş, bunu da Rıfkı Amca çevirmenin yazdığı kısa önsözden öğrenmişti. Ağıtları kaleme almaya başladığı yıl Lou Andreas-Salomé'ye İspanya'dan gönderdiği bir mektuptan, Rilke'nin Kuran'ı "şaşarak şaşarak" okuduğunu öğrenmem bir dönem beni Kuran'daki meleklere sürükledi, ama anneannemden, mahalledeki teyzelerden ve çokbilmiş arkadaşlardan duyduğum hikâyelerden hiçbirine rastlayamadım orada. Gazetelerdeki karikatürlerden, hayat bilgisi dersindeki trafik posterlerine sık sık resimlerini gördüğümüz Azrail'in Kuran'da adı bile yoktu da, ona yalnızca ölüm meleği deniyordu. Mikail ve kıyamet günü sûr çalacak olan İsrafil hakkında zaten bildiklerimden fazlasıyla karşılaşmadım. Kuran'ın otuzbeşinci suresinin başındaki "ikişer, üçer, dörder kanatlı" melekler hakkındaki bir ifadenin İslam'a özgü olup olamayacağını sorduğum Alman bir mektup arkadaşım, sanat kitaplarından fotokopi ettirdiği Hıristiyan meleklerinin resimlerinden bir dosya dolusunu bana yollayarak konuyu kapattı: Kuran'da ayrı bir melekler sınıfından söz edilmesi, cehennem bekçileri zebanilerin de melek sayılması, meleklerin Allah ile yarattıkları arasında İncil'e göre daha kuvvetli bir bağ olması gibi ufak tefek ayrımların dışında, Hıristiyanlığın melekleriyle İslam'ın melekleri arasında Rilke'nin sözünü haklı çıkaracak önemli bir fark yoktu.

Gene de "içinde her şeyin yazıldığı" kitabın inişini ve akıp giden, kaybolan ve aydınlanan yıldızlar arasında, karanlık geceyle, ağaran gün arasında Cebrail'in ufukta Muhammet'e görünüşünü anlatan *El Tekvir* suresinin bazı ayetlerini, Rilke'nin olmasa bile, Rıfkı Amca'nın kitaba son şeklini verirken hatırlamış olabileceğini düşündüm. Ama aylardır okuya okuya, okuduğum her şeyi her şeye benzeterek Rıfkı Amca'nın küçük kitabını, yalnız otuzüç kitaptan değil, bütün kitaplardan çıkmış bir kitap olarak gördüğüm günlerdeydi bu. Masamın üzerinde biriken kötü çeviriler, fotokopiler, notlar bana yalnız Rilke'nin meleğinden değil, meleklerin neden güzel olduğundan, kazayı ve rastlantısal olanı dışarda bırakan mutlak güzellikten, İbni Arabi'den, meleğin insanı aşan üstün nitelikleri ve sınırlılığı ve günahlarından, hem burada, hem de orada olabilmekten, zamandan, ölümden, ölümden sonraki hayattan sözettikçe, ben bunları yalnız Rıfkı Amca'nın küçük kitabında değil, Pertev ile Peter'in maceralarında da okumuş olduğumu hatırlıyordum.

Bahara doğru bir akşam yemeğinden sonra: "Büyükbabalarımız için hile," dedi Rilke'nin kimbilir kaçıncı kere okuduğum bir mektubu bana, "bir ev, bir kuyu, tanıdık bir kule, kendi elbiseleri, ceketleri: Bunlar sayılamayacak kadar daha, sayılamayacak kadar daha kişiseldi."

Bir an çevreme baktığımı ve başımın tatlı tatlı döndüğünü hatırlıyorum. Yalnızca eski masamın üzerinden, kitapların arasından değil, her şeyi dağıtan kızımın onları alıp götürdüğü yerlerden, pencerenin kenarından, tozlu kaloriferin, tek ayağı kısa sehpanın, halının üzerinden yüzlerce siyah beyaz melek gölgesi bana bakıyor ve gümüş şekerlikte yansıyordu: Yüzyıllarca önce Avrupa'da bir yerde yapılmış gerçek yağlıboya resimlerdeki meleklerin röprodüksiyonlarının siyah beyaz ve solgun fotokopileri. Onları asıllarından daha çok sevdiğimi düşündüm.

"Melekleri topla," dedim sonra üç yaşındaki kızıma. "İstasyona gidip trene bakalım."

"Karamela da alacak mıyız?"

Onu kucağıma aldım, deterjan ve ızgara kokan mutfağa annesine gittik, trenlere bakacağımızı söyledik. Yıkadığı bulaşıktan başını kaldırıp bize gülümsedi.

Kucağımda sıkı sıkıya sarıldığım kızım, baharın yumuşacık serinliğinde istasyona yürümek hoşuma gitti. Eve dönünce televizyonda günün futbol maçlarına bakar, sonra karımla

Pazar Akşamı Sineması'nı seyrederiz diye düşününce sevindim. İstasyon meydanındaki Hayat Pastanesi vitrin camlarını indirip dondurma tezgahını ve külahları yerleştirerek kışı bitirmişti. Yüz gram Mabel karamelası tarttırdık. Bir tanesinin kâğıdını çıkarıp kızımın sabırsızlıkla açılan ağzına koydum. Perona çıktık.

Saat tam dokuzu onaltı geçe Güney Ekspresi, önce derinlerden bir yerden, sanki toprağın ruhundan gelen ağır bir motor uğultusuyla, derken köprünün duvarlarında ve çelikten ayaklarında yansıyan ışığıyla bize kendini duyurdu, istasyona yaklaşırken sanki bir sessizleşti, derken birbirine sarılan biz iki küçük ölümlünün önünden motorlarının sarsıcı ve durdurulmaz gücüyle tozu dumana katarak geçti. Arkasında bıraktığı daha insani uğultunun içinde tak-taklarla geçen ışıl ışıl vagonlarda kaykılmış oturan yolcular gördük, pencereye yaslanmış, ceketini asan, konuşan, sigara yakan, bizi görmeyen yolcular göz açıp kapayıncaya kadar kayıp kayıp geçtiler. Trenin geride bıraktığı hafif bir esinti ve sessizlik içinde son vagonun arkasındaki kırmızı ışığa uzun uzun baktık.

"Nereye gidiyor biliyor musun sen bu tren?" dedim bir içgüdüyle kızıma.

"Nereye bu tren?"

"Önce İzmit'e, sonra Bilecik'e."

"Sonra?"

"Sonra Eskişehir'e. Sonra Ankara'ya."

"Sonra?"

"Sonra Kayseri'ye, Sivas'a, Malatya'ya."

"Sonra?" dedi aynı mutlu tekrarla kumral kızım son vagonun hâlâ belli belirsiz gözüken kırmızı ışıklarına bir oyun ve esrar duygusuyla bakarken.

Ve babası trenin sonra sonra gittiği istasyonları bir bir hatırlarken, bir bir hatırlayamazken, hatırladıklarının içinde kendi çocukluğunu gördü.

Onbir-oniki yaşında olmalıydım. Bir akşamüstü babamla Rıfkı Amca'lara gitmiştik. Rıfkı Amca'yla babam tavla oynarlarken ben Ratibe Teyze'nin bana verdiği un kurabiyesi elimde, kafesteki kanaryayı seyretmiş, nasıl okunup yorumlanacağını hâlâ öğrenemediğim barometrenin camına tık-tık vurmuş, raflardaki eski dergilerden birini çıkarıp *Pertev ile Peter*'in geçmiş serüvenlerinden birine dalmıştım ki, Rıfkı Amca beni yanına çağırdı ve her gelişimizde sorduğu soruları sormaya başladı.

"Yolçatı'yla Kurtalan arasındaki istasyonları say!"

"Yolçatı, Uluova, Kürk, Sivrice, Gezin, Maden" diye başlayarak hepsini eksiksiz saymıştım.

"Amasya ile Sivas arasındakiler?"

Teklemeden saymıştım, çünkü Rıfkı Amca'nın her akıllı Türk çocuğu ezbere bilmelidir dediği tarifeyi ezberlemiştim.

"Kütahya'dan kalkan tren, Uşak'a gitmek için neden Afyon'dan geçer?"

Bu, cevabını tarifeden değil, Rıfkı Amca'dan öğrendiğim soruydu:

"Devlet, demiryolu siyasetini ne yazık ki terkettiğinden."

"Son soru," demişti Rıfkı Amca, gözleri ışıl ışıl parlarken. "Çetinkaya'dan Malatya'ya gidiyoruz."

"Çetinkaya, Demiriz, Akgedik, Ulugüney, Hasan Çelebi, Hekimhan, Kesikköprü..." diye saymaya başlayıp bitiremeden susmuştum.

"Sonra?"

Susmuştum. Babam bir elindeki zarlara, bir tavla tahtasındaki pullara bakıyor, sıkıştığı oyundan bir çıkış arıyordu.

"Kesikköprü'den sonra?"

Kafesteki kanarya tıkır tıkır yaptı.

"Hekimhan, Kesikköprü," diye bir umutla başladım, ama sonraki istasyon gene gelmedi aklıma.

"Sonra?"

Sonra uzun bir sessizlik oldu. Ağlayacağımı sanıyordum ki, Rıfkı Amca dedi ki:

"Ratibe, bir karamela ver bakalım ona. Belki hatırlar."

Ratibe Teyze bana karamelaları getirip verdi. Rıfkı Amca'nın dediği gibi, bir tanesini ağzıma atar atmaz Kesikköprü'den sonraki istasyonu hatırladım.

Yirmiüç yıl sonra kucağında güzel kızı, Güney Ekspresi'nin son vagonunun arkasındaki kırmızı ışıklara bakarken de aynı istasyonun adını gene hatırlayamadı bizim sersem Osman. Ama uzun bir süre hatırlamak için kendimi zorladım ve uyuklamakta olan çağrışımları okşayıp, kızıştırıp harekete geçirmek için dedim ki kendi kendime: Ne rastlantı: 1. Şimdi önümüzden geçen tren adını hatırlayamadığım o istasyondan yarın geçecek. 2. Ratibe Teyze karamelaları yıllar sonra bana hediye ettiği aynı gümüş şekerlikle vermişti. 3. Kızımın ağzında bir tane, benim elimde yüz gram karamela var.

Bir bahar akşamı kazalardan uzak, çok uzak bir kesişme noktasında geçmişimin ve geleceğimin bu buluşmasından ve hafızamın tıkanıp uyuşmasından öyle haz aldım ki sevgili okur, istasyonun adını hatırlamak için olduğum yerde dikilip kaldım.

"Köpek," dedi çok sonra kızım kucağımdan.

Kirli mi kirli, sefil mi sefil bir sokak köpeği, paçamı kokluyor ve istasyonun, mahallenin üzerindeki alçakgönüllü akşam hafifçe bir rüzgârla serinleşiyordu. Hemen eve döndük, ama hemen gümüş şekerliğe koşmadım. Kızım gıdıklanıp, koklanıp yatırıldıktan, karımla birlikte Pazar Akşamı Sineması'ndaki öpüşleri ve cinayetleri seyrettikten, derken karım da yattıktan ve ben masamın üzerindeki kitaplara, meleklere ve kâğıtlara şöyle bir çekidüzen verdikten sonra, hatıraların iyice koyulaşıp kıvama girmesini, yüreğim küt küt atarak bekledim.

Sonra, gel çağrışım gel, dedi aşk ve kitap kurbanı kırık kalpli adam ve gümüş şekerliği elime aldım. Hareketimde iddialı bir Belediye Tiyatrosu sanatçısının, Yorick'in kafatasını taklit eden zavallı bir yörük kafatasını gösterişle tutuşunu hatırlatan bir yan vardı, ama yapmacıklı harekete değil, sonucuna bakın siz. Ne kadar da uysallaşabilirmiş hafıza denen muamma: Hemen hatırladım.

Rastlantı ve kazaya inanan okurların ve Rıfkı Amca'nın işi rastlantı ve kazaya bırakmayacağına inanan okurların hep birlikte tahmin edecekleri gibi Viranbağ idi istasyonun adı.

Daha da hatırladım. Çünkü yirmiüç yıl önce ağzımda karamela, gümüş şekerliğe bakarak "Viranbağ" deyince ben, "Aferin," demişti Rıfkı Amca.

Arkasından bir şeş beş atıp, babamın iki pulunu birden kırıp demişti ki:

"Akif, çok akıllı bu senin oğlan! Biliyor musun, bir gün ne yapacağım?" Kırılan pullara, önündeki kapılara bakan babam onu dinlemiyordu ama.

"Bir gün bir kitap yazacağım," demişti Rıfkı Amca bana, "kahramanına da senin adını vereceğim."

"*Pertev ile Peter* gibi bir kitap mı?" diye sormuştum kalbim küt küt atarak.

"Hayır, resimsiz bir kitap. Ama senin hikâyeni anlatacağım." Ben susmuştum, inanamayarak. O kitabın nasıl bir şey olacağını düşünemiyordum.

"Rıfkı, kandırma gene çocukları" diye seslenmişti Ratibe Teyze o ara.

Bu sahne gerçek miydi, yoksa ben kırık adamı teselli için iyi yürekli, iyi niyetli hafızamın o anda uydurduğu bir kurgu mu, çıkaramadım. Hemen koşup, Ratibe Teyze'ye gidip sormak geliyordu içimden. Elimde gümüş şekerlik pencereye yürüdüm ve tenhalaşan sokağa bakarak düşündüm de düşündüm, ama düşünmek mi denir bunlara yarı sayıklamak mı bilemiyorum: 1. Aynı anda üç ayrı evin lambaları birden yandı. 2. İstasyondaki sefil köpek kurumlanarak kapının önünden geçti.

3. Ve bütün bu akıl karışıklığıyla hareketlenen ellerim parmaklarım ne yaptıysa yaptılar, gümüş şekerliğin kapağını çok da fazla zorlamadan aa bak, kendiliğinden açtılar.

Bir an, bir masalda olacağı gibi, şekerlikten tılsımlar, sihirli yüzükler ve zehirli üzümler çıkacak sanmadım değil. İçinden artık ücra bakkallarda, taşra kasabalarındaki şekerci dükkanlarında bile gözükmeyen çocukluğumun Yeni Hayat marka karamelalarından yedi tane çıktı. Herbirinin üzerinde alâmet-i farikası bir melek, toplam yedi melek, H harflerinin kenarına kibarca oturmuşlar, Yeni ile Hayat arasındaki boşluğa güzel bacaklarını zarifçe uzatmışlar, yirmi yıldır katlandıkları şekerliğin karanlığından kendilerini kurtaran bana şükranla bakıyor, tatlı tatlı gülümsüyorlardı.

Bayatlaya bayatlaya mermer gibi sertleşmiş karamelaların kâğıtlarını üzerlerindeki meleklere zarar vermemeye çalışarak zorluk ve dikkatle soydum. Her karamela kâğıdının içinde bir mani vardı, ama dünyanın ve kitabın anlamı konusunda bana pek yardımcı oldukları söylenemez. Bir örnek:

> Evlerinin arkası
> Çimento Fabrikası,
> Yarim senden isterim
> Bir dikiş makinası.

Üstelik bir de gecenin sessizliği içersinde bu abuk sabuk şeyleri kendi kendime tekrarlamaya başlamıştım. Aklımı kaçırmayayım diye son bir umutla kızımın uyuduğu odaya gittim, yarı karanlıkta eski dolabın dibindeki çekmeceyi sessizce açıp el yordamıyla bir yanı cetvel, öteki yanı kitap açacağı, küt ucu da büyüteç o plastik şeyi, çocukluğumun bu çok amaçlı aracını bulup çıkardım ve çalışma lambasının ışığında, kalp paraları inceleyen bir mali polis müfettişi gibi, karamela kâğıtlarındaki melekleri sıkı bir muayeneden geçirdim: Ne arzu meleğini hatırlattılar bana, ne dört kanatlı meleklerin hareketsizleşip kaldığı Fars minyatürlerini, ne yıllar önce otobüs pencerelerinden görüvereceğim sandığım melekleri, ne de siyah beyaz fotokopi yaratıklarını. Hafızam, bir iş yapmış olmak için, bu karamelaları ben küçükken trenlerde çocukların sattığını bana boşuboşuna hatırlattı. Melek figürünün yabancı bir dergiden kesilip araklandığına hükmediyordum ki, köşeden bana el edip duran üretici geldi aklıma:

"Muhtevası: Glükoz, şeker, nebati
yağ, tereyağ, süt ve vanilyadır.
Yeni Hayat karamelaları bir Melek
Şeker Çiklet T.A.Ş. mamuludur.
Çiçeklidere Sok. No: 18 Eskişehir."

Ertesi akşam otobüste, Eskişehir yolundaydım. Belediye'deki amirlerime uzak ve kimsesiz bir akrabanın hastalandığını söylemiştim, karıma da, belediyedeki kafadan hasta amirlerimin beni uzak ve kimsesiz kentlere yolladıklarını anlatmıştım. Anlıyorsunuz değil mi: Hayat bir zırdelinin anlattığı saçma sapan bir hikâye değilse, hayat üç yaşındaki küçük kızımın yaptığı gibi eline kalem geçirmiş bir çocuğun kâğıdın üzerine yaptığı gelişigüzel bir karalama değilse, hiçbir mantığı olmayan acımasız bir saçmalıklar zinciri değilse hayat, o zaman Rıfkı Amca *Yeni Hayat*'ı yazarken rastlantısal görünümlü bütün o şakaların arkasına bir mantık yerleştirmiş olmalıydı. O zaman meleği yıllardır oradan buradan, benim karşıma çıkarıveren büyük tasarımcının bir niyeti olmalıydı ve o zaman benim gibi sıradan ve kırık bir kahraman çocukluğunda sevdiği bir karamelanın kâğıdına neden bir melek resmi konduğunu bu işe karar veren karamelacı amcanın kendi ağzından öğrenirse, hayatının geri kalan sonbaharında akşamüstleri efkar bastırdığında rastlantıların acımasızlığından söz edeceğine, hayatın anlamından dem vurup bir teselli bulabilirdi.

Rastlantı dedim de: Beni Eskişehir'e götüren en son model

Mercedes otobüsün şoförünün, ondört yıl önce Canan'la bizi narin minareli minyatür bir bozkır kasabasından alıp, yağmur selleriyle batağa dönmüş çamurlu bir şehre bırakan şoför olduğunu gözlerimden önce iki küt eden kalbim fark etti. Gözlerimse gövdemle birlikte son yıllarda otobüslere yerleştirilen en modern rahatlıklara, o homurtulu havalandırma tertibatlarına, koltukların özel ışıklarına, otel valeleri gibi giyinmiş muavinlere, turizm şirketinin kanatlı simgesini taşıyan tepsiler ve kâğıt peçetelerle sunulan plastik tadındaki yiyeceklerin rengarenk torbalarına alışmaya çalışıyordu. Artık koltuklar parmağın bir dokunuşuyla arkadaki talihsizin kucağına şöyle boylu boyunca uzanan birer yatağa dönüşmüşlerdi. Hiçbir sinekli lokantada durmadan bir garajdan bir diğerine "ekspres" giden seferler konulduğu için, bazı otobüslere elektrikli idam sandalyelerini çağrıştıran ve şöyle sarsıcı bir kaza sırasında insanın içinde hiç de bulunmak istemeyeceği küçük kenef hücreleri inşa edilmişti. Televizyon ekranlarında, bizi bozkırın asfalttan kalbine sürükleyen turizm şirketinin araçlarının reklamı ikide bir beliriyor, böylece insan otobüste uyuklayarak seyahat edip televizyona bakarken, otobüste uyuklayarak seyahat edip televizyona bakmanın ne de hoş bir şey olduğunu televizyonda defalarca seyredebiliyordu. Pencerelerden bir zamanlar Canan'la seyrettiğimiz kimsesiz vahşi bozkır ise sigara ve lastik reklamlarıyla delik deşik edilip insancıllaştırılmış ve güneşi kessin diye renklendirilmiş otobüs camlarının keyfine uygun olarak bazan çamurlu bir kahve, bazan Kâbe yeşili, bazan da mezarlıkları hatırlatan bir petrol rengine bürünmüştü. Gene de ama, kayıp gitmiş hayatımın sırlarına ve medeniyetin geri kalanınca hatırlanmamış ücra kasabalara yaklaştıkça hâlâ yaşadığımı, hâlâ hırslı hırslı soluduğumu, hâlâ —eski kelimeyle söyleyeyim— bazı arzuların peşinde olduğumu hissederdim.

Yolculuğumun Eskişehir'de sonuçlanmadığı tahmin edilmiştir sanıyorum. Bir zamanlar Melek Şeker Çiklet Anonim Şirketi'nin yazıhane ve imalathanesinin yeraldığı Çiçeklidere Sok. No: 18'de, İmam Hatipli öğrencilerin yurt olarak kullandığı altı katlı bir apartman vardı. Eskişehir Sanayi ve Ticaret Odası arşivinde bana Santi gazozlu ıhlamur ikram eden yaşlı bir memur, saatlerce defter dosya karıştırdıktan sonra Melek Şeker Çiklet'in Kütahya Ticaret Odası'na bağlı olarak ticari faaliyetini devam etmek üzere yirmi iki yıl önce Eskişehir'den ayrıldığını söyledi.

Kütahya'da ise şirketin burada yedi yıl üretim yaptıktan sonra faaliyetini durdurduğu ortaya çıktı. Çinilerle süslü Hükümet Konağı'ndaki nüfus dairesine ve Menzilhane mahallesine gitmeyi akıl etmeseydim Melek Şeker Çiklet'in kurucusu Süreyya Bey'in onbeş yıl önce tek kızının kocasının şehri Malatya'ya göç ettiğini de öğrenemeyecektim. Malatya'da ise, bundan ondört yıl önce, Melek Şeker Çiklet'in son birkaç başarı yılı yaşadığını öğrendim ve Canan'la otobüs garlarında bu son karamelalarla karşılaştığımızı hatırladım.

Tıpkı çökmekte olan bir imparatorluğun bastırdığı son bir sikke gibi, Yeni Hayat karamelaları Malatya ve çevresinde son bir kere daha yaygınlık kazanınca, Ticaret Odası'nın "Haber Bülteni"nde bir zamanlar bütün Türkiye'de tüketilen karamelaların ve şirketin tarihi hakkında bir yazı yayımlanmış, Yeni Hayat karamelalarının bir zamanlar bakkallarda, tütüncülerde bozuk para yerine geçtiği hatırlanmış, Malatya Ekspres dergisinde meleklerin sökün ettiği birkaç ilan çıkmış, derken bu yörede karamela, tıpkı eskiden olduğu gibi herkesin cebinde bozuk para gibi taşıdığı ve kullandığı bir şey olmak üzereyken, uluslararası büyük şirketlerin meyve esanslı, bol reklamlı ürünleri ve televizyonda güzel dudaklı bir Amerikan yıldızının bunları çok hoş bir şekilde yemesiyle birlikte her şey sona ermişti. Kazanların, ambalaj makinelerinin ve şirketinin adının satıldığını yerel gazetelerden öğrendim. Damadın akrabalarından Yeni Hayat karamelalarının üreticisi Süreyya Bey'in Malatya'dan sonra nereye gittiğini çıkarmaya çalıştım. Araştırmalarım beni daha Doğu'ya, ücra şehirlere, ortaokul atlaslarında adları gözükmeyen kayıp kasabalara götürdü. Bir zamanlar vebadan ücra kasabalara kaçanlar gibi, Süreyya Bey ve ailesi de, reklamların ve televizyonların desteğiyle Batı'dan gelip bütün ülkeyi bulaşıcı ve ölümcül bir hastalık gibi saran yabancı adlı rengarenk tüketim maddelerinden kaçmak ister gibi, uzaklara, gölge şehirlere doğru kaçıp kaybolmuşlardı.

Otobüslere bindim, otobüslerden indim, garajlara girdim, çarşılardan geçtim, nüfus dairelerinde, muhtarlıklarda, arka sokaklarda, çeşmeli, ağaçlı, kedili, kahveli mahalle meydanlarında gezindim. Bir süre adımımı attığım her şehirde, kaldırımında yürüdüğüm her sokakta, durup da çay içtiğim her kahvede bu yerleri Haçlılar'a, Bizans'a, Osmanlı'ya bağlayan sürekli bir kumpasın izlerini bulduğumu sandım: Beni turist sanıp yeni basılmış sahte Bizans paraları satmaya kalkan uyanık çocuklara gülümser, sidik renkli Yeni Urart Kolonyası'nı ensemden aşağı boca eden berbere aldırmaz ve her yerde mantar gibi türeyen fuarların birinin muhteşem kapısının bir Hitit kalıntısından sökülüp takıldığını görünce şaşırmazdım. Fenni Gözlükçü Zeki'nin, bir adam boyundaki gözlüklerden yapılmış tabelasının tozlu camlarında, Haçlı süvarilerin arkalarında bıraktığı tozdan birşeyler olduğuna karar verivermem için hayal gücümün öğle sıcağında üzerinde yürüdüğüm asfalt gibi yumuşayıvermesi de gerekmezdi.

Bazan da ama, bu toprakları hiç değişmez kılan bütün o tarihi ve muhafazakâr kumpasların iflas ettiğini sezer, ondört yıl önce Canan'la bana Selçuklu kaleleri gibi sarsılmaz ve değişmez gözüken pazar yerlerinin, mahalle bakkallarının, çamaşır asılmış sokakların Batı'dan gelen bir rüzgârın gücüyle savrulup gittiklerini anlardım. Şehir merkezlerindeki lokantaların en gösterişli yerlerini sessizliğin huzuruyla sarıp sarmalayan bütün o akvaryumlar, içlerindeki balıklarla birlikte birdenbire sanki, gizli bir emir uyarınca yok olmuşlardı. Ondört yılda, yalnızca ana caddeleri değil, tozlu arka sokakları bile sayısız pleksiglas panonun bağıran harflerinin pıtrak gibi saracağına kim karar vermişti? Kim, şehir meydanlarındaki ağaçları kestirmiş, Atatürk heykellerini hapishane duvarı gibi saran beton apartmanların balkonlarındaki demir korkulukların hep aynı biçimde olmasını emretmiş, çocuklara gelip geçen otobüsleri taş yağmuruna tutmalarını söylemişti? Otel odalarını antiseptik bir zehir kokusuyla kokutmayı akıl eden, Anglosakson mankenlerin uzun bacaklarının arasına kamyon lastiği aldıkları takvimleri bütün ülkeye dağıtan, asansör, döviz büfesi, bekleme odası gibi yeni mekânlarda kendilerini güvenlikte hissedebilmek için vatandaşların birbirlerine düşmanca bakması gerektiğine karar veren kimdi?

Erken yaşlanmıştım; çabuk yorulur, az yürür, gövdemin inanılmaz kalabalıklar arasında ağır ağır sürüklenişini ve silinişini sanki farketmez ve dar kaldırımlarda bana omuz atanların ve benim omuz attıklarımın yüzlerini, başımın üstünde akıp geçen reklam panolarındaki sayısız avukatın, diş doktorunun, mali danışmanın adı gibi görür görmez unuturdum. Bir zamanlar iyi yürekli bir teyzenin bize açtığı bir arka bahçede gezinir gibi Canan'la bir oyun ve büyülenme duygusuyla gezindiğimiz bütün o çocuksu küçük kentler ve minyatürlerden çıkma arka sokaklar, şimdi nasıl olmuştu da hepsi birbirini taklit eden tehlike işaretleri ve ünlemlerle kaynaşan korkutucu sahne dekorlarına dönüşmüştüler anlayamıyordum.

En olmadık yerlerde, cami avlularına ya da yaşlılar evine bakan köşelerde açılmış karanlık barlar ve birahaneler gördüm. Elbiselerle dolu bavulu elinde, şehir şehir gezip otobüslerde, kasaba sinemalarında, pazar yerlerinde tek başına bir defile düzenleyip, sonra sergilediği elbiseleri çarşaflı, türbanlı kadınlara satan ceylan gözlü Rus mankenini gördüm. Otobüslere binip küçük parmağım büyüklüğünde Kuran-ı Kerim'ler satan Afgan göçmenlerinin yerini, plastik satranç takımları, mikadan dürbünler, savaş madalyaları ve Hazer havyarı satan Gürcü ve Rus ailelerinin aldığını gördüm. Canan'la yağmurlu bir gece yaşadığımız trafik kazasından sonra ölü sevgilisinin elini tutarak ölen blucinli kızı hâlâ arayan babayı gördüm. İlan edilmemiş savaş yüzünden boşaltılmış hayaletimsi Kürt köylerini ve uzaklardaki kayalık dağların karanlıklarını döven topçu birliklerini gördüm. Okuldan kaçan çocukların, genç işsizlerin ve yerel dahilerin toplanıp yeteneklerini, talihlerini ve öfkelerini sınadıkları videolu oyun salonlarındaki oyunlardan birinde, yirmibin puana ulaşıldığında bir Japon'un tasarlayıp, bir İtalyan'ın çizdiği pembe video meleğinin, küflü ve tozlu salonun karanlığında düğmeleri parmaklayıp, çubukları kurcalayan biz talihsizlere, bir talih vaadeder gibi tatlı tatlı gülümsediğini gördüm. OPA tıraş sabununun uçucu ve sarmalayıcı kokusuna buram buram gömülmüş bir adamı, ölmüş gazeteci Celal Salik'in yeni ele geçirilmiş köşe yazılarını hecelerken gördüm. Eski ahşap köşklerin yıkılıp beton apartman binalarına dönüştürüldüğü yeni zenginleşen kasabaların meydan kahvelerinde, sarışın ve güzel karıları ve çocuklarıyla oturup Coca Cola içen yeni transfer Boşnak ve Arnavut futbolcuları gördüm. İzbe meyhanelerde, iğne atsan yere düşmez çarşı yerlerinde, fıtık bağları sergileyen eczanelerin karşı dükkanı yansıtan vitrin camlarında ve geceleri otel odalarında ya da otobüs koltuklarında içine gömüldüğüm kâbusların ve rengârenk mutluluk hayallerimin arasında Seiko ya da Serkisof sandığım gölgeler görüp korktum.

Konu açılmışken, Dr. Narin'in ülkenin kalbine yerleştirmek istediği ücra Çatık kasabasına da, son hedefim Sonpazar'dan önce şöyle bir uğradığımı söylemeliyim. Ama orada da savaşlardan, göçlerden tuhaf bir hafıza kaybından ve kalabalıklardan, korkulardan ve kokulardan ve üslubumdan çıkartıyorsunuzdur, anlayamıyordum nelerden, kasabayı öyle bir değişmiş buldum ki sokaklardaki amaçsız kalabalıklar arasında yerini yönünü şaşıran aklım gibi, Canan'dan bana kalmış hatıralar da zedelenir diye telaşa kapıldım. Eczanenin vitrinine dizilmiş dijital Japon saatleri, Dr. Narin'in Büyük Karşı Kumpası'nın ve hizmetindeki saatler örgütünün çoktan çöktüğünü hem gerçek hem de simgesel olarak bana ilan etti; çarşı yerine sıra sıra dizilip adları yabancı harfler ve kelimelerle yazılmış gazoz, araba, dondurma ve televizyon bayileri de buna tüy dikti.

Gene de ama, Canan'ın yüzünden, gülüşünden, söylediği bir sözden bende kalanları canlandırıp alevlendirerek bu yitip gitmiş hafızasızlar ülkesinde hayatın anlamını bulmaya çalışan bahtsız ve budala kahramana bir mutlu hayal sığınağı olabilecek serin ve loş bir gölgelik bulurum diye, Dr. Narın'in sevimli kızlarıyla bir zamanlar yaşadığı konağa ve anılarımın mutlu dut ağacına doğru yürüdüm. Vadiye direkler dikilmiş, hatlar çekilmiş, elektrik gelmişti, ama bu yörede hiç ev yoktu, yıkıntılardan başka bir şey görülmüyordu. Bu harabeler zamandan değil de birtakım felaketler yüzünden oluşmuş gibi görünüyordu.

Aynı satırları yıllarca yaza yaza sonsuzluk zamanının huzurunu, hayatın sırrını, −her ne derseniz deyin buna− bulacağını sanan Canan'ın eski sevgilisini öldürmekle iyi ettiğimi de işte bu sıralarda, Dr. Narin'le bir zamanlar çıktığımız tepelerden birine yerleştirilmiş AKBANK ilanına bakarken şaşkın şaşkın düşünmeye başladım. Oğlunu bütün bu kirli görüntüleri görmekten, bütün bu videolar ve harfler arasında susuzluktan boğulmaktan, bu nursuz ışıksız dünyada kör olmaktan kurtarmıştım işte. Bu sınırlı garabetler ve alçakgönüllü gaddarlıklar ülkesinden beni ışığıyla sarıp sarmalayıp kim kurtaracaktı peki? Bir zamanlar hayallerinin sinemasında tatlı ve inanılmaz renklerini seçtiğim ve yüreğimde de kelimelerini duyduğum melekten hiçbir ses, hiçbir işaret alamıyordum.

Kürt isyancıları yüzünden Viranbağ şehrine tren seferleri kaldırılmıştı. Katilin, yıllar sonra da olsa, cinayet yerine dönmeye niyeti yoktu, ama karamelalarına Yeni Hayat adı verip, üzerine de bir melek oturtmayı akıl eden Süreyya Bey'in torunuyla yaşadığını öğrendiğim Sonpazar kasabasına varabilmem için PKK'nın güçlü olduğu bu bölgeden bir gündüz otobüsüyle geçmem gerekti. Otobüs garajından gördüğüm kadarıyla burada da hatırlanacak bir şey kalmamıştı, ama ne olur ne olmaz biri katili görür de hatırlar diye, otobüs kalksın diye beklerken başımı *Milliyet* gazetesinin içine gömdüm.

Kuzeye doğru çıkarken, sabahın ilk ışıklarıyla birlikte dağlar sivrildi, güçlendi ve otobüsümüzün içini korkulu bir sessizlik mi kapladı, yoksa haşin dağlarda kıvrıla kıvrıla hepimizin başı mı dönmüştü çıkaramadım. Arada bir askerlerin yaptığı kimlik denetimleri yüzünden ya da kuş uçmaz kervan geçmez bir yerdeki köyüne bulutlarla ahbaplık ederek yürüye yürüye gidecek vatandaşı bırakmak için duruyorduk. Kendi içlerine kapanmış ve yüzyıllar boyunca tanık oldukları acımasızlıklar karşısında sağırlaşmış dağlara hayranlık içinde baktım da baktım. Suçlarını başarıyla gizleyen katillerin de bu türden bayağı cümleler yazmaya hakkı vardır, diyeyim de bu son cümleye kaşlarını kaldıran okuyucu sonuna sabırla geldiği kitabı ayıplayarak bir kenara atmasın.

Sanırım Sonpazar kasabası PKK'nın nüfuz alanının dışında kalıyordu. Kasabanın çağdaş uygarlığın nüfuz alanının dışında kaldığı da söylenebilirdi, çünkü otobüsten indikten sonra kasaba meydanlarında "döne dolaşa gene aynı yere gelmişim," duygusuyla beni selamlayan bütün o banka, dondurma, buzdolabı, sigara ve televizyon bayilerinin gürültülü harfleri ve simgeleriyle sarılacağıma, huzurlu şehirlerin ve mutlu padişahların anlatıldığı unutulmuş masallardan çıkma sihirli bir sessizlik beni karşıladı. Bir kedi gördüm: Kasaba meydanı olması gereken kavşağa bakan kahvenin sakin çardağı altında, hayatından fazlasıyla memnun, ağır ağır yalanıyordu. Kasap dükkanının önünde mutlu kasap, bakkalın önünde dertsiz bakkal, manavın önünde uykulu manav ve uykulu sinekleri, tatlı mı tatlı bir sabah güneşinin altında oturmuşlar, yeryüzünde varolmanın, herkesin yaptığı bu en basit işin ne büyük nimet olduğunu akıllıca kavramış olarak, sokaktaki altından ışığın içinde huzurla eriyip gitmişlerdi. Gözuçlarıyla izledikleri, kasabaya gelmiş yabancı ise, bu yadırgatıcı masal sahnesine kendini birden kaptırmış, bir zamanlar delice sevmiş olduğu Canan'ının elinde dedelerimizden kalma eski saatler ve bir tomar eski dergi ve yüzünde muzip bir gülümseme ile ilk sokaktan karşısına çıkıvereceğini sanıyordu.

İlk sokakta kendi aklımın sessizliğini farkettim, ikincisinde yerlere kadar eğilmiş bir söğüdün dalları beni okşadı, üçüncü sokakta uzun kirpikli güzeller güzeli bir çocuğu görünce cebimdeki kâğıdı çıkarıp adresi sormak geldi aklıma. Benim kirli dünyamın harfleri mi ona çok yabancıydı, yoksa çocuk okumasını bilmiyor muydu, çıkaramadım; ama ikiyüz kilometre güneydeki bir mahalle muhtarından koparabildiğim adres, baktım ki okunmuyor, "Ziya Tepe Sokak," diye ben heceledim ve daha sözümü bitirmeden, bir cumbadan başını uzatan bir cadı teyze "İşte," dedi, "nah yokuş orada."

17

Yıllar süren yolculuğumun sonu bu yokuş olacakmış, diye düşünürken ağzına kadar suyla dolu tenekelerle yüklü bir at arabası benden önce yokuşa girdi. Yukarıda bir yerde inşaata su taşıyor olmalıydı. Araba sarsılarak yokuşu çıktıkça, ağzından şıkır şıkır sular dökülen tenekeler neden çinko, diye sordum kendime, plastik bu diyara daha uğramamış mı? İşiyle meşgul arabacıyla değil, atla gözgöze geldim ve kendimden utandım. Yelesi ter içindeydi, öfkeli ve çaresizdi, yüküyle öyle bir zorlanıyordu ki yalnızca acı çekiyordu denebilir. Bir an kederli, hüzünlü iri gözünün içinde kendimi gördüm ve atın halinin benimkinden de berbat olduğunu kavradım. Bir gürültü içinde tıngırdayan çinkolarla, parke taşlarında takır tukur tekerlekler ve benim hım hım hayatım oflaya puflaya Anlam Tepesi'ne doğru tırmandık. Araba harç karılan küçük bir bahçeye girdi, ben, güneş karanlık bir bulutun arkasında kaybolurken, Yeni Hayat karamelalarının yaratıcısının duvarlar arkasındaki loş ve esrarengiz bahçesine ve evine. Bahçedeki taş evde altı saat kaldım.

Yeni Hayat karamelasının yaratıcısı, bana hayatımın sırları

konusunda bir anahtar verebilecek Süreyya Bey, günde iki paket Samsun sigarasını, hayat uzatan bir iksirden yararlanıyormuş gibi mutlulukla tüttürebilen, seksenlik ihtiyarlardandı. Beni torununun çoktan beri tanıdığı bir yakını, bir aile dostu gibi karşıladı ve sanki dün yarıda bıraktığı bir hikâyeye devam eder gibi Kütahya'da bir kış günü dükkanına gelen bir Macar Nazisi casusu uzun uzun anlatmaya başladı. Sonra Peşte'deki bir şekerci dükkanından, 1930'larda İstanbul'daki bir baloda kadınların giydiği birörnek şapkalardan, Türk kadınlarının güzel görünmek için yaptığı yanlışlardan, içeri girip çıkan ben yaşlardaki torununun neden bir türlü evlenemediğinden, —bozulan iki nişanın hikâyesine ayrıntılarıyla girerek— söz etti. Evli olduğumu öğrenince sevindi ve benim gibi genç bir sigortacının bu ülkeyi örgütlerken, yaklaşan felaketlere karşı vatandaşları uyarıp, derleyip toparlarken çıktığı yolculuklarda karısından ve çocuğundan uzak kalmayı göze almasının gerçek bir vatanseverlik olduğunu belirtti.

Bu ikinci saatin sonundaydı. Hayat sigortacısı olmadığımı, Yeni Hayat karamelalarını merak ettiğimi söyledim. Koltuğunda kıpırdandı; yüzü loş bahçeden gelen kurşuni ışığa dönükken, esrarengiz bir şekilde bana Almanca bilip bilmediğimi sordu. Cevabını beklemeden "Schachmatt," dedi. Kelimenin Farsça "şah" ile, öldünün Arapçası "mate"den yapılmış bir Avrupa melezi olduğunu açıkladı. Batı'ya satrancı biz öğretmiştik; dünyevi bir şey, bir savaş alanı görünümünde, beyaz ordu ile karanın, içimizdeki iyi ile kötünün ruhsal savaşı olarak. Onlar ne yapmıştılar? Vezirimizi kraliçe, filimizi piskopos yapmıştılar; önemli değildi. Ama satrancı kendi akıllarının ve dünyadaki akılcılığın zaferi olarak bize geri vermiştiler. Bugün onların aklıyla kendi hassasiyetimizi anlamaya çalışıyor ve bunu uygar olmak zannediyorduk.

Dikkat etmiş miydim, torunu dikkat etmişti, yaz başlarında leylekler kuzeye çıkarlarken ya da Ağustos'ta güneye, Afrika'ya geri dönerlerken eski mutlu zamanlarda yaptıklarından çok daha yüksekten uçuyorlardı. Üzerlerinde kanat çırptıkları şehirler, dağlar, nehirler, bütün ülkeler onlar için artık sefaletini görmek istemedikleri acıklı bir coğrafyaya dönüşmüştü de ondan. Leyleklerden sevgiyle söz ederken, İstanbul'a elli yıl önce gelen leylek bacaklı trapezci bir Fransız kızına geçti ve eski sirkleri ve panayırları ve kapılarında satılan şekerleri özlemden çok bir renk ve ayrıntı dikkatiyle hatırlayıp anlattı.

Beni buyur ettikleri sofrada öğle yemeğimizi yer, soğuk Tuborg biraları içerken, Süreyya Bey sekizinci haçlı seferi sırasında Orta Anadolu'da sıkıştırılıp kalan birtakım şövalyelerin Kapadokya'daki mağaralardan birine girip yeraltına inişlerini anlattı. Yüzyıllar boyunca nüfuzları artarken, bu şövalyelerin çocukları, torunları mağaraları genişletmişler, yeraltında dehlizler açmışlar, başka mağaralar bulmuşlar, şehirler kurmuşlardı. İçinde, Haçlılar Soyundan Yüzbinlerce Kişinin (HSYK'ler) yaşadığı bu güneş yüzü görmemiş labirentler ülkesinden bir casus, bazan kılık değiştirip şehirlerimize, sokaklarımıza sızar ve bize Batı medeniyetinin ne yüce bir şey olduğunu vaaz etmeye başlardı ki, altımızı oyup yerleşenler kafamızın da oyulduğunu görüp gönül rahatlığıyla yeryüzüne çıksınlar. Bu casuslara OPA dendiğini, bu marka bir tıraş kremi olduğunu biliyor muydum?

Atatürk'ün leblebi zevkinin ülkemiz için ne büyük bir felaket olduğunu o mu anlattı, ben mi o sırada hayalimde kuruyordum? Dr. Narin'e sözü o mu getirdi, yoksa bir çağrışımla ben mi ima ettim, çıkaramıyordum. Dr. Narin'in yanlışı, tıpkı bir materyalist gibi, eşyalara inanarak, onları saklayarak kaybolan ruhu koruyacağını sanmasıydı. Bu doğru olsaydı, dedikleri gibi, bit pazarına nur yağardı. NUR. Bu kelimeyle başlayan pek çok marka vardı. Hepsi tabii taklitti. NUR lambaları, NUR mürekkepleri, vs. Dr. Narin eşyalarla kaybolan ruhu, ruhumuzu koruyamayacağını anlayınca işi teröre dökmüştü. Bu da Amerika'nın işine gelmişti tabii, kimse CIA'den daha iyi beceremezdi bu işleri: Bugün evinin, konağının yerinde yeller esiyordu. Gül kızları tek tek kaçıp kaybolmuşlardı, oğlu çoktan öldürülmüştü. Örgütü ise dağılmış, belki de her bir katil, büyük imparatorlukların yıkılma zamanlarında olduğu gibi, kendi özerk prensliğini ilan etmişti. Kolonyalist zekâların zekice bir taktikle bugün "Ortadoğu" dedikleri muhteşem topraklar, özerkliklerini ilan etmiş acemi prens katillerle bugün bu yüzden kaynaşıyordu. Sigarasının ucuyla beni değil de, yanımdaki boş koltuğa doğru işaret ederek altını çizdiği paradoks: Bu toprakların kendi özerk tarihlerinin de sonuna gelmiştik artık.

Akşam loş bahçeye, bir mezarlığa iner gibi sessizliği büyüterek inerken saatlerdir açmasını beklediğim konuya birdenbire giriverdi. Kayseri yakınlarında rastladığı bir Katolik Japon misyonerin bir cami avlusunda giriştiği beyin yıkama faaliyetini anlatırken, birden konuyu değiştirdi: Yeni Hayat adını nereden çıkardığını hatırlamıyordu. Ama karamela, uzunca bir dönem, bu topraklarda yaşayan insanlara yeni bir hassasiyetin, yeni bir tadın varlığını hissettirerek kaybedilen bir geçmişi hatırlattığı için adın sihrini yerinde buluyordu. Sanıldığının aksine ne karamela, ne de kelimenin kendisi Fransa'dan gelen birer ithal, birer taklittiler. Kara kelimesi bu topraklarda onbinlerce yıldır yaşayan insanların sözlüklerindeki en temel kelime olduğu için zaten, otuziki yıllık üretim tarihi boyunca, Kara-Melaların kâğıdına koyduğu on bin küsur maninin bine yakınında bu kelime vardı.

Peki ya melek? diye sordu bir kere daha bahtsız yolcu, sabırlı sigortacı, biçare kahraman.

Cevap olarak Süreyya Bey bu on bin maniden sekiz tanesini ezberden okudu. Dünya güzelleriyle kıyaslanan, uykulu genç kızları hatırlatan, masallardan çıkma bir sihre bulanan ve giderek çocuksulaşarak benden uzaklaşan, bana çekici gelmeyen ve hatıralarımı hiç mi hiç canlandırmayan saf melekler mısraların içinden bana el ettiler.

Süreyya Bey, okuduğu manilerin hepsinin kendi eseri olduğunu açıkladı. Yeni Hayat karamelalarındaki on bin maninin altı bine yakınını kendisi yazmıştı. Sürümün inanılmaz boyutlara ulaştığı o altından yıllarda bazan günde yirmi mani döktürdüğü olurdu. İlk Bizans sikkesini basan Anastasius da paranın ön yüzüne kendi portresini koydurmamış mıydı? Süreyya Bey, bir zamanlar bu ülkedeki bütün bakkallarda terazi ile kasa arasındaki kavanozlarda kendi eserlerinin durduğunu, kendi mührünü taşıyan nesnelerin on milyonlarca cepte taşındığını, bozuk para olarak kullanıldığını bana hatırlatırken, tıpkı bir zamanlar sikke basmış bir imparator gibi iktidarı, zenginliği, ikbali, güzel kadınları, ünü, başarıyı, mutluluğu, kısaca hayatın bütün zevklerini tattığını söyledi. Bu yüzden şimdi yaptıracağı bir hayat sigortasının ona hiçbir yararı olmayacaktı. Ama teselli olarak genç sigortacı arkadaşına karamelalarında niye bir melek resmi kullandığını açıklayabilirdi. Gençlik yıllarında sık sık gittiği Beyoğlu sinemalarında Marlene Dietrich'i seyretmeyi pek severdi. Hele Der Blaue Engel filmine bayılırdı. Bizde Mavi Melek diye gösterilen film Alman romancısı Heinrich Mann'ın bir şaheseriydi. Süreyya Bey asıl adı Professor Unrat olan romanı da okumuştu. Profesör Unrat, Emil Jannings'in oynadığı kendi halinde bir lise öğretmenidir. Bir gün bir sokak kadınına tutulur. Kadın melek gibi gözükse de, aslında...

Dışarıda kuvvetli bir rüzgâr vardı da ağaçları mı hışırdatıyordu? Yoksa aklım bir rüzgâra kapılmış kendi sürüklenişini mi dinliyordu? Hülyalı ve affedilebilecek kadar da şaşkın ve masum öğrenciler için iyiniyetli öğretmenlerin dediği gibi, bir süre "orada değildim". *Yeni Hayat*'ı ilk okuduğum gençlik gününün ışıklar içindeki hayali, karanlık gecede kaybolmakta olan erişilmez bir harika geminin şıkır şıkır ışıkları gibi gözlerimin önünden süzülüp geçti. İçine gömüldüğüm sessizlikte Süreyya Bey'in gençliğinde gördüğü filmin ve okuduğu romanın acıklı hikâyesini anlattığını biliyordum bilmesine, ama sanki hiçbir şey duymuyor, görmüyordum.

Derken torunu odaya girdi, lambayı yakıverdi ve bir anda üç şeyi birden farkettim. 1. Tavandaki yanıveren avize Viranbağ şehrindeki çadır tiyatrosundaki Arzu Meleği'nin her akşam bir talihliye hayat hakkındaki eşsiz öğütlerle birlikte hediye ettiği avizenin tıpatıp aynısıydı. 2. Hava o kadar kararmıştı ki uzun bir süredir ihtiyar şekerciyi hiç mi hiç görmüyordum. 3. O da beni hiç mi hiç görmüyordu, çünkü kördü.

Bu üçüncüsüne kaşlarını kaldırıp, altı saatte bir adamın kör olduğunu farkedemeyen benim dikkatimden, benim zekâmdan kuşkuya düşen saldırgan ve alaycı okura ben de saldırgan bir şekilde elinde tuttuğu kitabın her köşesinde yeterince dikkat ve zekâ gösterip göstermediğini sorayım mı? Mesela, melekten ilk sözedildiği sahnenin renklerini şimdi hatırlayabilir misiniz bakalım? Ya da *Demiryolu Kahramanları* adlı eserinde Rıfkı Amca'nın şirket adlarını saymasının *Yeni Hayat*'a nasıl bir ilham verdiğini hemen söyleyebilir misiniz? Ben Mehmet'i sinemada vururken, onun Canan'ı düşünmekte olduğunu, daha sonra hangi ipucundan çıkarabileceğimi fark ettiniz mi? Benim gibi hayatı kaymışlarda hüzün, zeki olmaya çalışan bir öfke olarak gösterir kendini. O zeki olma isteği de en sonunda her şeyi berbat eder.

Kendi kederime gömülmüş, kör olduğunu tepemizde yanan avizeye bakışından anladığım ihtiyarı, ilk defa bir çeşit saygıyla, bir çeşit hayranlıkla, doğrusunu söyleyeyim bir çeşit gıptayla seyrediyordum. Uzun boylu, ince, zarif ve yaşına göre de dinç görünüşlüydü. Ellerini parmaklarını hünerle kullanmasını biliyor, kafası hâlâ tıkır tıkır işliyor ve inatla sigortacı sandığı hülyalı bir katilin karşısında, ilginç olmaktan hiç çıkmadan altı saat konuşabiliyordu. Mutluluk ve heyecanla yaşadığı gençliğinde birşeyler başarmış, başarısı milyonlarca kişinin ağzında ve midesinde her ne kadar eriyip gitmişse ve altı bin manisi de karamela kâğıtlarıyla birlikte çöpe atılmışsa da ona dünyadaki yeri konusunda sağlam ve iyimser bir fikir vermiş, üstüne üstlük seksen küsur yaşına kadar günde iki paket sigarayı keyifle içebilmişti.

Sessizlikte, körlere özgü bir sezgiyle bendeki hüznü hissetti ve gönlümü almaya girişti: Böyleydi işte hayat: Kaza vardı, talih vardı; aşk vardı, yalnızlık vardı, neşe vardı; kader vardı, bir ışık, bir ölüm, ama belli belirsiz bir mutluluk da vardı; unutmamak gerekiyordu bunları. Radyoda da saat sekizde "ajans" vardı; torunu şimdi radyoyu açacak, ben de onlarla birlikte akşam yemeğine lütfen kalacaktım.

Özür diledim, ertesi gün Viranbağ kasabasında, hayat sigortası olmak isteyen pek çok kişinin beni beklediğini söyledim. Derken, kaşla göz arasında evden, bahçeden çıkmış, sokaktaydım. Dışarıda, kışın burada çetin geçtiğini sezdiren serin bir bahar gecesinin içinde, bahçedeki karanlık servi ağaçlarından da yalnız buldum kendimi.

Bundan sonra ne yapacaktım? Öğrenmem gerekeni, –hiç de gerekmeyeni– öğrenmiş, kendim için icat edebileceğim bütün sırların, serüvenlerin ve yolculukların sonuna gelmiştim artık. Geleceğim diyebileceğim hayat parçası, tıpkı aşağıdaki unutulmuş Sonpazar kasabası gibi cıvıl cıvıl gecelerden, neşeli kalabalıklardan, iyi aydınlatılmış yollardan çok uzakta, birkaç soluk sokak lambasının dışında karanlıklar içindeydi. İddialı mı iddialı bir köpek iki kere "hav" deyince yokuştan aşağıya indim.

Dünyanın sonundaki bu küçük kasabadan beni gerisin geriye

banka afişlerinin, sigara reklamlarının, gazoz şişeleriyle televizyon ekranlarının cıvıltısına götürecek otobüsü beklerken sokaklarda amaçsızca dolaştım. Dünyanın, kitabın, hayatımın birliği ve anlamına ulaşmak için pek bir umut ve isteğim artık kalmadığı için sokaklarda gezinirken hiçbir şeyi işaret etmeyen, hiçbir şeyi ima etmeyen başıboş görüntüler arasında buldum kendimi. Açık bir pencereden, bir masanın çevresinde toplanıp akşam yemeği yiyen bir aileyi seyrettim. Öyleydiler işte, bilirsiniz. Cami duvarına asılı bir kartondan Kuran kursunun saatlerini öğrendim. Çardaklı kahvede Budak gazozunun Coca Cola, Schweppes ve Pepsi'nin bütün saldırılarına rağmen burada direndiğini gördüm fazla da aldırmadan. Çardağın hemen karşısına düşen bir bisikletçi dükkanının önünde, içeriden gelen ışığın altında bir tekerleği akord eden ustayla, elinde sigara, onunla yarenlik eden arkadaşını seyrettim. Niye arkadaş diyorum, belki de için için bir düşmanlık ve gerilim de vardı aralarında. Her iki durumda da daha az ya da çok ilginç değildiler. Çok karamsar olduğumu düşünecek okuyucularım için, çardaklı bir kahvenin serinliğinde oturup onları seyretmenin bunu hiç yapmamaktan daha iyi olduğunu hissettiğimi belirteyim.

Otobüs geldi, bu duygularla Sonpazar kasabasını terkettim. Kıvrıla kıvrıla kayalık dağlara çıktık, endişelenerek, frenlerin gıcırtısını dinleyerek indik. Birkaç kere durduruldum, askerlere güven vermeye çalışarak kimliklerimizi çıkarıp gösterdik. Ne zaman ki dağlar, askerler ve kimlik denetimleri bitti ve otobüsümüz geniş ve karanlık düzlüklerde kendi bildiği gibi hızlanmaya, coşmaya, azmaya başladı, motorların homurtusu ve tekerleklerin şen şakrak cıvıltısı içersinde kulaklarım bildik tanıdık eski bir müziğin kederli notalarını seçmeye başladı.

Belki de otobüs, Canan'la bir zamanlar bindiğimiz dayanıklı, irikıyım ve gürültücü eski Magirus'lerin sonuncusu olduğu için; belki de saniyede sekiz dönüş yaparken tekerleklerin çıkardığı o özel iniltiye uygun bozuk bir asfaltta ilerlediğimiz için; belki video filminde Yeşilçam âşıkları birbirlerini yanlış anlayıp ağlarlarken geçmişimin ve geleceğimin mor ve kurşuni renkleri ekranda belirdiği için; bilemiyorum, bilemiyordum; belki de hayatımda bulamadığım anlamı rastlantının gizli düzeninde bulayım diye bir içgüdüyle otuzyedi numaralı koltuğa oturduğum, ya da onun boş koltuğuna doğru uzanarak karanlık pencereye bakınca dışarıda bir zamanlar bize zaman gibi, hayal gibi, hayat ve kitap gibi hiç bitip tükenmeyecek kadar esrarlı ve çekici gözüken gecenin karanlık kadifesini görüverdiğim için. Benden daha da kederli bir yağmur camlarda tıpırdamaya başlayınca koltuğumda iyice kaykıldım ve kendimi anılarımın müziğine bıraktım.

Bendeki kedere koşut olarak, yağmur hızlandı da hızlandı, geceyarısına doğru bir saatte aklımda açan mor hüzün çiçekleriyle aynı renkte şimşeklerin ve otobüsümüzü savuran bir rüzgârın eşliğinde sağanağa dönüştü. Pencerelerin kenarlarından koltuklara sular akarken, eski otobüs, sağanağın içinde kaybolup gitmiş bir benzincinin, sudan hayaletlerle haşır neşir olmuş çamurdan köylerin önünden geçtikten sonra bir mola yerine doğru ağır ağır kıvrıldı. SUBAŞI HATIRALAR RESTORAN'ın neondan harflerinin mavi ışığı üzerimize vurunca, "Yarım saat," dedi yorgun şoför, "mecburi mola".

Yerimden kıpırdamadan anılarım dediğim acıklı filmi koltuğumda yapayalnız oturup seyretmek vardı aklımda, ama Magirus'un tavanını döven yağmur içimdeki ağır hüznü öylesine koyulaştırıyordu ki, dayanamamaktan korktum. Başlarını gazeteler, plastik torbalarla siper edip çamurda seke seke ilerleyen yolcularla birlikte kendimi dışarı attım.

Kalabalığa karışmak bana iyi gelir diyordum, bir çorba içer, bir muhallebi yer, dünyanın elle dokunulabilir hazlarıyla kendimi oyalar, böylelikle de hayatımın arkada bıraktığım kısmına bakıp bakıp içlenmek yerine, önümde uzanan kısmına aklımın akılcı uzak lambalarını çevirir kendimi toparlarım. İki basamak çıktım, mendilimle saçlarımı kuruladım, yağ ve sigara kokan ışıl ışıl bir salona girip bir müzik duydum ve sarsıldım.

Yaklaşmakta olan bir kalp krizini sezen deneyimli bir hasta gibi, tedbirlerimi almak, buhranı savuşturmak için çaresizlikle kıvrandığımı hatırlıyorum. Ama susturun radyodaki şu müziği, biz onu Canan'la rastlaştığımız kazadan sonra elele tutuşup dinlemiştik diyemezdim; ya da indirin duvarlardaki şu yerli artist resimlerini, biz Canan'la bu lokantada yemek yerken onlara bakıp nasıl da gülüşmüştük diye bağıramazdım ya. Cebimde hüzün krizine iyi gelecek bir trinitrin hapı da olmadığı için, laf olsun diye bir kâse ezogelin çorbası, bir parça ekmek ve bir duble rakı alıp, tepsime koyup bir köşeye masaya çekildim. Kaşığımla karıştırırken çorbanın içine tuzlu gözyaşlarım şıp şıp damlamaya başladı.

Bırakın, Çehov taklitçisi yazarların yapacağı gibi acımdan bütün okurların paylaşacağı bir insan olma gururu çıkarmayayım da, Doğulu, geleneksel bir yazarın yapacağı gibi, onu bir ibret vesilesi olarak göstereyim. Kısaca: Kendimi başkalarından ayırmak, herkesinkinden daha başka bir amacı olan özel biri olarak görmek istemiştim. Bu da buralarda affedilecek bir suç değildir. Bu imkansız hayali, Rıfkı Amca'nın çocukluğumda okuduğum resimli romanlarından edindiğimi söyledim kendime. İbret çıkarmaya meraklı okuyucunun çoktan düşündüğü şeyi, yani *Yeni Hayat*'tan da zaten, çocukluğumun kitapları beni ona hazırladığı için öylesine etkilendiğimi de, böylece bir daha düşündüm. Ama tıpkı eski mesel ustaları gibi, çıkardığım ibrete kendim de inanamadığım için, hayat hikâyem tek başına benim hikâyem olarak kalıyor, bu da acımı hiç hafifletmiyordu. Kafama yavaş yavaş dank eden bu acımasız sonucu, kalbim çoktan çıkarmıştı zaten: Radyodaki müziğin eşliğinde hüngür hüngür ağlamaya başlamıştım.

Durumumun, çorbalarını kaşıklayan, pilavlarını atıştıran yol ve otobüs arkadaşlarımın üzerinde iyi bir izlenim bırakmadığını gördüğüm için helaya sıvıştım. Öksüre öksüre akarak üstümü başımı sırılsıklam bırakan bir musluktan yüzüme ılık ve bulanık bir su vurdum, burnumu sildim, biraz oyalandım. Geri dönüp masama oturdum.

Az sonra gözucuyla onlara baktığımda, gözucuyla masalarından bana bakan yol arkadaşlarımın biraz rahatladıklarını gördüm. Derken, onlarla birlikte beni dikizleyen ihtiyar bir satıcı, elinde hasırdan sepeti, gözümün içine baka baka yaklaştı.

"Boşver," dedi. "Bu da geçer. Al şu nane şekerinden bir tane, iyi gelir."

Masamın üzerine FERAH marka bir küçük torba nane şekeri bıraktı.

"Kaça bu?"

"Yok yok. Bu benim sana hediyem."

Sokakta ağlarken küçük çocuk, iyiniyetli bir amca şeker veriverir ya eline... O çocuk gibi suçlu suçlu baktım şekerci amcanın yüzüne. Amca, lafın gelişi, belki benden çok da yaşlı değildi.

"Bugün biz artık kaybetmişiz," dedi. "Batı bizi yuttu, ezdi geçti. Çorbamıza, şekerimize, donumuza kadar her yerimize girip işimizi bitirdiler. Ama bir gün, bin yıl sonra bir gün, bu kumpasa son verip onları çorbamızın, çikletimizin, ruhumuzun içinden mutlaka çekip çıkaracak, intikamımızı alacağız. Şimdi, nane şekerini ye, boşuna da ağlama."

Bu muydu aradığım teselli, bilmiyorum. Ama sokaktaki iyiniyetli amcanın masalını ciddiye alan çocuk gibi bir süre bu teselliyi gözden geçirdim. Sonra Erzurumlu İbrahim Hakkı'nın ya da erken dönem Rönesans yazarlarının bir düşüncesi geldi de aklıma yeni bir teselli imkânı buldum.

Onlar gibi, hüznün kaynağının mideden kafaya kadar yayılan zararlı, karanlık bir sıvı olduğunu düşünüp yediğime içtiğime dikkat etmeye karar verdim.

İçine ekmek doğrayarak çorbamı kaşıkladım, rakımı dikkatle yudumlayıp, bir dilim kavunla birlikte bir tane daha istedim. Midesinde olup bitenlere dikkat kesilen ihtiyatlı bir ihtiyar gibi otobüsümüz kalkana kadar yiyeceklerle, içeceklerle oyalandım. Otobüste de gittim en öndeki boş koltuklardan birine oturdum. Anlaşılmıştır sanıyorum: Her zaman oturmayı tercih ettiğim 37 numarayı geçmişimle ilgili herşeyle birlikte arkada bırakmak istiyordum. Uyuyakalmışım.

Uzun ve deliksiz bir uykuyu mışıl mışıl çektikten sonra, sabaha doğru bir saatte otobüs durunca uyandım, medeniyetin uç karakollarından birine, yeni açılmış modern bir mola yerine girdim. Duvarlardaki kamyon lastiği, banka ve Coca Cola ilanlarındaki güzel ve iyiniyetli kızları, takvim manzaralarını, bağıra bağıra beni çağıran reklam harflerinin cıvıl cıvıl renklerini ve bir köşesinde çokbilmişlikle "self service" yazan vitrinin üstündeki, ekmeğinden dışarı taşan tombul hamburgerlerin, ruj kırmızılı, papatya sarılı, rüya mavili dondurmaların resimlerini görmek biraz neşelendirdi beni.

Gidip bir kahve aldım, bir köşeye oturdum. Karşımdaki üç televizyon ekranının ve güçlü ışıkların altında, yepyeni marka bir plastik şişeden kızarmış patateslerin üzerine ketçapını dökemeyen küçük ve şık bir kızı ve yardım eden annesini seyrettim. ALTAT marka aynı ketçaptan bir plastik şişe de benim masamda vardı ve üzerindeki altın sarısı harfler, bir türlü açılmayan, açılınca da küçük kızların elbiselerini berbat eden o şişe kapaklarından otuz tanesini üç ayda biriktirir, aşağıdaki adrese postalar, çekilecek kurayı da kazanırsam bana Florida'daki Disneyland'a bir haftalık bir gezi vaadediyordu. Derken ortadaki televizyonda bir gol oldu.

Hamburger sırasında bekleyen ve masalarda oturan öteki

erkek kardeşlerimle birlikte golü ağır çekimle bir daha izlerken, önümdeki hayata uygun bir akılcılık ve hiç de yüzeysel olmayan bir iyimserlik kapladı içimi. Televizyonda futbol maçlarını seyretmeyi, pazarları evde oturup tembellik etmeyi, bazı geceler içmeyi, kızımı alıp trenlere bakmaya istasyona gitmeyi, yeni ketçap markalarını denemeyi, okumayı, karımla dedikodu edip sevişmeyi, sigara tüttürmeyi, o anda yaptığım gibi, herhangi bir yerde oturup rahatsız edilmeden kahve içmeyi ve bunun gibi binlerce şeyi severdim. Kendime biraz dikkat eder de sözgelimi karamelacı Süreyya Bey kadar yaşarsam, önümde bu işleri keyfini çıkara çıkara yapabileceğim neredeyse yarım yüzyıllık bir zaman vardı... Bir anda evim, karım, kızım gözümde tüttü. Cumartesi öğlen eve varınca, kızımla nasıl oynayacağımı, istasyondaki pastaneden ona alacağım şekerleri, akşamüstü o bahçede oynarken karımla nasıl dürüstçe, özlemle ve tembellik etmeden sevişeceğimizi, sonra hep birlikte televizyona bakıp kızımı gıdıklayarak gülüşeceğimizi ağır çekimle hayal ettim.

Uykudan sonra kahve beni iyice kendime getirmişti. Otobüste, sabaha doğru oluşan o derin sessizlikte bir şoför, bir de sağında hafif arkasında oturan ben vardım uyumayan. Ağzımda nane şekeri, gözlerimi faltaşı gibi açmış, tıpkı hayatımın geri kalan kısmı gibi hiç bitmeyecekmiş gibi gözüken bozkırın ortasındaki dümdüz asfalta dikmiş, ortadaki kesik çizgileri sayarak arada bir geçen kamyonların, otobüslerin ışıklarına dikkatle bakarak sabırsızlıkla sabahı bekliyordum.

Sabahın ilk belirtilerini yarım saat geçmeden, benim sağ pencceremden –demek ki kuzeye doğru gidiyorduk– çıkarmaya başladım. Önce karanlığın içinde göğün ve karanın sınırları hayal meyal belirir gibi oldu. Derken, bu sınır çizgisi bozkırı hiç aydınlatmayan, ama karanlık göğü bir köşesinden yırtan ipeksi kızıl bir renk aldı, ama o kadar ince, o kadar narin ve o kadar olağanüstüydü ki bu pembemsi kızıl çizgi, karanlığa doğru gemi azıya almış çılgın bir at gibi haldır haldır koşturan çalışkan Magirus ve götürdüğü biz yolcular bir anda beyhude bir mekanik telaşın içinde bulduk kendimizi. Kimse farkında değildi bunun, gözünü asfalta dikmiş şoför de.

Birkaç dakika sonra biraz daha kızıllaşan ufuk çizgisinin çevresine yaydığı belli belirsiz bir ışık yüzünden doğudaki karanlık bulutlar kenarlarından, aşağılarından aydınlanır gibi oldular. Uzun gece yolculuğu sırasında otobüsün üstünden yağmuru eksik etmeyen bu azgın bulutların hafif ışıkta aldıkları harika biçimlere bakarken bir şey farkettim: Bozkır, hâlâ kapkaranlık olduğu için, hemen önümdeki geniş ön camda, hem iç ışıklarla hafifçe aydınlanmış kendi yüzümü ve gövdemi görebiliyordum, hem de o sihirli kızıllığı, harika bulutları ve sabırla hep birbirlerini tekrarlayan yol çizgilerini.

Otobüsün uzak ışıklarıyla aydınlanan bu çizgilere bakarken aklıma o nakarat geldi. Hani yorgun otobüste, tekerlekler saatlerce aynı hızla döner, motor aynı tempoyla inler, hayat da aynı ölçüyle kendini tekrar ederken, yorgun bezgin yolcunun ruhunun derinliklerinden çıkarıp, elektrik direkleriyle birlikte tekrarlayacağı bir nakarat vardır ya: Nedir hayat? Bir zaman! Nedir zaman? Bir kaza. Nedir kaza? Bir hayat, yeni bir hayat... Böyle tekrarlıyordum işte. Bir yandan da otobüsün iç karanlığı ile dışarının karanlığının aynı olduğu o sihirli anda, ön camdaki kendi görüntümün ne zaman kaybolacağını ve kapkaranlık bozkırda ilk ağıl gölgesinin ve ağaç hayaletinin ne zaman belireceğini kendime soruyordum ki, bir an bir ışık aldı gözümü.

O yeni ışıkta, otobüsün sağ ön camında meleği gördüm.

Benim az ötemde, ama benden ne kadar da uzaktaydı. Gene de anladım ama: O derin, yalın ve güçlü ışık benim için oradaydı. Magirus'un bütün hızıyla bozkırda ilerlemesine rağmen melek bana ne yaklaşıyor, ne uzaklaşıyordu. Parlak ışığı yüzünden tamı tamına neye benzediğini de göremiyordum, ama içimde canlanan bir şaka duygusu, bir hafiflik, bir özgürlük yüzünden onu tanıdığımı anladım.

Ne Fars minyatürlerindeki meleğe benziyordu ne de karamelalardakine, ne fotokopi meleklerine ne de yıllar boyunca her hayal edişimde sesini bana duyursun istediğim şeye.

Bir an, ona bir şey söylemek, onunla konuşmak istedim. Belki de, hâlâ o belli belirsiz şaka ve şaşkınlık duygusu yüzünden. Ama sesim çıkmadı, endişelendim. İlk anda hissettiğim bir dostluğun, yakınlığın, şefkatin varlığı içimde hâlâ canlıydı; bunlarla huzur bulmak istedim ve bunun yıllardır beklediğim an olduğunu düşünerek otobüsün hızından da hızla içimde büyüyen korkuyu yatıştırmak için zamanın, kazanın, huzurun, yazının, hayatın, yeni hayatın sırlarını bana versin istedim. Boşunaydı ama.

Benden ne kadar uzak, ne kadar harikuladeyse o kadar da acımasızdı. Acımasız olmak istediği için değil; yalnızca tanık olduğu ve o an başka hiçbir şey de yapmadığı için. Yarıkaranlık bozkırın ortasında, konserve benzeri haldır huldur Magirus'un ön koltuğunda, inanılmaz bir sabah ışığında telaş ve şaşkınlık içindeki beni görüyordu, o kadar. Bütün bütün bir acımasızlığın, çaresizliğin dayanılmaz gücünü duydum.

Bir içgüdüyle şoföre döndüğümde ışığın bütün ön camı olağanüstü bir güçle kapladığını gördüm. Altmış yetmiş metre ötede birbirini geçen iki kamyon, uzak ışıklarını üstümüze dikmiş, bize bindirmek üzere hızla yaklaşıyorlardı. Kazanın kaçınılmaz olduğunu anladım.

Yıllar önce yaşadığım kazalardan sonra hissettiğim o huzurun beklentisini hatırladım. Kaza sonralarında ağır çekimle yaşadığım geçiş duygusunu: Ne orada ne burada olabilen yolcuların birbirleriyle cennetten kalma bir zamanı kardeşçe paylaşır gibi mutlulukla kıpırdanışları geçti aklımdan. Az sonra bütün uykulu yolcular uyanacak, sabahın sessizliğini mutlu çığlıklar ve düşüncesiz haykırışlar bozacak ve iki dünya arasındaki eşikte, yerçekimsiz bir mekanın bitip tükenmeyen şakalarını keşfeder gibi kanlı iç organların, dökülen meyvaların, parçalanan gövdelerin ve yırtılan bavullardan fışkıran tarakların, ayakkabıların ve çocuk kitaplarının varlığını hep birlikte şaşkınlık ve heyecanla keşfedecektik.

Hayır, hep birlikte değil. O eşsiz ânı yaşayacak talihliler, kazanın inanılmaz bir gürültüyle patlamasından sonra, sağ kalabilen arka sıraların yolcuları arasından çıkacaktı. En ön sırada oturan ve yaklaşan kamyonların ışığına, kitaptan fışkıran inanılmaz ışığa kamaşan gözlerle hayret ve korkuyla bakar gibi bakan ben ise, hemen yeni bir dünyaya geçecektim.

Bunun hayatımın sonu olduğunu anladım. Oysa ben evime dönmek istiyor, yeni bir hayata geçmeyi, ölmeyi hiç mi hiç istemiyordum.

1992-1994

275

ORHAN PAMUK VE ROMANLARINA DÜNYADAN ÖVGÜ

"Doğu'da yeni bir yıldız yükseldi, bir Türk yazarı, Orhan Pamuk."
New York Times Book Review

"Avrupa'nın ve Amerika'nın edebiyat çevreleri ve eleştirmenleri üçüncü dünya ülkesinden gelen bir yazarı böylesine pek az övmüştür."
Jornal de Brazil, Rio de Jenerio

"İçe dönük düşüncesinin arabeskleriyle, Orhan Pamuk bize Proust'u hatırlatıyor... Çok zekice."
John Updike, *The New Yorker*

"Bütünüyle edebi ve edebiyatın bir zaferi."
Sidney Morning Herald, Avustralya

"Olağanüstü yetenekli."
The New Republic, New York

"Yerellik endişeleriyle evrenselliği böylesine güçle az yazar birleştirmiştir."
Corriere della Sera, İtalya

"Orhan Pamuk birinci sınıf bir hikâyeci."
The Times Literary Supplement, Londra

"Romancı Orhan Pamuk'un evreni büyüleyici, çetin ve esrarlı bir işaretler girdabı... Bitmeyen bir enerji. Çok nadir bir şey..."
Lire, Paris

KARA KİTAP

1990 yılında yayınlanmasından bugüne *Kara Kitap* modern Türk edebiyatının en çok okunan, en çok tartışılan, en çok övülen ve en çok yerilen kitaplarından biri, belki de birincisi oldu. Şimdi, bu şaşırtıcı kitap İngilizce'den İtalyanca'ya, İsveççe'den Almanca'ya bellibaşlı bütün Batı dillerinde yayımlanmak üzere.

Galip, çocukluk aşkı, arkadaşı, amcasının kızı, sevgilisi ve kayıp karısı Rüya'yı karlı bir kış günü İstanbul'da aramaya başlar. Çocukluğundan beri yazılarını hayranlıkla okuduğu yakın akrabası gazeteci Celâl'in köşe yazıları, bu arayışta ona işaretler yollayacak ve eşlik edecektir. Okuyucu, bir yandan her bacası, her sokağı, her insanı başka bir esrarlı âlemin işaretine dönüşen İstanbul'da Galip'in araştırmalarını ve karşılaştığı kişileri izlerken, bir yandan da bu araştırmaları değişik işaretler ve tuhaf hikâyelerle tamamlayan Celâl'in köşe yazılarıyla karşılaşır. Eski cellâtların hikâyelerinden Boğaz'ın sularının çekileceği felâket günlerine, kılık değiştiren paşalardan kültür tarihimizden kalmış esrarlı cinayetlere, karlı gecenin aşk hikâyelerinden yüzlerimizin üzerindeki anlamın sırlarına, İstanbul'un ücra ve karanlık köşelerinden gülünç ve tuhaf kişilerine, yakın tarihimizden günlük hayatımızın unutulmuş ve şaşırtıcı ayrıntılarına kadar uzanan bu araştırma, Galip'i hem kayıp karısına, hem de hayatımızın içine gömüldüğü kayıp esrara doğru çekecektir.

"Günümüz dünya edebiyatının çıkarabileceği en ilginç, en çarpıcı romanlardan biri."

Aftenposten, Norveç

BEYAZ KALE

17. yüzyılda Türk korsanlarınca tutsak edilen bir Venedikli, İstanbul'a getirilir. Astronomiden, fizikten ve resimden anladığına inanan bu köle, aynı ilgileri paylaşan bir Türk tarafından satın alınır. Garip bir benzerlik vardır bu iki insan arasında. Köle sahibi, kölesinden, Venedik'i ve 'Batı' bilimini öğrenmek ister. Bu iki kişi, efendi ile köle, birbirlerini tanımak, anlamak ve anlatmak için, Haliç'e bakan karanlık ve boş bir evde, aynı masanın iki ucuna geçip oturur, konuşurlar. Hikâyeleri ve serüvenleri, onları, veba salgınının kol gezdiği İstanbul sokaklarına, Çocuk Sultan'ın düşsel bahçelerine ve hayvanlarına, inanılmaz bir silâhın yapımına, 'ben neden benim' sorusuna götürecektir. Hikâyelerin günden geceye doğru ilerlemesiyle, gölgeler yavaş yavaş yer değiştirirler.

"Kitapçı dükkânlarında gelmiş geçmiş satılan en mükemmel hayal ürünlerinden."

ABC Cultura, İspanya

"Pamuk'un ustalığı bu kadar kısa ve yalın bir romana bu kadar çok düşünceyi rahatlıkla sığdırabilmesinde."

Guardian, Londra

"Başarıyla kurgulanmış, sürükleyici ve entellektüel bir aynalar oyunu."
Vrij Nederland, Amsterdam

"Okuyucuyu büyüleyerek çekiyor... Tam bir keyif."
Village Voice, New York

"Unutulmayacak bir hikâye."

Washington Times

"Ustaca kurulmuş paradokslarla örülü, hayranlık uyandıran zarif bir postmodern hikâye."
Publishers Weekly, New York

"Doğu ve Batı üzerine ustaca inceliklerle işlenmiş şık ve zarif, felsefi ve tarihi bir düşünme."
The Independent, Londra

CEVDET BEY VE OĞULLARI

Orhan Pamuk bu ilk romanında İstanbullu bir ailenin çevresinde, Türkiye'nin son yüzyıllık macerasını anlatıyor. Yüzyıl başında, Abdülhamit'in son günlerinde İstanbul'da, Vefa'daki bir evde açılan roman, ağır ağır ilerleyerek modernleşme tarihimizi yaşanan anlar dizisi olarak ustalıkla canlandırıyor ve Nişantaşı'nda bir apartman çevresinde sonuçlanıyor.

"Örneğine kolay rastlanmayacak bir çağ romanı... Şimdiden Türk romanına köşebaşı açıyor."

Selim İleri

"Büyük bir başarı... Hiç duraksamadan en beğendiğim yirmi Türk romanı arasına aldım."

Fethi Naci

"Ne yazsa ilgiyle okunur."

Cemal Süreya

ORHAN KEMAL ROMAN ARMAĞANI

MİLLİYET YAYINLARI ROMAN ÖDÜLÜ

SESSİZ EV

Sessiz Ev, Orhan Pamuk'un ikinci romanı. Yayımlandığında heyecanla karşılanmış, pek çok yabancı dile çevrilmiş, yurt içinde ve yurt dışında ödüller almıştı.

Biri tarihçi, biri devrimci, biri de zengin olmayı aklına koymuş üç torun İstanbul yakınlarındaki Cennethisar kasabasındaki babaannelerini ziyaret eder, dedelerinin yetmiş yıl önce siyaset yüzünden sürgün edildiğinde yaptırdığı evde bir hafta kalırlar. Bu sürede, babaannelerinin doksan yıllık anılarla yüklü geçmişi ağır ağır aralanırken, dedenin, Doğu ile Batı arasındaki uçurumu bir çırpıda kapatacağını sandığı büyük bir ansiklopediyi yazışı hatırlanır. Evde sessiz gözlemleriyle kuşaklar arasında köprü kuran tanıklar, bahçe duvarlarının ötesinde ise aile ile ilgilenen tutkulu gençlerin hareketleri vardır.

"Bu güzel ve hüzünlü kitap, üç mutsuz kardeşin, İstanbul yakınlarındaki küçük bir kentte, doksan yaşındaki babaannelerinin evinde geçirdiği bir haftayı anlatıyor... Şaşırtıcı bir başarı..."
The Times Literary Supplement, Londra

"Orhan Pamuk, gerçek bir romanın belirtisi olan dilsel bir yoğunlukla değişik açılar ve perspektiflerden bir olaylar dizisi kuruyor: Renkler, topoğrafya, imgeler, zengin ayrıntılar..."
Abidin Dino, *Le Monde Diplomatique*, Paris

"Önemli sorular soran değişik bir kitap - hem klasik, hem modern. Bana Çehov'un *Vişne Bahçesi*'ni hatırlatıyor."
Nicole Zand, *Le Monde*, Paris